A GALLERY OF GHOSTS

Books Published between 1641-1700 Not Found
in the *Short-Title Catalogue*

By Donald Wing

Associate Librarian
Yale University Library

Published by

The Index Committee of
The Modern Language Association of America

1967

FOREWORD

The present list contains about five thousand entries for books published between 1641-1700 which are not in my three volume *Short-Title Catalogue of Books Printed in England, Scotland, Ireland, Wales, and British America and of English Books Printed in Other Countries 1641-1700* (1945). I have reason to believe almost all of these have existed--a few have passed through my hands--but none was located in the more than two hundred libraries included in my catalogue. The most promising of these ghosts have been offered for sale either at public auction (AUC) or in second-hand book catalogues (SALE). It is my hope that present owners will step forward and be credited with their holdings. The ultimate purpose in issuing this list of ghosts is help in the preparation of a revised new edition. Judging from several hundred similar entries I have had to discard because of more or less obvious misprints--1648 for 1684, etc.-- I suspect many misprints may turn up in this list, but this time the error will be someone else's and not mine. Proper names prove to be a constant source of mistakes, such as Calthorp for Calthrop, and I am sure such occur here. Entries from the *Term Catalogue* (T.C.) usually refer to intermediate editions of books already located. Some of the entries have already been listed with the note "no copy known" in such bibliographies as Evans (EVANS) and Madan (MADAN). The great *Dictionary of National Biography* (DNB), despite its virtues, is notoriously uncertain in the dates mentioned for editions. Similarly fruitful as a source of ghosts have been the valuable catalogues compiled by Watt, the first part of whose *Bibliographia Britannica* was issued in 1819, and the subsequent works of Lowndes in 1824 and Allibone in 1874. Not surprisingly, errors in Watt have often been repeated by his successors.

This gallery of ghost books has been prepared and presented in the sincere hope that both librarians and private owners who actually own any of these entries will send the necessary information to me with the minimum delay.

Donald Wing

Yale University Library
December 1966

Bibliotheca annua: or, the annual catalogue.
    [London], 1700.

Allibone, Samuel Austin.
    A critical dictionary of English literature.
        Philadelphia, 1874. 3 v.

The Cambridge bibliography of English literature.
    Cambridge, 1941. 4 v.

Cox, Edward Godfrey.
    A reference guide to the literature of travel.
        Seattle, 1935-49. 3 v.

Dictionary of national biography.
    London, 1885-1900. 63 v.

Esdale, Arundell
    A list of English tales and prose romances.
        London, 1912.

Evans, Charles.
    American bibliography.
        Chicago, 1903. Vol. 1.

Gillow, Joseph.
    A literary and biographical history.
        London, 1885-92. 5 v.

Gough, Richard.
    British topography.
        London, 1780.

The Harleian miscellany.
    London, 1744-46. 8 v.

Hazlitt, W. Carew.
    Hand-book to the popular, poetical, and dramatic
        literature of Great Britain.

Hazlitt, W. Carew.
    Collections and notes.
        London, 1876. 7 v.

Livingston, Luther S.
    Auction prices of books.
        New York, 1905. 4 v.

Lowndes, William Thomas.
    The bibliographer's manual of English literature.
        London, 1857-64. 6 v.

Madan, Falconer.
    Oxford books.
        Oxford, 1895-1931. 3 v.

Morgan, William Thomas.
    A bibliography of British history.
        Bloomington, 1934. Vol. 1.

Notes and queries.
    High Wycombe, 1850- . 210 v.

Rollins, Hyder
    Cavalier and Puritan.
        New York, 1923.
    The pack of Autolycus.
        Cambridge, 1927.

Rowlands, William.
    Cambrian bibliography.
        Llanidloes, 1869.

The Roxburghe ballads.
    London, 1873-74. 2 v.

Sabin, Joseph.
    Dictionary of books relating to America.
        New York, 1868-1936. 29 v.

Smith, Joseph.
    A descriptive catalogue of Friends' books.
        London, 1867. 3 v.

Stationers Company, London.
    A transcript of the registers.
        London, 1913. 3 v.

Sweet and Maxwell.
    A bibliography of English law.
        London, 1925. Vols. 1-2, 4-5.

Taylor, Eva Germaine Rimington.
    Late Tudor and early Stuart geography.
        London, 1934.

The term catalogues.
    Arber, Edward, ed.
        London, 1903. 3 v.

Watt, Robert.
    Bibliotheca Britannica.
        Glasgow, 1819. 2 v.

Whitley, W. T.
    A Baptist bibliography.
        London, 1916.

SYMBOLS

AC	Annual Catalogue
ALL	Allibone, S. A.
AUC	Auctions
CBEL	Cambridge Bibliography of English Literature
COX	Cox, E. G., Travel
DNB	Dictionary of National Biography
ESD	Esdale, A.
EVANS	Evans, C., American Imprints
GIL	Gillow, Catholic
GOU	Gough, R., Topography
HARL	Harleian
HAZ	Hazlitt, W. C., Handbook and Manual
LIV	Livingston, L. S., Auction Prices
LOW	Lowndes, W. T.
MADAN	Madan, F., Oxford
MORG	Morgan, W. T., British History
N&Q	Notes and Queries
ROL	Rollins, Cavalier and Puritan; Pack of Autolycus
ROW	Rowlands, W., Welsh
ROX	Roxburghe Ballads
SAB	Sabin, J., America
SALE	Second-hand book dealers
SMI	Smith, J., Friends
SR	Stationers' Register
SWE	Sweet and Maxwell, Law
TAY	Taylor, E., Geography
TC	Term Catalogue
WAT	Watt, R.
WHI	Whitley, W. T., Baptist

O A36B   The A. B. C. or good counsel for all men. 1675. ROL.

O A36C   The A. B. C. with a catechism. [Edinburgh], for M. S.,
1646. 8°. LIV.

O A38A   The A. B. C. with the shorter catechism. Edinburgh,
heir of And. Anderson, 1687. 12°. ALDIS 2675, SALE.

O A70A   Abbot, Robert. The young man's warning piece. 1691. AUC.

O A71A   Abell, John. A collection of songs in several languages.
For Henry Playford, 1700. AC.

O A71B   Abell, Richard. Deceit made manifest. Printed, 1659.
SMI, WHI.

O A79A   Abercromby, David. Ars explorandi medicas facultates
plantarum. 1685. 12°. DNB.

O A81A   Abercromby, David. A discourse of wit. W. Leake,
1685. AUC.

O A84A   Abercromby, D[avid]. A moral discourse of the power.
For T. Speed, 1694. 8°. T.C.II 513, ALL, WAT.

O A85A   Abercromby, David. Protestancy proved safer than
popery. 12°. DNB.

O A96A   Yr A. B. C. neu Lytr iddysgu darllain cymraeg.
Shrewsbury, [Thomas Jones, 1698]. 8°. ROW.

O A100A   Abrahamus, Judeus. The method and mystery of the Hebrew
cabale. Mrs. Martha Harrison, 1656. SR.

O A100B   An abridgement of a book ready to have been printed
above one year since. The approvement of the Delf.
1656. 4°. GOU.

O A100C   The abridgment of Christian divinity. For John Pero,
1695. 12°. T.C.II 518, SALE.

O A100D   An abridgment of Christian divinity. For N. Boddington,
and G. Conyers, 1695. 8°. T.C.II 552.

O A135A   An abstract of the Irish bill. Dublin, C. Carter, 1700.
brs. MORG.

O A142A   Abstract of the Rules and Ordinances of the New College
of Cobham. 1687. 4°. AUC.

O A156A Abudacnus, Josephus. The history of the Jacobites of Ægypt. For E. Jaye and Rich. Baldwin, 1691. COX.

O A167A The accomplished ladies closet of rarities. Nicholas Boddington and Josiah Blare, 1686. SR.

O A167B The accomplished sea-man's delight, containing. Benj. Harris, 1686. 18°. SALE.

O A176A An account of a barbarous and bloody murther. [c. 1685]. brs. SALE.

O A179A An account of a dreadful fire in Southwack. 1676. 4°. GOU.

O A186A An account of a most barbarous murther committed by Mr. Parry. Thomas White, 1699. brs. SALE.

O A186B An account of a most dreadful fire . . . Wapping. 1682. brs. HAZ.

O A189A An account of a new and strange discovery. For the author, 1700. brs. SALE.

O A221A An account of Satan's strange actings. 1697. 8°. HAR.

O A221B An account of several spirits seen and spoken to at the house of Mr. John Thomas. 1680. 4°. GOU.

O A228A An account of the actions of the confederate and French armies. S. Smith, 1691. brs. SALE.

O A237A An account of the arraignments and tryals of Col. R. Kirkby. 1673. AUC.

O A242A An account of the behavior of the condemned prisoners in Newgate, Sept. 6, 1680. 1680. brs. AUC.

O A249B An account of the benefactors of St. Paule's Cathedral. 1670. 4°. GOU.

O A252A An account of the bombarding of Granville. Edinburgh, 1695. fol. ALDIS 3415.

O A264A An account of the company of Grocers . . . truly stated. 1689. 4°. HARL.

O A264B An account of the condemnation, behaviour . . . Captain Francis Winter. By J. B. for Randall Taylor, 1693. brs. SALE.

O A265A An account of the confession of the Lord Russell, with his behavior in prison. Joshua Conyers, 1683. ROL.

O A266A   An account of the conversion of Theodore John. For J. Dunton, 1693. 12⁰. T.C.II 463, AUC.

O A278A   An account of the discovery of the new plot. colop: Edinburgh, Reprinted by the heir of Andrew Anderson, 1683. brs. SALE.

O A285A   An account of the estate of Sir M. Noell, of London. 1677. fol. AUC.

O A299A   An account of the indictment, arraignment and trial . . . regicides. 1660. 4⁰. AUC.

O A306AA   An account of the late actions at sea. R. Hayhurst, 1691. brs. SALE.

O A307B   An account of the late earthquake in Jamaica. For Tho. Parkhurst, 1692. 4⁰. * AUC.

O A309A   An account of the late engagement at sea. For J. Weekly, 1691. brs. SALE.

O A309C   An account of the late frost. 1684. AUC.

O A318A   An account of the liberties. For R. Janeway, 1681. 4⁰. T.C.I 453.

O A318B   An account of the life and death of . . . Thomas Markham. Printed and sold by T. Sowle, 1695. 4⁰. SMI.

O A318C   An account of the life, conversation, birth . . . Mat. Coppinger. For T. Hobs, 1695. N&Q.

O A319A   An account of the manner of the behaviour of the prisoners. colop: By D. Mallet, 1688. cap., fol. * SALE.

O A324B   An account of the miraculous victory obtained by Lord Fairfax. 1643. 4⁰. N&Q.

O A324C   An account of the miserable and lamentable condition . . . France. J. Wilkins, 1694. brs. SALE.

O A325A   An account of the monies received repairing the Cathedral. 1677. brs. AUC.

O A340A   An account of the principal labourers for popery. 1677. AUC.

O A379A   An account of the receipts and disbursements made . . . reparation of St. Pauls. 1677. brs. GOU.

O A380A   An account of the retaking a ship, called the Frends adventure, from the French. 1699. 4⁰. HARL.

O A386A   An account of the several impressions or editions of . . .
            Elkon Basilike. Samuel Keeble, 1693. SR.

O A386B   An account of the several informations exhibited to . . .
            Parliament. Printed in the year, 1667. 4°. AUC.

O A389A   An account of the seizing or apprehending. John Wallis,
            [1693]. brs. SALE.

O A414A   An account of the trial of a woman for murdering her
            husband. 1678. 4°. * HAZ.

O A416A   An account of the tryal of the Lord Mahon. 1692. brs.
            SALE.

O A417A   An account of the tryal of William Clamp. R. Lyford, 1693.
            brs. SALE.

O A417B   An account of the tryals at the Old Bailey begun on the
            10th of Sept., 1680. 1680. brs. AUC.

O A424A   An account of the wonderful and prodigious tempest . . .
            at Bedford. 1672. 4°. HAZ.

O A424C   An account of their majesties fleet. W. Haite, 1691.
            brs. SALE.

O A439A   Acheson, James. The military garden. Edinburgh, John
            Wreittoun, A.D. 1659. 4°. AUC.

O A467A   Ad grammaticen ordinariam, supplementa quædan. Excudebat
            Robertus White, 1648. 8°. HAZ.

O A467B   Ad nobilem Britannium, or an abstract for England's royall
            peeres. 1641. 4°. * AUC.

O A469A   Adair, John. An account of a voyage round the isles of
            Scotland by King James V. Edinburgh, 1688. fol. COX,
            WAT.

O A475A   Adam Bell, Clim. Glasgow, by Robert Sanders, 1698. 18°.
            * HAZ.

O A475B   Adam out of Eden. Randolph Taylor, 1658. SR.

O A480A   [Adams, John.] Index villaris. Sold by Phillip Lea,
            1699. fol. T.C.III 140.

O A489A   Adams, Richard. The duties of parents and children.
            1676. 4°. WAT.

O A489B   Adams, Richard. How child-bearing women ought to be
            encouraged. 1683. 4°. WAT.

O A490A   Adams, Richard. A sermon on Hell. 1676. 4°. WAT.

O A490B   Adams, Richard. A sermon on Luke xvi 31. 1690. 4°. WAT.

O A494A   Adams, William. Complete history of the civil wars in
            Scotland. 1644. ALL.

O A509A   Addison, Joseph. Dissertatio de insignioribus Romanorum
            poetis. 1692. 12°. AUC.

O A516A   Addison, Lancelot. The communicants assistant. For Will.
            Crook, 1686. 12°. T.C.II 163.

O A546A   Address of thanks to Father Peters. [London? 1700]. brs.
            SALE.

O A546B   Address of the citizens of Norwich to Lord Paston. 1680.
            brs. AUC.

O A548A   Address of the gentry and merchants of Boston . . . Quebec.
            1691. 8°. SAB.

O A564A   An address to the freeholders of Middlesex. F. Smith,
            1681. WHI.

O A566B   Address to the ministers of the Gospel. 1649. brs. SAB.

O A568A   An address to the Right Hon. Sir John Fleet, Lord Mayor.
            Rand. Taylor, 1683. brs. SALE.

O A574A   Ader, William. Enarrationes de Ægrotis et morbis in
            Evangelia. 1660. 8°. WAT.

O A586A   Admirable good news againe from Ireland. 1641. AUC.

O A589A   The admiration of angels. For J. Mountford in Worcester
            and R. Wilde, London, 1690. 12°. T.C.II 331.

O A596A   An admonition to all such as shall intend . . . matrimony.
            William Lee, 1662. brs. SR.

O A597A   An admonition to the English. John Harris, 1691. SR.

O A598A   The admonitor admonished. Tho. Malthus, 1683. SR.

O A600A   Adrichomius, Christianus. A description and explanation.
            For R. I. and P. S. to be sold by Tho. Brewster, 1653.
            4°. SALE.

O A620A   Advertisement. The tryal of Sir Thomas Gascoigne not
            being printed. [London, 1680]. brs. SALE.

O A631A   Advice for drunkards. Boston, by B. Green, 1697. *
           EVANS 778.

O A633A   Advice from a satyrical-night muse. [1681]. AUC.

O A645A   Advice to city & country. William Jacob, and Langley Curtis,
           1676. SR.

O A662A   Advice to the true representatives of old England. [London,
           1699-1700]. brs. HAZ.

O A665A   Advice to those who never receiv'd the Sacrament. For
           T. Speed, 1698. 8°. T.C.III 72.

O A666A   Advice to young persons. For B. Aylmer, 1698. 8°.
           T.C.III 51.

O A687A   AEsop's Fables extracted. 1650. 16°. LIV, WAT.

O A698A   AEsop. Fables. For F. Eglisfield, 1669/70. 12°.
           T.C.I 28.

O A698B   AEsop. Fables in English. Sold by John Overton, 1672.
           fol. T.C.I 107, CBEL.

O A702B   Aesop. The fables of. Third edition. For T. Basset,
           Robert Clavel, and Ric. Chiswell, 1683. 8°. HAZ, SALE.

O A707A   AEsop. Fables in prose and verse. The second part. For
           N. Crouch, 1695. T.C.II 541.

O A707C   AEsop. Fables with their morals. Thirteenth edition. For
           R. Bentley, J. Phillips, H. Rhodes, and J. Taylor, 1696.
           12°. T.C.II 572.

O A728A   AEsop. AEsopi Phrygis fabula. Pro societate stationariorum,
           1693. 8°. SALE.

O A730A   AEsop. Mythologia. Sold by S. Carr, 1683. 12°. T.C.II 5.

O A743A   AEsop in Spain. For A. Baldwin, 1700. 8°. AC.

O A756A   Ag   , Ph   The power and practice of court leets.
           1666. SWE.

O A758AA   The age and life of man. By T. Mabb for Ric. Burton, [1660].
           brs. HAZ.

O A758AB   An age for apes. 1658. 8°. AUC.

O A762A   Agin Court, or the English bowman's glory. For Henry Harper,
           [c. 1670]. brs. HAZ.

O A804A   Ainsworth, Henry. Annotations on the Book of Psalmes. Amsterdam, 1644. 8°. LIV, WAT.

O A806A   Ainsworth, Henry. Censure. 1651. 4°. AUC.

O A823A   An alarm for slumbering Christians. For Francis Smith, 1675. 8°. T.C.I 195.

O A823B   An alarum from Heaven, or a warning, to . . . Mary Barrett. Josiah Blare, 1683. SR.

O A871A   Albermarle, George Monck. To the reverend and honourable, the Vice-Chancellour. [Oxford? April, 1660]. brs. MADAN 2509.

O A875CA   Albertus Magnus. His cure of deseases. Nath. Brookes, 1658. SR.

O A875E   Albertus Magnus. The secrets of. R. Cotes, to be sold by Fulke Clifton, 1650. 16°. SALE.

O A879A   Albin, Henry. A practical discourse on loving the world. [Before 1696]. DNB.

O A887A   [Alcoforado.] Five love letters. For R. Wellington, 1700. AC.

O A894BA   Aldam, Thomas. A few words of exhortation and reproof. 1652. SMI.

O A901A   Aldridge, Susanna. Abominations in Jerusalem discovered. 1685. SMI.

O A901B   Aldrovandus, Ulysse. The severall workes of. Andrew Crooke, 1659. SR.

O A918A   Alexis's Paradise. 1680. HAZ.

O A936A   All lover, all loose: or a new game of cards. E. Smith, [1682]. brs. SALE.

O A944A   All the new setts of tunes. For J. Walsh, 1700. T.C.III 214, AC, MORG.

O A963A   Alleine, Joseph. An alarm to unconverted sinners. For T. Parkhurst, 1689. 8°. T.C.II 316, HAZ, WAT.

O A964A   Alleine, Joseph. An alarm to the unconverted sinner. For T. Parkhurst, 1700. 12°. T.C.III 205, AC.

O A973A   Alleine, Joseph. A most familiar explanation of the Assemblies shorter catechism. 1656. 8°. DNB, LOW, WAT.

O A976A   Alleine, Joseph. A sure guide to Heaven. 1675. DNB.

O A981A   Alleine, Joseph. View of God in His promises. 1670.
        8°. WAT.

O A996A   [Alleine, Richard.] A murderer punished. Twelfth edition.
        Printed in the year, 1669. 8°. HAZ.

O A1026A   Allen, James. Man's self reflection. Cambridge, by S. Green,
        1680. EVANS 278, ALL.

O A1045B   Allen, Robert. Treatise of Christian beneficence. 1660.
        4°. ALL, WAT.

O A1095A   [Allestree, Richard.] The art of patience. Second edition.
        For E. Mory, 1693. 8°. T.C.II 485.

O A1130A   [Allestree, Richard.] The government of the thoughts. For
        R. Cumberland, 1693. 8°. T.C.II 471.

O A1168A   Allestree, R. The vanity of the creature. Second edition.
        Sold by R. Wild, 1687. T.C.II 203.

O A1185A   [Allestree, Richard.] The whole duty of man. By R. Norton
        for Robert Pawlett, 1681. 12°. SALE.

O A1185C   [Allestree, Richard.] The whole duty of man. Part II. For
        J. Kidgell, 1683. 8°. T.C.II 26. SR, AUC.

O A1193A   Allestree, Richard. The whole duty of man epitomized. By
        John Brocas for Jacob Milner and John Gill, Dublin, 1700.
        12°. SALE.

O A1192*   [Allestree, Richard?] The whole duty of man put into
        familiar verse. For H. Walwyn, 1699. 24°. T.C.III 141.
        SR.

O A1193B   [Allestree, Richard?] The whole duty of man, put into
        heroick verse. Second edition. Sold by H. Walwyn, 1700.
        T.C.III 204. MORG.

O A1195A   [Allestree, Richard?] The whole duty of prayer. Fourth
        edition. For J. Back, 1695. 12°. T.C.II 551.

O A1195B   [Allestree, Richard.] The whole duty of receiving
        worthily. For J. Back, 1696. 12°. T.C.II 585.

O A2896A   Almond. Discourses on the mistery of godliness. 1671.
        8°. ALL, WAT.

O A2924A   Alsted, Jo. Henri. De mille annos. 1643. 4°. LOW, WAT.

O A2942A   Alvarez, Emmanuel. An introduction to the Latin tongue.
         By Henry Hills, 1689. 12°. in sixes. SALE.

O A2945A   Amaryllis to Tityrusi, a witty novel. 1681. AUC.

O A2945B   An amazing and seasonable letter from Utopia. John Dunton,
         1683. SR.

O A2954A   Ambrose, Isaac. The compleat works of. For R. C., B. T.,
         G. S., sold by most booksellers, 1700. fol. AC.

O A2972*   Ambrose, Isaac. War with devils. 1661. DNB, LOW.

O A2974A   Ames, Edward. The Protestant peace-maker. 1682. fol. WAT.

O A2999A   Ames, William. The marrow of divinity. For S. Manship,
         1689. 8°. T.C.II 249.

O A3002A   Ames, William. A plaine and easy draught of the Christian
         catechism. Thomas Davis, 1658. SR.

O A3021A   Amorous Jockey and yielding Jenny. For Nathaniel Thompson,
         1684. brs. ROX.

O A3021D   The amours of Ann. For Abel Roper, 1689. 8°. T.C.II 287,
         HARL.

O A3021E   The amours of Count de Dunois. For W. Cadman, 1676. 12°.
         T.C.I 226.

O A3021F   The amours of King Henry the Fourth of France. 1688. AUC.

O A3053A   The anatomy of a woman's tongue. For Richard Harper, 1658.
         12° AUC.

O A3067A   Ancient customs and manner of holding Parliaments. 1641.
         4°. LOW.

O A3105A   Anderson, Robert. Proposals for the improvement of great
         artillery. 1691. 4°. WAT.

O A3109A   Anderton, Laurence. The English nun. 1700. 12°.
         T.C.III 187.

O A3112A   Anderton, W. Remarks upon the present condition of the
         Navy. Sold by A. Baldwin, 1700. 4°. T.C.III 188.

O A3124A   Andrews, John. Royal prerogative of Christian kings.
         1644. 4°. WAT.

O A3131A   Andrewes, Lancelot. A manual of devotion. Second edition.
         For A. Bettesworth, 1700. 12°. T.C.III 177.

O A3149A   Andrewes, Lancelot. Preces privatae. <u>Oxon</u>, 1680.
         MADAN 3255, AUC.

O A3157A   Andrews, William. The ladies diversion. <u>For H. Newman</u>,
         1694. 8°. T.C.II 526.

O A3162*   Angel, John. Four sermons. 1659. 8°. ALL, DNB, WAT.

O A3304A   Answer to a challenge made by a Jesuite in Ireland.
         1686. ROW.

O A3335A   An answer to a popish libel. <u>For J. Vade</u>, 1681. 4°.
         T.C.I 441.

O A3335B   An answer to a pretended letter to a friend in the
         country, touching. 1680. brs. AUC.

O A3351A   An answer to a tract, entitled, An essay on the East-India
         Trade. <u>For T. Cockerill</u>, 1697. 8°. T.C.III 8. HARL.

O A3351B   An answer to a tract, entitled, The judgement of the
         reformed churches. 1649. WHI.

O A3351C   An answeare to Adam Stewart his reply to the Coole
         conference. <u>Tho. Paine</u>, 1644. SR.

O A3358A   Answer to his Majestie's propositions. 1642. 4°. AUC.

O A3381B   An answer to sixteen queries, touching . . . Christmas,
         propounded by Mr. Joseph Heming. <u>Anno</u> 1654. HAZ, N&Q.

O A3384B   An answer to some passages in Rushworth's Dialogues.
         <u>James Adamson</u>, 1687. SR.

O A3384C   An answer to sundry matters in Mr. Hunt's postscript.
         1683. 4°. HARL, SWE.

O A3384E   An answer to the allegations of the fishmongers.
         [<u>London</u>? 1700]. brs. HAZ.

O A3394A   An answer to the case of the coasting fishermen.
         [<u>London</u>? 1700]. brs. HAZ.

O A3411A   An answer to the great noise about nothing. [? 1700].
         4°. * SALE.

O A3412A   An answer to the enquiry into the grounds. <u>For Nath.
         Ranew</u> <u>and</u> <u>Jonathan Robinson</u>, 1670/1. 8°. T.C.I 67.

O A3421A   An answer to the lying pamphlets concerning the witch
         of Wapping. 1652. 4°. HAZ.

O A3439A   An answer to the questions of the citizens of London. 1641. 4°. HAZ.

O A3451A   An answer to the valiant souldiers last farewell. Phillip Brooksby, Jonah Deacon, John Backe, and Josiah Blare, 1690. brs. ROL, SR.

O A3456A   An answer to two Danish papers. Daniell Pakeman, 1658. SR.

O A3475A   Anthologia Latina: sive epigrammatum. Dublinii, Typis regis et venum dantur apud Josephum Wilde, 1674. 8°. DIX 154, HAZ.

O A3494B   An antidote against the crying sins of the times. Printed and are to be sold by Langley Curtis, 1683. 4°. HARL, HAZ.

O A3503A   Ἀντιποδιοριστης, or an answer unto a paper entitled, Separation no schism. 1665. WHI.

O A3517A   Antoine, Dominicus. The method of preserving the health. Timothy Child, 1699. SR.

O A3530A   Aphthonius. Progymnasmata. For the Company of Stationers, 1672. 8°. T.C.I 106.

O A3539B   Apologia pro s. ecclesiae patribus. For W. Wills and Rob. Scot, 1672. 4°. T.C.I 105.

O A3547A   An apology for the Church of Scotland, chiefly oppos'd. For Jos. Hindmarsh, 1693. 4°. HAZ.

O A3549A   An apologie for the Jews. 1648. AUC.

O A3564B   Apparition of an arch-angel at the Old Bayly. 1680. fol. AUC.

O A3564C   Apparitions seen in the air at Pones towne in Tipperary. 1679. 4°. HAZ.

O A3568A   An appeal to the men of New England. [Boston], printed in the year, 1689. 4°. * EVANS 455, SAB.

O A3569A   Appendix ad historiae animalium. York, 1682. 4°. T.C.I 496.

O A3574A   An appendix to the late antidote. For Walter Kettilby, 1673. 8°. T.C.I 135.

O A3580A   Applausus victorialis classicum or, Seven poems on the sea victory over the Dutch. 1672. 4°. AUC.

O A3582A   The appointments of Edward Russell, Esq., now Earl of Oxford. [London?], 1698. brs. SALE.

O A3594B   Apuleius. The xi bookes of the Golden Asse. By Thomas Harper for Thomas Alchorn, 1693. 4°. SALE.

O A3594C   Aqua genitalis. A discourse concerning baptisme. Francis Tyton, 1659. SR.

O A3594D   Aranda, Emanuel d'. The history of Algiers and its slavery. By John Starkey, 1665. 8°. AUC, SALE.

O A3604A   Arcana Imperii, or the Casquet-royall. 1660. 16°. AUC, SALE.

O A3604B   Arcana Imperii detecta, or Divers select cases in government. For James Knapton, 1700. 8°. T.C.III 217, AC, MORG.

O A3620A   Archimagirius Anglo-Gallicus, or Excellent and approved receipts in cookery. 1658. AUC.

O A3626A   Arderne, James. True Christian's character and crown. 1671. DNB.

O A3629A   Arganston, John. The mutations of the seas. 1683. 4°. HARL, WAT.

O A3632B   An argument against war. Sold by the booksellers, 1700. AC.

O A3632C   The argument and reasons of the brethren of Trinity House. [London, 1695]. brs. SALE.

O A3634A   An argument proving that the imposition of the Sacrament of the Lord's Supper. Sold by A. Baldwin, 1700. AC.

O A3634C   Argument proving the jurisdiction used by the president and counsell in the marches of Wales. For Thomas Wakley, 1641. ROW.

O A3647A   Arguments proving that the poor . . . wool trade. 1700. MORG.

O A3686A   Aristotle. Aristotle's book of problems. 1690. CBEL, WAT.

O A3688A   Aristotle's legacy. For Tho. Norris, 1690. 8°. N&Q.

O A3689A   Aristotle. Master-piece. Third edition. For T. Howkins, 1690. 12°. T.C.II 341.

O A3689AB   Aristotle. Aristotle's master-piece. For W. B., 1695. 12°. SALE.

O A3694A   Aristotle. Problems. Twenty-second edition. For R. Chiswell, M. Wotton, and G. Conyers, 1696. 8°. T.C.II 593.

O A3697A   Arithmetick by inspiration. 1677. 8°. HARL.

O A3702A   Armitage, Timothy. Sermons preached by. For E. Giles, in Norwich, sold by H. Mortlock, 1682. 8°. T.C.I 483.

O A3704A   [Armstrong, Archibald.] A banquet of jests. For Richard Royston, 1642. 12°. HAZ.

O A3731A   Arnold, Gothofred. His waere albeelding der eersten Christian. 1700. fol. MORG, WAT.

O A3733A   Arnway, John. An alarm to the subjects of England. Hague, 1650. ALL, DNB, WAT.

O A3739A   Arnway, John. Tablet, or moderation. By A. W., 1665. AUC.

O A3758A   The arraignment, tryal, and condemnation of Sir Henry Slingsby. For Tho. Vere and Wil. Gilbertson, 1658. 8°. * HAZ.

O A3770A   The arresting of the Lord Mayor of London. John Mayor, 1683. brs. ROL, SR.

O A3788A   The art of courtship. John Stafford, 1657. SR.

O A3788B   The art of courtship. For Will. Thackeray, 1671/2. 12°. T.C.I 97.

O A3790A   The art of divine meditation. For T. Parkhurst, 1681. 8°. T.C.I 449.

O A3790B   The art of faire writing. Sold by John Hancock, [1651]. N&Q.

O A3791A   The art of good breeding. Joshua Conyers, 1676. SR.

O A3793A   Art of money catching. 1682. AUC.

O A3796A   The art of warr. John Leake, 1689. SR.

O A3797A   Art of weaving. 1677. 4°. HARL.

O A3797B   The art of wooing. Samuell Heyrick, 1676. SR.

O A3798A   Artemidorus. Gwir ddeongliaa breuddwydion. Shrewsbury, 1698. ROW.

O A3800A   Artemidorus. The interpretation of dreams. 1669. LOW.

O A3800B   Artemidorus. The interpretation. Nineth edition. For
         Tho. Mercer, 1679. T.C.I 355.

O A3803A   Articles agreed upon for the surrender of the city of
         Worcester, July 23. 1646. 4°. GOU.

O A3817A   Articles concluded and agreed upon by the society of
         the . . . paper manufactory. [Edinburgh? 1695]. 4°.
         ALDIS 3439.

O A3826A   The articles for the surrender of Pontefract Castle.
         Hen. Playford, 1649. SR, GOU.

O A3833A   Articles of agreement, concluded, made, and agreed
         on . . . 1694 . . . Nicholas Dupin. [London, 1694]. 4°.
         * SALE.

O A3872A   The articles of the free society of traders in Pensilvania.
         1682. fol. HARL.

O A3875A   Articles of the surrender of Scarborough Castle. Edw.
         Husbands, 1645. SR.

O A3899A   Arundell, Thomas. Spiritual meditations. For J. Conyers,
         1689. 8°. T.C.II 209.

O A3915A   As I went by an hospitall. Gabriel Sedgwick, 1684. brs.
         ROL, SR.

O A3992AB   Ashton, Thomas. Blood-thirsty Cyrus. 1659. 4°. ALL, WAT.

O A3999A   Ashwood, Bartholomew. Groans from Sion. For W. Marshall,
         1681. 12°. T.C.I 427, DNB.

O A3999B   Ashwood, Bartholomew. The heavenly trade. For Samuel Lee,
         1678. 8°. SALE.

O A4002A   Asladowne, Thomas. The coppie of a letter sent from the
         Hague. For J[ohn] T[homas], 1642. 4°. HAZ.

O A4015A   The asse overladen. 1642. AUC.

O A4018A   The assembly, or Scotch reformation. Third edition. 1691.
         HAZ.

O A4022A   Assheton, William. A brief exhortation. For B. Aylmer,
         1698. 24°. T.C.III 89.

O A4023A   Assheton, William. The child's monitor. For R. Wild,
         1689. 24°. T.C.II 245.

O A4029B   Assheton, William. Directions in order to the suppression
         of debauchery. 1693. DNB, WAT.

O A4029C   Assheton, William. A discourse against blasphemy. 1691.
              DNB.

O A4031B   Assheton, William. A discourse against swearing. 1642.
              DNB, WAT.

O A4034A   Assheton, William. An explanation of his reasons for taking
              the oath. [1685-88]. DNB.

O A4041A   Assheton, William. A seasonable vindication of their
              present Majesties. 1688. DNB, WAT.

O A4057A   Assurance for widows and orphans. 1699. fol. * MORG.

O A4075A   Aston, Sir Thomas. A collection of sundry petitions. By
              T. Mabb, for William Shears, 1660. 4°. AUC, SALE.

O A4082A   Astra's glad tydings of joy. 1643. AUC.

O A4082B   The astrologicall fortune teller. William Gilbertson,
              1657. brs. SR.

O A4083A   The astrologicall seaman. Mathew Street, 1697. SR.

O A4083C   Astrometeorologica, or aphorismes. Obediah Blagrave,
              1686. SR.

O A4107A   Atheist turned deist, and the deist turn'd Christian.
              1698. AUC.

O A4129C   Atkinson, James. The seaman's new epitome. Sold by
              Awnsham Churchill, 1686. 8°. COX, TAY.

O A4132A   Atkinson's admonicion to all Christian people. Jos.
              Walker, 1686. ROL.

O A4144A   Atlas cœlestis containing the systems . . . of the
              planets. [London], sold by Ben Bragg, [c. 1678]. 8°.
              HAZ.

O A4156A   Atterbury, Lewis. The ground of Christian feasts. 1685.
              ALL, WAT.

O A4161A   Attwood, Tho. A den of thieves discovered. Cartwright,
              1643. SR.

O A4173A   [Atwood, William.] The idea of Christian love. 1688.
              8°. CBEL, N&Q, AUC.

O A4183B   Aubery, Anthony. The history of Cardinall Mazarine.
              Thomas Hodgkins, 1694. SR.

O A4212A   Augustinus, <u>Saint</u>. Pious breathings. <u>For</u> <u>S</u>. <u>Sprint</u>, <u>T</u>. <u>Bennet</u>,
       <u>R</u>. <u>Parker</u>, <u>J</u>. <u>Bullord</u>, <u>and</u> <u>M</u>. <u>Gilliflower</u>, 1700. AC.

O A4223B   [Aulnoy, Marie.] Tales of the fairys. 1699. CBEL, HARL, WAT.

O A4242A   [Austin, John.] The Catholiques plea. <u>For</u> <u>H</u>. <u>F</u>., 1659. 8°.
       GIL.

O A4251A   [Austin, John.] A letter from a cavalier in Yorkshire. [<u>London</u>],
       1648. 4°. DNB, GIL.

O A4262A   A[ustin?], W[illiam]. Upon the death of Mr. Anthony Austin.
       <u>For</u> <u>the</u> <u>author</u>, 1676/7. 4°. * HAZ.

O A4266   Avaritia coram tribunali, or the miser arraign'd. <u>For</u>
       <u>Elizabeth</u> <u>Calvert</u>, 1666. 4°. * SALE.

O A4288A   Ayloffe, James. Filio mortuo ante secutum matrimonium
       nepotes. [<u>Cambridge</u>], <u>July</u> 7, 1696. brs. SALE.

O A4303B   Ayres, John. The new à la mode secretary. <u>Sold</u> <u>by</u> <u>S</u>. <u>Crouch</u>
       <u>and</u> <u>B</u>. <u>Alsop</u>, 1684. T.C.II 88, MORG, SALE.

O A4303C   Ayres, John. The Paul's school round-hand. 1700. DNB, WAT.

O A4306A   Ayres, John. The young clerk compleated in court. <u>Sold</u> <u>by</u>
       <u>S</u>. <u>Crouch</u> <u>and</u> <u>P</u>. <u>Lee</u>, 1691. MORG.

O A4306B   Ayres, John. Youth's introduction to trade. <u>For</u> <u>Samuel</u>
       <u>Crouch</u>, 1684. T.C.II 101, SR, DNB, MORG.

<u>B</u>

O B247A   Babington, John. Geometry and fireworks. 1656. ALL.

O B251A   Bacchus conculcatus, or, sober reflections upon drinking.
       [<u>London</u>], <u>printed</u> <u>in</u> <u>the</u> <u>year</u> 1691. 4°. * HAZ.

O B259*   The bachelors choice. <u>Fran</u>. <u>Grove</u>, 1656. ROL.

O B262A   The batchellors happinesse. 1675. ROL.

O B262B   The bachelors joy and the widdows comfort. <u>Francis</u> <u>Grove</u>,
       1656. brs. SR, ROL.

O B262C   The batchellors token, or, an answer. 1675. ROL.

O B364A   Bacon, Nathaniel. A relation of the fearful estate of
       Francis Spira. <u>Cambridge</u>, <u>by</u> <u>Samuel</u> <u>Green</u>, 1683. 8°. *
       EVANS 338.

O B382A   Baden, Andrew. Nitrum aereum non est necessarium. [Cambridge], July 6, 1696. brs. SALE.

O B390A   Badland, Tho. Eternity, or the weightiness. For S. Evans, in Worcester, sold by H. Sawbridge, London, 1683. 8°. T.C.II 39.

O B429A   Bagshaw, Henry. Sermon. 1698. 4°. WAT.

O B432A   Bagshaw, John. Two thanksgiving sermons. 1660. 4°. ALL, WAT.

O B433*   Bagshaw, William. The minor's monitor. 1675. ALL, DNB.

O B433**   Bagshaw, William. Of Christ's purchase. DNB.

O B433AB   Bagshaw, William. The ready way to prevent sin. DNB.

O B433AC   Bagshaw, William. Riches of grace. For Tho. Parkhurst, 1674. 8°. T.C.I 147.

O B433D   Bagshaw, William. Rules for our behaviour. DNB.

O B433E   Bagshaw, William. Sinner in sorrow. DNB.

O B434A   Bagshaw, William. Trading spiritualiz'd, the second part. For Tho. Parkhurst, 1695. 8°. T.C.II 548.

O B434B   Bagshaw, William. Trading spiritualized. For T. Parkhurst, 1697. 8°. T.C.III 24.

O B434C   Bagshaw, William. Waters for a thirsty soul. 1653. ALL, DNB, WAT.

O B442A   Bagwell, William. Sphynx Thebanus. By J. Cottrel for J. Clark, 1664. 8°. HAZ.

O B443A   Baildon, Jos. Wonder of the world. 1656. 4°. ALL, LOW.

O B453A   Baillie, Robert. Antidote against Arminianism. 1641. 8°. DNB, LOW, WAT.

O B471   Bailly, James. Sermons on Hosea ii 19. 1697. ALL, WAT.

O B496A   [Baker, John.] Advertisement to booksellers. [London, 1680]. brs. MADAN 3252.

O B498A   Baker, Richard. Idea of arithmetick. 1655. ALL.

O B548A   Bales, Peter. Brachygraphy, or the writing-schoolmaster. 1673. 4°. ALL, WAT.

O B570B   Ball, John. A short treatise, contayning. Thirteenth edition. For John Wright, 1647. 8°. AUC.

O B572B   Ball, John. A short treatise. George Sawbridge, 1656. SR.

O B580   Ball, Nathaniel. Christ the hope of glory. 1692. 8°. ALL, DNB, WAT.

O B602A   A ballad entitled, The old man's complaint. Printed and sold by W. Thackeray, J. M. and A. M., [1690?]. brs. HAZ.

O B604*   The ballad of the cloak. J. Jackson, [c. 1682]. brs. SALE.

O B604**   The ballad of the cloak. For A. M., W. O., and T. Thackeray, [c. 1700]. brs. HAZ, AUC.

O B604C   A ballad on our present warre with Spaine. Nath. Butter, 1658. ROL.

O B620A   Bamfield, Francis. An historical declaration of the life of Shem Acher. For John Lawrence, 1681. fol. ALL, WAT.

O B630A   Bamford, Robert. A historicall treatise of the state of the church. Walbanck, 1676. SR.

O B631A   Banbury taken. 1646. 4°. GOU.

O B643A   The bands of love and peace. For W. Marshall, 1700. 12°. AC.

O B643C   Banes, William. A few words minding the representative of the Common-wealth. Printed, 1659. 4°. SALE.

O B643D   Bangor, Josiah. An alarm to secure sinners. For Tho. Parkhurst, and N. Brome, 1675. 8°. T.C.I 217.

O B645A   Banister, John. The second part of the Gentlemen's tutor to the flute. Sold by J. Hudgebutt, Mr. Cuthbert, Mr. Salter, Mr. Young, Mr. Coal, Mr. Scott, & Mr. Else, 1699. T.C.III 109.

O B689A   Barber, Abraham. Book of Psalm tunes, in four parts. 1687. 8°. ALL, HARL, WAT.

O B690A   Barber, Abraham. The Psalm tunes compleat. Sixth edition. For E. Tracy, 1700. T.C.III 214, AC.

O B697AB   Barber, William. The thirsty traveller. Printed, 1665. brs. SMI.

O B707B   B[arbon], N[icholas]. A new discourse of trade. Second edition. Printed and sold by Sam Crouch, Tho. Horn, & Jos. Hindmarsh, 1694. 8°. HAZ.

O B707C   Barbour, John. The acts and life of Robert Bruce. Glasgow, Sanders, 1665. 12°. ALDIS 1715, WAT.

O B748A   B[ardwood], James. Heart's-ease. Third edition. For J. Robinson, 1698. T.C.III 85.

O B765A   Barkel. Judge Barkel, his penitentiall complaint. [London], in the year 1641. brs. HAZ.

O B771A   Barker, John. The measurer's guide. For T. Salusbury, 1692. T.C.II 410.

O B771B   Barker, John. Sermon on John xvii 20, 21. 1683. 4°. ALL, WAT.

O B777*   Barker, Matthew. Reformed religion. Sold by J. Dunton, 1689. T.C.II 268.

O B777**   Barren, Matthew. Sermons on Matthew xi 24, on Mark ii 20. 1644. fol. WAT.

O B811A   Barkstead, John. The case and apology of Collonel John Barkstead. Printed in the year 1662. brs. SALE.

O B819A   Barlow, Francis. A book containing such beasts. [London], sould by Henry Overton, [1664]. 4°. * HAZ.

O B819B   Barlow, Francis. Booke of beasts for drawing. 1664. AUC.

O B819C   Barlow, Francis. A book of various kinds of birds. Sold by P. Tempest, 1686. T.C.II 180, WAT.

O B819D   Diversae avium species. [London], William Faithorne, 1658. SALE.

O B819G   Barlow, Francis. Diversae avium species. MDCLXI [sic]. [1696]. obl. 4°. * HAZ, LIV.

O B821A   Barlow, Francis. Multae et diversae avium species. Printed and sold by John Overton, 1673. obl. 4°. HAZ.

O B821B   Barlow, Francis. Order and ceremonies used for interment . . . Albermarle. 1670. fol. DNB, AUC.

O B846A   Barlow, William. A penitentiary sermon. 1690. 8°. ALL, WAT.

O B850   Barnaby, A. Proposals for laying a duty on malt. 1696. ALL, HARL, WAT.

O B858A   Barne, Miles. Faith's victory, a sermon. 1670. 4°. ALL, WAT.

O B871A   Barnes, Joshua. The life of Oliver Cromwell, the tyrant: an English poem. 1670. DNB, WAT.

O B872A   Barnes, Joshua. Sacred poems, in five books. 1669. DNB, WAT.

O B872B   Barnes, Joshua. Select discourse. 1680. 12°. ALL, WAT.

O B872C   Barnes, Joshua. Upon the fire of London and the plague. 1679. WAT.

O B875*   Barnett, Andrew. The helmet of hope. For T. Parkhurst, 1694. T.C.II 520, ALL, WAT.

O B901A   Barozzi, Giacomo. The regular architect. For Dorman Newman, 1676. fol. T.C.I 240.

O B901B   Barozzi, Giacomo. The regular architect. For D. Newman, 1682. T.C.I 500.

O B902A   Barozzi, Giacomo. The rule of V. Orders. Amsterdam, 1646. fol. HAZ.

O B910 B   Barrett, John. Sermon for reformation of manners. For T. Parkhurst, 1699. 8°. T.C.III 121, ALL, WAT.

O B918A   Barriffe, William. Military discipline. Fourth edition. By M. C., M. M., C. G., sold by Peter Cole, 1643. 4°. SALE.

O B919A   Barriffe, William. Military discipline. Fifth edition. For John Walker, 1648. 4°. SALE.

O B920A   Barron, Nicholas. A discourse concerning coining. For Richard Chiswell, 1696. 8°. HAZ.

O B946C   Barrow, Isaac. Of contentment. Sold by J. Knapton, 1693. 8°. T.C.II 487.

O B963A   Barrow, Isaac. Twelve sermons. For B. Aylmer, 1677. 8°. T.C.I 287.

O B971B   Barry, James. The soul's refuge. For W. Marshall, 1700. AC.

O B973B   Barry, Richard. A sermon upon the Epiphany. Sold by Benjamin Tooke, 1672. 4°. T.C.I 116.

O B973C   Bartholin, Casper. Institutions of anatomy. Robinson, 1650. SR.

O B982A   Bartholomew fairings, for Collonell Poyntz. 1647. 4°. HAZ.

O B982B   Bartlet, John. Directions for right receiving the Lord's Supper. 1679. 8°. DNB.

O B999A   Barton, Tho. Ten sermons. Dan. Frere, 1641. SR.

O B999B   Barton, William. A catalogue of virtuous women. 1671. 8°. ALL, WAT.

O B1004A   Barton, William. Six centuries of select hymns. Fourth edition. For T. Parkhurst, 1690. 12°. T.C.II 316.

O B1007A   Barwick, John. Deceivers deceived: a sermon. 1661. 4°. ALL, DNB, WAT.

O B1010A   Barwick, Peter. Medicorum animes exagitant. 1671. 4°. ALL.

O B1016A   Basil, Valentine. His last will and testament. Tho. Williams, 1668. SR.

O B1034   Basire, Isaac. Diatibe de antiqua ecclesiae Britannicae
               libertate. 1687. 8°. WAT.

O B1034A   Basire, Isaac. Oratio privata boni theologi. 1670. 8°. DNB,
               WAT.

O B1047A   Basset, Thomas. A new & exact catalogue of the common and
               statute law books. 1699. T.C.III 123, CBEL.

O B1053A   Basset, William. Two letters on alterations in the liturgy.
               [Before 1689]. DNB.

O B1046AB   Bateman, Robert. Eminent cures lately perform'd. [c. 1682].
               brs. SALE.

O B1133A   Bathe, Henry de. The charter of Romney Marsh. For S. Keble,
               1690. 8°. T.C.II 342, SWE.

O B1161A   The battell of Bedwell-bridge. [London, 1679]. brs. HAZ.

O B1161B   Battle of Harlaw. A ballad. 1668. HAZ.

O B1192A   Baxter, Richard. Bellach neu Byth. Llundain, 1677. 8°. ROW.

O B1238A   Baxter, Richard. The defence of the nonconformists plea for
               peace. For Benjamin Alsop, 1682. 8°. HAZ.

O B1268A   Baxter, Richard. The fool's prosperity. 1659. DNB.

O B1282A   Baxter, Richard. How to be certainly saved. For T. Parkhurst,
               1691. 8°. * T.C.II 366, SALE.

O B1296A   Baxter, Richard. Last compassionate counsel. For J. Greenwood,
               1682. T.C.I 509.

O B1353A   Baxter, Richard. Poor man's family book. Sold by John Hancock,
               1676. 8°. T.C.I 259.

O B1356A   Baxter, Richard. Poor man's family book. Fifth edition. For
               J. Taylor, 1688. 12°. T.C.II 227.

O B1407A   Baxter, Richard. Mr. Richard Baxters serious sayings . . .
               charity. William Miller, 1691. SR.

O B1416A   Baxter, Richard. Short instructions for the sick. Fran. Tyton,
               and Nevill Simmonds, 1665. SR.

O B1469C   Bayle, Pierre. Some thoughts occasioned by the comet. Robert
               Knaplock, 1699. SR.

O B1476A   Bayly, Lewis. The practice of pietie. Thirty-fourth edition.
               Edinburgh, by Robert Young and Evan Tyler, 1642. 12°. SALE.

O B1491A   Bayly, Lewis. The practice of pietie. Rotterdam, for Gerard
               van der Viuyn, 1675. 12°. SALE.

O B1494A   Bayly, Lewis. The practice of piety. Thirty-sixth edition.
            [London], for Sa. Lee, [1680]. 12°. SALE.

O B1500A   Bayly, Lewis. The practice of piety. Thirty-fifth edition.
            Printed in the year, 1690. 12°. SALE.

O B1517A   Bayly, William. An answer to a query. [London], 1663. 4°.
            * SMI.

O B1538A   Bayly, William. Some words of warning. 1664. SMI.

O B1540A   Bayly, William. This is for them that do nourish up their
            hearts. 1660. SMI.

O B1543*   Bayly, William. The vision of. [166-?]. fol. SMI.

O B1557A   Beale, Bartholomew. Essay attempting a more certain discovery
            . . . diseases from vicious blood. 1700. 8°. ALL, WAT.

O B1558C   Beale, R. The experienced farrier. Hen. Twyford and Tim.
            Twyford, 1666. SR.

O B1560B   Beams of divine light. Sold by William Marshall, 1700. 12°.
            T.C.III 209, AC.

O B1575A   B[eaulieu], L[uke]. The reformed monastery. Third edition.
            Sold by C. Brome, 1689. 12°. T.C.II 263. N&Q.

O B1580A   [Beaumont,   ]. The emblem of ingratitude. For W. Hope
            and Nath. Brooke, 1672. 8°. T.C.I 114.

O B1588A   Beaumont, Francis. A gramar lecture, with elegies. H. Moseley,
            1656. SR.

O B1588B   Beaumont, Francis. The hungry courtier. 1649. SALE.

O B1655B   Becoldus, Johannes. Johannes Becoldus redivivus, or the English
            Quaker. John Allen, 1659. SR, LOW.

O B1662A   Bedbanck, William. A present for children. For J. Robinson,
            1685. T.C.II 137.

O B1678   Bedloe, William. Truth made manifest . . . last sayings of.
            1680. DNB.

O B1701A   The beginning, progress and end of man. By E. Alsop for
            T. Dunster, 1654. 8°. HAZ, AUC.

O B1714A   Behn, Mrs. Aphra. Histories, novels, and translations. By
            W. O. for S. B. and sold by M. Brown, 1700. 8°. SALE.

O B1716A   Behn, Mrs. Aphra. The adventures of the black lady. 1684.
            DNB.

O B1729B   Behn, Mrs. Aphra. Fair jilt. For J. Walthoe, 1690. 8°.
            T.C.II 342.

O B1743*   Behn, <u>Mrs</u>. Aphra. Love-letters from a nobleman to his sister.
            Second part. <u>For the author</u>, 1685. SALE.

O B1749A   Behn, <u>Mrs</u>. Aphra. Oroonoko. <u>For J. Walthoe</u>, 1690. 8°.
            T.C.II 342.

O B1758A   Behn, <u>Mrs</u>. Aphra. Poetical remains. 1698. DNB.

O B1766B   Behn, <u>Mrs</u>. Aphra. Three playes. <u>For R. Wellington</u>, 1698.
            T.C.III 69.

O B1783A   Belcher, William. Inflammatio **sanguinis** non requiritur ad
            vitam. [<u>Cambridge</u>], <u>Jul</u>. 6, 1680. brs. SALE.

O B1788A   The belief of the family of love. 1656. 12°. N&Q.

O B1788B   A believer's triumph. <u>For B. Alsop</u>, 1682. 12°. T.C.I 504.

O B1801A   Bell, Thomas. Antiquitatum Romanorum compendium. 1696. 4°.
            WAT.

O B1808A   Bell, Thomas. Survey of popery. 1696. 4°. WAT.

O B1831A   Bellers, John. **To the children of light.** [<u>London</u>, 1696]. 4°.
            * SMI.

O B1867A   Bendo, Alexander. Bill to **all gentlemen, ladies & others.**
            <u>Jacob Tonson</u>, 1690. SR.

O B1867B   The benefit of marriage. <u>For E. Andrews</u>, [1663-4]. brs. HAZ.

O B1867C   Benet, <u>Sir</u> Richard. The hidden treasure discovered by the
            surveyors school-master. <u>By T. B.</u>, 1651. 8°. HAZ, SALE.

O B1869A   Benloe, William. Reports. <u>Walbanck</u>, <u>Lee</u>, <u>Pakeman</u>, <u>and</u>
            <u>Gabr</u>. <u>Bedell</u>, 1648. SR.

O B1871A   Benlowes, Edward. Chronosticon decollationis Caroli regis.
            1648. DNB, HAZ.

O B1871B   Benlowes, Edward. Echo Veridica joco-seria. <u>Oxon</u>, 1673.
            DNB, WAT.

O B1872A   Benlowes, Edward. Honorifica armorum cessatio. 1643[44]. 8°.
            DNB, HAZ, WAT.

O B1879A   Benlowes, Edward. Threno-thriambeuticon. 1660. brs. DNB,
            HAZ, N&Q, WAT.

O B1879B   Benlowes, Edward. Truth's touchstone. [1665-6]. brs. DNB,
            WAT.

O B1883*   Bennet, Dorcas. Good and seasonable counsel for women.
            <u>Printed in the year</u>, 1670. 12°. SALE.

O B1889A   Bennet, Thomas. Confutation of popery. For James Knapton, and Alex. Bosvile, 1700. AC.

O B1889C   Bennet, Thomas. Many useful observations by way of comment . . . Lilly's Grammar. 1673. DNB.

O B1890AB   Bennington, J. Relation of the apparition seen at Great Driftfield. 1662. 4°. HAZ.

O B1904A   Benson, John. England in its condition. Printed in the year, 1648. 4°. * HAZ.

O B1906A   Bent, W. The trepar trapt. John Macocke, 1656. SR.

O B1909*   Bentham, Joseph. Persuasive to order; two sermons. 1669. 4°. WAT.

O B1942*   Berault, Pierre. The Church of Rome evidently proved heretick. By Tho. Hodgkin for the author, 1681. 12°. AUC, SALE.

O B1953A   Berault, Pierre. A new, plain, short, & compleat French & English grammar. Second edition. For Richard Baldwin, 1691. 8°. T.C.II 385.

O B1959*   Berford, Ignatius. Illustrissimo hero, fortissimo . . . Jacobo Fitzjames, Duci Berwicio. 1687. fol. * SALE.

O B1960A   Beridge, John. Sermon on Judg. xviii 6. 1662. 4°. ALL, WAT.

O B1973A   Berkeley, Sir William. Cornelia. 1662. ALL, DNB, WAT.

O B2008A   Bernard, Nicholas. A dialogue between Paul and Agrippa. 1642. 4°. ALL, DNB, WAT.

O B2016A   Bernard, Nicholas. The penitent death. 1665. AUC.

O B2021A   Bernard, Nicholas. A worthy relation from Louth. 1642. DNB.

O B2045A   Berrott, Robert. England's sole and soveraigne way of being saved. Nath. Ponder, 1641. SR.

O B2045B   Berry, Jacob. Advice to the Commons. For R. Northcott, 1685. 4°. T.C.II 128.

O B2057A   The best guide to devotion. For H. Bonwicke, 1685. 24°. LIV.

O B2057B   The best match, or, the soules espousall to Christ. Jon. Robinson and Brabazon Aylmer, 1683. SR.

O B2057C   The best match. Fourth edition. For J. Robinson, 1686. 12°. T.C.II 181.

O B2087A   Betts, John. De orto. Second edition. For W. Miller, 1692. 8°. ALL, GIL, WAT.

O B2087B   Betts, John.   Medicinae cum philosophia naturali consensus. 1692. 8°. DNB.

O B2104A   Beveridge, William.   A sermon concerning the excellency.   Sixth edition. For R. Northcott, 1683. 8°. T.C.II 35.

O B2106A   Beveridge, William.   A sermon concerning the excellency.   Ninth edition. For S. Manship, 1693. 12°. T.C.II 458.

O B2125A   B[everley], T[homas].   A brief view of the state of mankind.   For W. Marshall, and J. Marshall, 1696. 8°. T.C.II 585.

O B2136A   B[everley], T[homas].   A discourse of miracles upon the powers. For W. Marshall, 1699. 8°. T.C.III 136, WAT.

O B2146A   B[everley], T[homas].   A fresh memorial of the kingdom of Christ. For W. Marshall, and J. Marshall, 1696. 8°. T.C.II 584.

O B2152A   B[everley], T[homas].   The great charter for the interpretation. For W. Marshall, and J. Marshall, 1696. 8°. T.C.II 585.

O B2160A   B[everley], T[homas].   The line of time. For W. Marshall, and J. Marshall, 1696. 8°. T.C.II 585.

O B2167A   [Beverley, Thomas.]   The platform of the divine temple.   For W. Marshall, and J. Marshall, 1696. 8°. T.C.II 586.

O B2169A   [Beverley, Thomas.]   The prophetical history of the reformation. For W. Marshall and J. Marshall, 1696. 8°. T.C.II 586.

O B2907A   Billingsley, John.   The grand Quaker prov'd a gross liar. 165?. DNB.

O B2909*   Billingsley, Martin.   A copy book. By H. Brugis, for John Overton, 1669. obl. 4°. * DNB, HAZ, LOW.

O B2913A   Billy and Molly, a song. Joshua Conyers, 1686. brs. SR, ROL.

O B2914B   Binckes, Joseph.   Light breaking forth. By R. A. for William Larnar, 1653. 4°. * SALE.

O B2914C   Binet, Etienne.   Essay des merveilles de nature. Thomas Davies, 1658. SR.

O B2933A   Binning, Hugh.   Treatise on Christian love. 1651. DNB.

O B2934BA   Binning, Thomas.   A light. By J. D. for the author, and are to be sold by W. Fisher, J. Thornton and J. Atkinson, 1677. 4°. SALE.

O B2934D   Bion, Nicolas.   The use of the globes celestiall. Thomas Leigh, 1699. SR.

O B2936A   Biondi, Giovanni Francesco.   Love & revenge. Second edition. For Will. Miller, 1690. 4°. T.C.II 316, ESD.

O B2941A   Birchensha, John. Animadversion. 1672. * DNB.

O B2943A   Birckbeck, Simon. The Christians auditi. Milborne, 1641. SR.

O B2985A   Bisco, John. Discourses. 1665. 8°. ALL, WAT.

O B2987A   Biscoe, John. The mystery of free grace. [1655-72]. 8°. DNB.

O B3029A   Bishops may and ought to vote. 1680. fol. SWE.

O B3033A   Bishops right to vote. 1684. SWE.

O B3035A   Bix, Angelus. Sermon on the passion. 1688. 4°. DNB, GIL.

O B3038A   Black, William. [Theses.] [Aberdeen, Forbes], 1684. ALDIS 3409.

O B3039A   The blacke booke of conscience. John Andrews, 1656. SR.

O B3064A   B[lackborow], S[arah]. The oppressed prisoners complaint.
        1662. brs. SMI.

O B3066A   Blackborn, Richard. Three novels in one. For G. Grafton, 1688.
        12°. T.C.II 223.

O B3105A   Bladen, Thomas. A body of divinity, 3 sermons. 1695. 4°.
        ALL, WAT.

O B3109D   Blagrave, Sir John. A reading upon the statute of xxxii.
        Hen. VIII, Cap. X. 1648. 4°. ALL, WAT.

O B3109E   Blagrave, John. The evil spirit cast out. By E. Golding, 1691.
        8°. * HAZ.

O B3120B   Blagrave, Joseph. Planispherium Catholicum. 1658. 4°. LOW.

O B3120C   Blagrave, Joseph. Supplement to Nic. Culpepper's English
        physician. 1666. 8°. ALL, WAT.

O B3122A   Blagrave, Joseph. Supplement to Planispherium. 1658. 4°. ALL.

O B3123A   Blagrave, Obadiah. Description and physical virtues of all
        trees, herbs. 1677. 8°. WAT.

O B3130   Blake, Charles. Hibernia plurans. 1694. fol. WAT.

O B3188B   The blessed martyrs in flames. For John Dunton, 1683.
        T.C.II 12, SR.

O B3196A   Blithe, Nath. A plain and brief explanation. For Edward
        Millington, 1672. T.C.I 110.

O B3207A   Blome, Richard. Britannia. For Abel Swall, 1698. fol. HAZ.

O B3214A   Blome, Richard. Horology or dyalling. 1690. TAY.

O B3221A   Blondel, Francois. Pindar and Horace compared. 1680. 8°. LOW, WAT.

O B3223A   Blood cries for revenge. Francis Grove, 1657. brs. SR, ROL.

O B3225A   Bloody and barbarous news of the Assizes in Westminster. 1676. 4°. HAZ.

O B3229A   The bloody butcher. By E. Crowch for F. Coles, T. Vere, and J. Wright. [1667]. brs. HAZ, AUC.

O B3261A   Bloody news from Angel-alley in Bishopgate-Street. For D. M., 1678. 4°. * HAZ, LOW.

O B3264A   Bloody news from Clerkenwell, or a full relation. 1670. 4°. HAZ.

O B3269A   Bloody news from Hampshires. [London], printed in the year, 1675. 4°. * HAZ.

O B3291*   The bloody Quaker, or. By P. L., 1668. 4°. * SALE.

O B3291**   The bloody Quakers, or the Gloucestershire murder discovered. 1668. 4°. AUC.

O B3293A   The bloody tragedy, acted by Priss Fotheringham. 1662. 4°. AUC.

O B3295   Bloome, Hans. A description of the five orders of columns. Sold by J. Williamson, 1677. fol. T.C.I 295.

O B3326A   Blount, Thomas. Animadversions upon Booker's Telescopium Uranicum. 1665. brs. DNB.

O B3354A   Blow, John. A choice collection of lessons . . . harpsichord. For H. Playford, 1698. T.C.III 79, DNB.

O B3355A   Blow, John. The second book of the pleasant & musical companion. Fourth edition. For H. Playford, 1700. AC.

O B3356*   Blow, John. Songs & ayres set by. For C. Brome, 1696. 8°. T.C.II 579.

O B3358A   Blower, Samuel. God's exaltation. For W. Marshall, and J. Marshall, 1697. 4°. T.C.III 122, ALL, DNB, WAT.

O B3365A   Boaistuau, Pierre. A looking glass for youth. Sold by A. Bettesworth, 1699. T.C.III 119.

O B3426A   Boehme, Jacob. The way to Christ discovered. 1654. 12°. CBEL, SALE.

O B3458A   Bohun, Edmund. A proposal for the erecting of country registers. For R. Cumberland, 1696. T.C.II 604.

O B3500A   Bolron, Robert.   Attestation of a certain intercourse had.
                 [1680].   DNB.

O B3512A   Bolton, Robert.   Certain devout prayers.   Third edition.   For
                 Will. Miller, 1690.   12°.   T.C.II 317.

O B3519A   Bolton, Samuel.   Elixir vitae or quintessentia.   Nath. Brooke,
                 1655.   SR.

O B3534   Bolton, Samuel.   A vindication of the rights of the law.   1645.   DNB.

O B3544A   Bombast.   Philosophicall cannons.   John North, 1656.   SR.

O B3544B   Bona, John.   A guide to eternity.   For Henry Brome, 1673.   8°.
                 WAT.

O B3544C   Bona, John.   A guide to eternity.   Second edition.   For Henry
                 Brome, 1676.   12°.   SALE.

O B3558A   Bond, Henry.   The art of apparreling and fitting of any ship.
                 Robert Boydell, 1654.   SR.

O B3560A   Bond, Henry.   The boatswain's art.   W. Godbid, 1664.   4°.   AUC.

O B3563A   Bond, Henry.   The compleat modelist.   Sold by W. Fisher,
                 T. Passinger, & R. Smith, 1684.   4°.   T.C.II 108.

O B3563B   Bond, Henry.   The logarithmicall numbers epitomized.   Anne Boydon,
                 1661.   SR.

O B3571A   Bond, John.   Holy and loyal activity.   1641.   4°.   ALL, DNB, WAT.

O B3582   Bond, John.   A whip for the judges.   1641.   ALL.

O B3591A   Bonet, Théophile.   A guide to the practical physician.   1686.
                 fol.   SALE.

O B3593A   Bonhome, Josias.   The churches glory.   For the author, 1674.
                 16°.   WHI, SALE.

O B3594A   Bonifield, Abraham.   The cry of the oppressed in Sion.   Printed,
                 1695.   4°.   SMI.

O B3604A   The bonny Scotts lover.   1675.   ROL.

O B3608A   A book against the circulation of the blood.   Sold by E. Evets,
                 1700.   MORG.

O B3706A   The book of fortune.   For Tho. Williams, 1672.   fol.   HAZ, LOW.

O B3706B   A book of fortune.   Philipp Brookesby, 1676.   SR.

O B3706C   The book of fortune.   Sold by H. Sawbridge, 1685.   fol.   T.C.II 153.

O B3709A The book of knowledge. For Tho. Passenger, 1675. 8°. T.C.I 223.

O B3709B The book of knowledge. For W. Thackeray, 1691. N&Q.

O B3709C The book of maps. Sold by John Garret, 1676. T.C.I 254.

O B3713A The book of pretty conceits. By James Flesher, [c. 1650]. 8°. HAZ.

O B3713B Book of rates now used in the sin custom house of the Church of Rome. [London], 1674. 4°. HARL, LOW.

O B3719A A book of titles, for the use of apothecaries. Sold by William Birch, 1672. T.C.I 112.

O B3725A [Booker, John.] The Dutch fortune teller. [London], 1677. fol. ALL, HAZ, LOW.

O B3756A Boreman, Robert. The churchmen's catechism. 1651. 4°. ALL, LOW, WAT.

O B3757A Boreman, Robert. The cure of the kingdom's great curse. Rich. Rolston, 1645. SR.

O B3823A [Bouhours, Dominique.] Christian thoughts. For R. Pawlet, 1683. T.C.II 13.

O B3823C [Bouhours, Dominique.] Christian thoughts for every day. For Mathew Turner, 1685. 24°. T.C.II 124, SR.

O B3824B [Bouhours, Dominique.] Christian thoughts. For R. Wellington, 1700. 8°. T.C.III 168.

O B3827B Boulbie, Judith. From our women's meeting held at York, the 15th and 16th days of the 4th month, 1692. [1692]. SMI.

O B3831B Boulton, Richard. System of rational and practical chirurgery. 1699. DNB, WAT.

O B3833B Bounceing Besse and lustie Dick. Francis Grove, 1657. brs. SR, ROL.

O B3877A [Bowles, Edward.] A plain and short catechism. Sixth edition. Printed in the year, 1659. 8°. HAZ.

O B3877B [?Bowles, Edward.] A plain and short catechism. Eighth edition. 1676. 8°. DNB.

O B3879A Bowles, Edward. Zeale for God's house, quickened: a fast sermon. 1643. 4°. DNB.

O B3910A Boyd, Zachary. Spiritual songs. Edinburgh, 1686. CBEL.

O B3933A Boyle, Robert. A collection of choice remedies. Sam. Smith, 1691. SR.

O B4017A   Boyle, Robert. A proemiall essay. Hen. Harringman, 1660. 4°. *
     SR.

O B4064A   Boyle, Roger. Summa. Sold by A. Churchill, 1688. 4°. T.C.II 218.

O B4088B   Brabourne, Theophilus. The change of church discipline. [1654].
     4°. DNB.

O B4094A   Brabourne, Theophilus. On the Sabbath day. 1660. WHI.

O B4096A   Brabourne, Theophilus. The second vindication of my first book of
     the change of discipline. 1657. 4°. DNB.

O B4121A   Bradford, Samuel. A sermon preached before the Lord Mayor. For
     B. Aylmer, 1698. 8°. T.C.III 51.

O B4123A   Bradford, William. The secretary's guide. New York, printed
     and sold by William Bradford, 1698. 8°. EVANS 818, MORG.

O B4138A   Bradley, Thomas. Some reasons shewing the reasonableness.
     Stephen Lewis, 1656. SR.

O B4236B   Bramhall, John. The serpent salve. Ben. Tooke, 1672. SR.

O B4246A   Brandenburgh, duke of. A declaration of his Electoral Highness.
     For Richard Chiswell, 1679. 4°. SALE.

O B4250A   Brandon, John. A practical discourse. 1690. ALL, WAT.

O B4291*   Bray, Thomas. Country dances. For & sold by James Young, 1699.
     T.C.III 156.

O B4337A   Breda exultans, a poem. 1667. LOW.

O B4383A   Breton, Nicholas. Characters upon essaies. 1675. 12°. WAT.

O B4400A   Bréval, François Durant de. Caroli Secundi magnae Britanniae
     regis, epitaphium. [London], excudebat Thomas Newcombe,
     1685. brs. HAZ.

O B4407A   A breviary of the late persecutions of the professors of the
     Gospel. Glasgow, by Robert Sanders, 1674. 8°. HAZ.

O B4419A   Brevint, Daniel. The Christian sacrament. For C. Brome,
     1688. 12°. T.C.II 227.

O B4419B   Brevint, Daniel. The Christian sacrament. For C. Brome,
     1690. 12°. T.C.II 306.

O B4419C   Brevint, Daniel. The depth and mistery. Oxford, sold by
     W. Kettilby, 1692. 12°. T.C.II 417.

O B4426A   Brewer, Anthony. The perjured nun. 1680. CBEL, DNB, HAZ.

O B4435A   Brewster, Samuel. The Christian scholar. 1700. 8°. ALL, WAT.

O B4440A   [Brice, Germain.] A new description of Paris. Second edition. For <u>H. Bonwicke</u>, 1688. 12°. T.C.III 69, COX, SALE.

O B4441A   The brides buriall. 1675. ROL.

O B4443A   The brides burial. <u>For</u> <u>F. Coles</u>, <u>T. Vere</u>, <u>and</u> <u>J. Wright</u>, [1680?]. brs. HAZ.

O B4443B   The brides burial. <u>By</u> <u>and</u> <u>for</u> <u>W. O.</u> <u>for</u> <u>A. M.</u>, [1690?]. brs. HAZ.

O B4454A   Bridge, William. The good and means of establishment. <u>By</u> <u>Peter Cole</u>, 1656. N&Q.

O B4459A   Bridge, William. A replication to Dr. Ferne. <u>Ben Allen</u>, 1643. SR.

O B4476A   Bridges, <u>Sir</u> John. Reports of cases at law. 1651. fol. ALL, WAT.

O B4482A   Bridges, Noah. Stenography and cryptography. The arts of short and secret writing. Second edition. 1662. DNB.

O B4483*   Bridges, Ralph. Sermon on 1 Kings 6:9. 1700. 4°. ALL, WAT.

O B4486A   [Bridgewater, Benjamin.] Religio bibliopolae. 1694. CBEL.

O B4492A   Bridgman, Robert. An account of the Quakers politicks. <u>For</u> <u>B. Ailmer</u>, <u>and</u> <u>C. Brome</u>, 1700. AC.

O B4496A   Bridoul, Toussaint. The school of the Eucharist. <u>For</u> <u>W. Rogers</u> <u>&</u> <u>S. Smith</u>, 1689. T.C.II 285, SR.

O B4500*   A brief account of a publick dispute. [1696]. 4°. SMI.

O B4503A   A brief account of some proceedings against the retailors of fuell. 1694. fol. GOU.

O B4529A   Brief and necessary tables for all merchants. <u>Sold</u> <u>by</u> <u>John Hills</u>, 1677. T.C.I 275.

O B4529B   A brief and perspicuous manuduction. Second edition. <u>For</u> <u>C. Brome</u>, 1692. T.C.II 430.

O B4531A   A brief and plain exposition of the church catechism. Third edition. <u>For</u> <u>R. Cumberland</u>, 1698. T.C.III 86.

O B4531B   Brief and plain heads of self examination. <u>For</u> <u>C. Harper</u>, 1697. 8°. T.C.III 12.

O B4549A   A brief, but most true relation of the late barbarous . . . Barbadoes. <u>George</u> <u>Croom</u>, 1693. brs. SALE.

O B4552A   A brief chronology of all the famous comets. 1681. fol. HARL.

O B4555A   A brief collection of the bloody usage of the Christians. <u>Sold by</u> Robert <u>Walton</u>, 1674. T.C.I 182.

O B4561A   A briefe declaration and vindication of the doctrine of the Trynity. <u>Nath. Ponder</u>, 1669. SR.

O B4570A   A brief description of the future-history of Europe. <u>Now reprinted and sold by</u> Elizabeth <u>Whitlock</u>, 1696. 4°. SALE.

O B4571A   A briefe description of the 17 provinces. Richard <u>Baldwin</u>, 1691. SR.

O B4575A   Brief directions for true spelling. Edward <u>Evets</u>, 1685. SR.

O B4578A   A briefe discourse concerning that name heathen commonly given to the Indians. Jane <u>Coe</u>, 1645. SR.

O B4582A   A brief discourse of the fulness. <u>For</u> W. <u>Marshall</u>, 1700. AC.

O B4595A   Brief heads of some seasonable reflections. <u>Not unusefull in this present year</u>, 1691. 4°. * SALE.

O B4598A   A brief history of Spain. <u>For</u> T. <u>Nut</u>, 1700. AC.

O B4603A   A brief memorial representing the present state of religion . . . North America. 1700. fol. SAB.

O B4604A   Brief method of the law French. 1670. fol. SWE.

O B4616*   A brief nomenclature. <u>For</u> H. <u>Sawbridge</u>, 1684. 12°. T.C.II 107.

O B4622A   A brief relation of a great sea-fight . . . Holland fleets. <u>Printed in the year</u>, 1683. 4°. * SALE.

O B4624A   A brief relation of the life and death of an unfortunate young maid. <u>For</u> R. <u>Taylor</u>, 1674. T.C.I 169.

O B4641A   A briefe replication upon the special passages in . . . Wortley's book. <u>York, by</u> Stephen <u>Bulkley</u>, 1642. 4°. HAZ, AUC.

O B4653*   A briefe survey of the kingdom of France. <u>Sold by</u> M. <u>Pardoe</u>, 1683. T.C.II 4.

O B4662A   Briggs, Joseph. The obligation of conscience to union. 1675. 8°. ALL, WAT.

O B4677A   A bright star. William <u>Wethered</u>, 1646. SR.

O B4693AB   [Brilhac, J. B. de.] Agnes de Castro. <u>For</u> J. <u>Walthoe</u>, 1690. 8°. T.C.II 342.

O B4703A   [Brinsley, John.] The posing of the parts. Thirteenth edition. <u>For</u> A. <u>Roper</u>, G. <u>Sawbridge</u>, T. <u>Basset</u>, J. <u>Wright</u>, R. <u>Chiswell</u>, W. <u>Leake</u>, 1677. 8°. SALE.

O B4703B   [Brinsley, John.] The posing of the parts. For H. H., T. Basset, N. Ranew, J. Wright, R. Chiswell, J. Robinson, & H. Sawbridge, 1682. 8°. T.C.I 488.

O B4708A   Brinsley, John. A breviate. Edward Dod, 1656. SR.

O B4727   Brinsley, John. The sad schisme. Smith, 1646. SR.

O B4809A   Brittaines glory, and Englands bravery, wherein is shewed. 1689. SR, HARL.

O B4815A   Britannia nova: or, a seasonable discourse. For Matthew Gilliflower, 1698. 4°. AUC.

O B4819A   Britannia's triumph. E. Witlock, 1694. brs. SALE.

O B4823A   The British combatants. Sold by Christopher Wilkinson and Mark Pardo, [c. 1700]. brs. MORG.

O B4823B   The British language in its lustre. Sold by Thomas Jones, Sam. Lowndes, & B. Tooke, 1690. 8°. T.C.II 304.

O B4829   Broad, Thomas. On the association: a sermon. 1696. WAT.

O B4840A   Brograve, Sir John. A reading upon the statute of 32d Henry VIII Chap. X concerning jointures. 1648. 4°. ALL, WAT.

O B4848B   Brome, Alexander. Fancy's festivals. 1657. 4°. ALL, LOW, WAT.

O B4856A   Brome, James. God's call to weeping and mourning: a sermon. 1679. 4°. WAT.

O B4859A   Brome, James. Sermon on Joel iii 19. 1700. 8°. WAT.

O B4884BA   Bromfield, M. A brief account of that most reigning disease the scurvy. [London, 1684]. brs. SALE.

O B4884BB   Bromfield, M. A briefe discovery. James Cotterell, 1674. SR.

O B4893   Brook, Chidley. To their excellencys, the Lords Justices of England, the humble memorial of. [New York, William Bradford], 1696. fol. * LIV.

O B4912A   Brooke, Robert Greville, baron. A discourse. Printed in the year, 1661. 8°. SALE.

O B4918A   Brookes, Thomas. An allebaster box of precious oyntment. Jo. Hancocke, 1668. SR.

O B4928*   Brookes, Thomas. Apples of gold. For John Hancock, 1674. T.C.I 182.

O B4928**   Brookes, Thomas. Apples of gold. Twelfth edition. For John Hancock, 1676. 8°. SALE.

O B4928***   Brookes, Thomas. Apples of gold. <u>Sold</u> <u>by</u> <u>J.</u> <u>Hancock</u>, 1678.
              12°. T.C.I 336.

O B4928****   Brookes, Thomas. Apples of gold. <u>Sold</u> <u>by</u> <u>J.</u> <u>Hancock</u>, 1685.
              12°. T.C.II 121.

O B4928***** Brookes, Thomas. Apples of gold. Sixteenth edition. <u>For</u> <u>J.</u>
              <u>Hancock</u>, 1690. 12°. T.C.II 341.

O B4951*   Brookes, Thomas. The mute Christian. <u>For</u> <u>John</u> <u>Hancock</u>, 1641.
              8°. SALE.

O B4962B   Brookes, Thomas. The privy key. <u>For</u> <u>J.</u> <u>Hancock</u>, 1681. 8°.
              T.C.I 466.

O B4962C   Brookes, Thomas. The privy key. <u>Sold</u> <u>by</u> <u>J.</u> <u>Hancock</u>, 1685.
              8°. T.C.II 8.

O B4968A   Brookes, Thomas. A string of pearls. <u>Sold</u> <u>by</u> <u>J.</u> <u>Hancock</u>, 1678.
              12°. T.C.I 336.

O B4975B   Brookesbank, Joseph. Orthographia, hoc est, grammatices. 1657.
              16°. DNB.

O B4976B   Brooksbank, Joseph. The saints in perfection. <u>Printed</u> <u>in</u> <u>the</u>
              <u>yeare</u>, 1646. 12°. SALE.

O B4986A   Brough, William. Discourses. 1660. 8°. ALL, WAT.

O B4998A   Broughton, Hugh. Explication of the article in the Creed,
              concerning the descent into Hell. 1642. fol. WAT.

O B4998B   Broughton, Hugh. Exposition or coment upon the revelation.
              <u>Cartwright</u>, 1641. SR.

O B4998C   Broughton, Hugh. Our Lords familie. <u>Cartwright</u>, 1641[2]. SR.

O B5002A   Broughton, William. Sacra scriptura continet omnia quae ad
              salutem sunt necessaria. [<u>Cambridge</u>], <u>Jul.</u> 1, 1678. brs.
              SALE.

O B5006A   Brown, Andrew. Dissertatio theoretico-practico de febribus.
              <u>For</u> <u>J.</u> <u>Hepburn</u>, 1700. AC.

O B5019A   Brown, George. Specie book. <u>Edinburgh</u>, 1700. DNB, MORG, WAT.

O B5039A   Brown, John. The description and use of the carpenter's joint
              rule. <u>Sold</u> <u>by</u> <u>J.</u> <u>Brown</u> <u>and</u> <u>T.</u> <u>Browne</u>, 1684. TAY.

O B5039B   Brown, John. The description and use of the carpenter's rule.
              <u>By</u> <u>W.</u> <u>G.</u> <u>for</u> <u>William</u> <u>Fisher</u>, 1666. 12°. SALE.

O B5042*   Brown, John. The instrumental navigator. 1695. TAY.

O B5084B   Brown, William. The entering clerkes guide. <u>John</u> <u>Bellinger</u>,
              1683. SR.

O B5096A   Brown, William. Praxis almae curiae cancellariae, a collection
                of precedents. For R. Basset, 1700. 8°. T.C.III 172, MORG.

O B5096B   Brown, William. Tutor clericalis instructus: or, the clerk's
                tutor improv'd. For R. Basset, 1700. 8°. AC.

O B5107B   Browne, Edward. Warning piece for England. 1643. ALL, LOW, N&Q.

O B5129A   Browne, John. Proposals, by way of contribution, for writing a
                natural history of Yorkshire. [ca. 1697]. N&Q.

O B5132A   Browne, Joseph. Lecture of anatomy against the circulation of
                the blood. 1698. 4°. ALL, DNB, N&Q, WAT.

O B5139A   Browne, Richard. Medica musica; or, a mechanical essay.
                1674. 8°. ALL, DNB, WAT.

O B5185AB   Browne, Thomas. The absolute accomptant. Sold by J. Hancock,
                1678. fol. T.C.I 333.

O B5185C   Browne, Thomas. Merchants' accompts epitomized. Sold by Robert
                Clavell, 1674. T.C.I 170.

O B5214A   Brownsword, William. Englands grounds of joy. By Matthew Inman,
                1660. 4°. * N&Q.

O B5228A   Brugis, Thomas. Vade mecum. Seventh edition. For B. T. and
                T. S. and sold by Randal Taylor, 1680. 8°. HAZ.

O B5252A   Brydall, John. Ars transferendi. For I. Cleave, 1699. 8°.
                T.C.III 147, SWE.

O B5262A   Brydall, John. A letter to a friend. 1679. DNB.

O B5262B   Brydall, John. A letter to a friend on sovereignty. 1681. DNB.

O B5267A   Brydall, John. Summus Angliae seneschallus, a survey. 1680.
                DNB.

O B5268A   Bryde, David. Wonders no miracles; or, Greatrake's healing
                examined. 1666. 8°. WAT.

O B5273A   Buchanan, David. A short view of the present condition of
                Scotland. 1645. 4°. ALL, COX, TAY, WAT.

O B5282A   Buchanan, George. The history of Scotland. Joshua Kirton,
                1659. SR.

O B5305A   Buchler, Johann. Sacrarum profanarumque phrasium. For T.
                Passenger, 1682. 12°. T.C.I 480.

O B5311A   Bugg, Francis. Ishmael and his mother cast out. 1655. 8°. WAT.

O B 5401B   Bulkley, John. On the Lord's day; a sermon. 1697. 4°. ALL,
                WAT.

O B5408A   Bull.   Farewell sermon on John xiv 16.   1663. 4°. ALL, WAT.

O B5413A   Bull, George. Apologia pro harmonie. 1675. DNB.

O B5423A   Buller, John. Men transformed or the artificiall changling.
            John Hardesty, 1650. SR.

O B5431A   Entry cancelled.

O B5461A   Bulwer, John. Anthropometamorphosis; a view. Published for the
            use and benefit of Thomas Gibbs, 1658. 4°. HAZ.

O B5475A   Bunworth, Richard. A new discovery of the French disease.
            William Godbid, 1657. SR.

O B5487A   Bunyan, John. The barren fig-tree. Fifth edition. Glasgow,
            Sanders, 1697. 16°. ALDIS 3656, CBEL.

O B5494A   Bunyan, John. A Christian dialogue. [1672?]. CBEL, DNB.

O B5510A   Bunyan, John. A discourse of the grace. For Francis Smith,
            1676. 12°. T.C.I 245.

O B5512A   Bunyan, John. Divine emblems. 1690. WHI.

O B5512B   Bunyan, John. The doctrine of law and grace. For W. Marshal,
            1700. AC, CBEL.

O B5519A   Bunyan, John. A few sighs from Hell. Sixth edition. [1686?].
            CBEL.

O B5519B   Bunyan, John. A few sighs from Hell. Seventh edition. [1686?].
            CBEL.

O B5521A   Bunyan, John. The four last things. 1664. 16°. * WHI.

O B5522A   Bunyan, John. Good news for the vilest. John Harris, 1691. SR.

O B5525A   Bunyan, John. Grace abounding. Fifth edition. 1685. CBEL.

O B5537A   Bunyan, John. A holy life. 1689. CBEL.

O B5540A   Bunyan, John. The holy war. For A. and J. Churchill, 1700.
            12°. CBEL.

O B5554A   Bunyan, John. A mapp shewing the order. [1664?]. brs.
            CBEL, WHI.

O B5554B   Bunyan, John. A map shewing the order. Printed and sold by
            W. Marshall, 1691. brs. CBEL.

O B5554C   Bunyan, John. Mount Ebal and Garrizm. 1664. 16°. * WHI.

O B5554D   Bunyan, John. A new and useful concordance to the Holy Bible.
            [1672?]. CBEL.

O B5556A   Bunyan, John. Peaceable principles are true. [1674]. CBEL, DNB, WHI.

O B5565A   Bunyan, John. The pilgrim's progress. Fifth edition. Edinburgh, by the heir of A. Swanson, 1681. 12°. ALDIS 2253.

O B5575A   Bunyan, John. Pilgrim's progress. Fourteenth edition. For H. Rhodes, 1699. 12°. T.C.III 146.

O B5582A   Bunyan, John. The pilgrim's progress, second part. Seventh edition. For H. Rhodes, 1699. 12°. T.C.III 146.

O B5584A   Bunyan, John. The pilgrim's progress, third part. Third edition. For J. Back, 1697. T.C.III 46.

O B5585A   Bunyan, John. Prison meditations. 1665. brs. CBEL, WHI.

O B5590A   Bunyan, John. Saved by grace. F. Smith, [1676]. CBEL, DNB, WHI.

O B5617A   The burden of a loaden conscience. For G. Conyers, 1700. MORG.

O B5700A   Burgess, Daniel. The confirming work of religion. 1693. 8°. DNB, WAT.

O B5703A   Burgess, Daniel. A discourse of the death and resurrection of good men's bodies. 1692. 8°. DNB, WAT.

O B5717A   Burgess, Daniel. Sermon for reformation. For T. Parkhurst, 1698. T.C.III 86.

O B5719A   Burges, John. Sermon preached . . . fifth of November, 1641. Stephens and Meredith, 1641. SR.

O B5752A   Burnet, Andrew. Anatomy spiritualized. Second edition. For W. Marshall, and J. Marshall, 1696. 12°. T.C.II 594, ALL.

O B5821A   Burnet, Gilbert, bp. A letter to Dr. John Williams. 1695. 4°. LOW.

O B5846A   [Burnet, Gilbert, bp.] A rational method. Second edition. For L. Meredith, 1692. 8°. T.C.II 433.

O B5870A   Burnet, Gilbert, bp. The royal martyr. For L. Meredith, 1699. 4°. T.C.III 117.

O B5902A   Burnet, Gilbert, bp. A sermon preached at the funeral . . . Canterbury. Edinburgh, heirs and successors of A. A., 1694. 4°. ALDIS 3362.

O B5911A   Burnet, Gilbert, bp. A short directory. 1690. 4°. LOW.

O B5964A   Burney, Richard. A scripturall apologie for the Church of England. Thos. Harper, 1641. SR.

O B5972A   Burrell, Andrewes. An old slander newly revived. Sarah Griffin, 1658. SR.

O B6061A   Burroughs, Jeremiah. The difference between the spots. For Tho. Parkhurst, 1687. 8°. T.C.II 212, SALE.

O B6073A   Burroughs, Jeremiah. The generation of Quakers. Cambridge, 1648. 12°. DNB, LOW, WAT.

O B6130A   Burroughs, Thomas. Directions about preparing for death. For J. Baker, 1669. 12°. T.C.I 8.

O B6177A   Burton, Henry. Fast sermon. 1665. 4°. ALL, WAT.

O B6180A   Burton, John. A short introduction of gramer. Roger Norton, 1658. SR.

O B6187A   Burwell, Nicholas. The reports of. Robert Pawlett, 1682. SR.

O B6187B   [Bury, Arthur.] An account of the unhappy affair which hath drawn such clamours. 1689. GOU.

O B6203A   Bury, Edward. The deadly danger of drunkenness. 1671. 8°. ALL, WAT.

O B6214A   Bury, John. God's method for mans salvation. 1661. 8°. DNB.

O B6219A   Busby, Richard. An English introduction to the Latin tongue. 1659. CBEL, DNB, WAT.

O B6219B   Busby, Richard. Graecae grammatices compendiaria. 1678. CBEL.

O B6225A   Busby, Richard. Nomenclatura brevis reformata. 1667. 8°. ALL, DNB, WAT.

O B6231A   Bush, Rice. The poor mans friend. By A. M. for Tho. Underhill, 1649. 4°. * HAZ.

O B6286A   Butler, Nathaniel. A true copie of the last speech of. Tho. Newcomb and Thomas Mathews, 1657. brs. SR.

O B6342A   Buxtorf, Johann. Epitome grammaticae Hebraeae. Nath. Webbe and Will. Grantham, 1644[5]. SR.

O B6349B   By consent. Characters of some young women. [London, 1691]. brs. SALE.

O B6370A   By the merchants, owners of ships and mariners, trading to His Majesties sugar plantations. [London? 1660]. brs. SALE.

O B6406A   Byrdall, Thomas. The unprofitableness of worldly gain. 1668. WAT.

O B6406B   Byrdall, Thomas. Victories violence. 1668. 8°. ALL, WAT.

O C227A   Calamy, Edmund. Behold how he seeketh a quarrel. 1663. 4°.
WAT.

O C248A   Calamy, Edmund. The godly mans ark. Third edition. For John
Hancock and for Thomas Parkhurst, 1661. 8°. AUC, SALE.

O C251A   Calamy, Edmund. The godly man's ark. Sold by J. Hancock, 1683.
12°. T.C.II 9, DNB, WAT.

O C280A   Calderwood, David. The true history of the Church of Scotland.
Sold by R. Boulter, 1681. fol. T.C.I 428.

O C286A   The Caledonian grove. Hen. Twiford, 1641. SR.

O C286B   Caledonia's complaint and resolution. [London, 1700]. brs.
SAB.

O C295A   Caliope's cabinet opened. Second edition. For W. Crook, 1673.
12°. T.C.I 156.

O C300A   Callières, François de. The lovers' logick. For George Palmer,
1669. 8°. T.C.I 21, HAZ.

O C300B   Callières, François de. The lovers' logick. For George Palmer,
1670. 8°. AUC, SALE.

O C301A   Callières, Jacques de. The fortune & conduct of noblemen.
Eliz. Walbanck, 1677. SR.

O C306A   Callis, Robert. His reading upon the statute of the sewers.
For J. Walthoe, 1690. 4°. T.C.II 342.

O C320A   Calvert, Thomas. The black diet. Yorke, by Alice Broade, and
are to be sold by Richard Lambert, 1664. 4°. SR, HAZ, AUC.

O C326B   Calvert, Thomas. The weary soul's wish for the dove's wings.
York, 1650. 4°. HAZ.

O C329AB   Calvin, Jean. Institution of Christian religion. 1651. fol.
LOW.

O C332A   Cambridge jests. Second edition. For S. Lowndes, 1684. 12°.
T.C.II 78.

O C370A   [Camden, William.] Institutio Graecae. Excudit Rogerus
Nortonus, 1679. 8°. HAZ.

O C372AB   [Camden, William.] Institutio Graecae. Roger Norton, 1697.
8°. SALE.

O C382*   Camfield, Benjamin. Of the authority of kings. 1658. 8°.
ALL, WAT.

O C382**   Camfield, Benjamin. A profitable enquiry into that comprehensive
            rule. By A. C. for H. Eversden, 1671. 8°. SALE.

O C388*   Camfield, Francis. Sermon preached May 14, 1693. 1694. 8°.
            ALL, WAT.

O C388B   Camm, Mrs. Anne. Anne Camme, her testimony concerning John
            Audland. 1681. DNB.

O C388C   Camm, Mrs. Anne. A true declaration of the suffering of the
            innocent. Printed, and are to be sold by Giles Calvert,
            1655. SMI.

O C399B   The campaign of the French king. For T. Dring, 1678. 8°.
            T.C.I 332, SALE.

O C401A   Campbell, D. Sacramental meditations . . . death of Christ.
            Edinburgh, 1698. ALDIS 3737.

O C406A   Campian, Edmond. Ten reasons. 1678. HARL.

O C423B   A candid plea to a cruell charge. Samuel Walsall, 1684. SR.

O C455A   Canterbury Tales rendred into familiar verse, viz. the plain
            proof. For the Booksellers, 1700. 8°. AC.

O C469A   Capel, Arthur. Excellent contemplations. For Nath. Crouch,
            1690. T.C.II 317.

O C469B   Capel, Arthur. Excellent contemplations. For Nath. Crouch,
            1692. T.C.II 399.

O C469C   Capel, Arthur. Excellent contemplations. For Nath. Crouch,
            1695. T.C.II 540.

O C477A   Capello and Bianca, a novel. For Enoch Wyer, 1677. 8°.
            T.C.I 289.

O C487B   Captives bound in chains made free. Sold by Joseph Nevill,
            1674. 8°. T.C.I 184.

O C499A   Cardonel, Pierre de. The fortunate islands. Printed in the
            year, 1661. 8°. * HAZ, LIV, ALL.

O C537A   Care, John. The gospel preached. For R. Chiswell, 1681. 8°.
            T.C.I 438.

O C538A   The careful resident. Sold by R. Janeway, 1681. T.C.I 440.

O C539A   Careless, Thomas. Coronation sermon. 1661. 4°. ALL, WAT.

O C545A   Carew, George. A discourse addressed to Denzill Lord Hollis.
            1661. fol. LOW, WAT.

O C549A   Carew, George. Remonstrance of the interested in the ships Bona Esperanza. For the persons concerned, 1662. fol. HARL, HAZ.

O C581A   Carlell, Lodowick. The Spartan ladies. 1646. DNB.

O C589B   C[arleton], W[illiam]. A tithing table, or a table. 1662. 4°. LOW.

O C589C   [Carleton, William.] The tithing table. For Robert Scot, Tho. Basset, S. Wright, and R. Chiswell, 1676. 4°. T.C.I 261.

O C593BA   Carlos II. The late King of Spain's will. Sold by J. Nutt, 1700. AC.

O C634A   Carr, William. Petition of . . . to . . . Commons. [London, 1670]. brs. SALE.

O C637A   Carr, William. The traveller's guide. For E. Tracy, 1696. T.C.II 582.

O C637B   Carr, William. The traveller's guide. Fourth edition. 1697. 12°. T.C.III 31, COX.

O C651A   Carte, Samuel. The line of self-conceit. 1695. 4°. DNB, WAT.

O C661A   [Carter, Matthew.] Honor redivivus; or, the analysis. Fourth edition. For Richard Bentley, Jacob Tonson, 1692. 12°. HAZ, SALE.

O C666A   Carter, Thomas. An abstract of divinitie, or a survey of the land of Canaan. John Stafford, 1654. SR.

O C682A   A cart load of cuckolds. 1675. ROL.

O C717A   Carver, Isaac. The description and use of a new sliding rule. 1687. TAY.

O C721A   Carwr y cymru. Llundain, printiedag, 1677. ROW.

O C818A   Case, John. Ars anatomica breviter elucidata. 1695. DNB.

O C819*   Case, John. Flos aevi, or, coelestical observations. 1696. DNB.

O C838A   Case, Thomas. Religion useful. 1676. 4°. ALL, WAT.

O C851A   The case and vindication of William Knight. Printed in the year, 1653. 4°. * HAZ.

O C856A   The case between the farmers of the markets. [London? 1696]. brs. SALE.

O C871B   The case is altered, or the valiant souldier promoted. Fran. Coles, 1671. brs. SR, ROL.

O C872A   The case of a publique business touching the mynes. [London, 1652]. brs. HAZ.

O C891A   The case of Charles Herbert, esq., concerning the election . . . Mountgomery. 1685. * GOU.

O C892A   Case of Charles Lord Baltemore. 1680. brs. SAB.

O C938A   The case of Lindsey Level. 1698. fol. * GOU.

O C938B   The case of Lord Baltimore. 1653. 4°. WAT.

O C963A   The case of oaths stated. For R. Chiswell, 1689. 4°. T.C.II 277.

O C1009A   The case of the ancient burgesses and freemen of . . . Liverpoole. [London, 1695]. brs. SALE.

O C1015A   The case of the auditors and receivers of His Majesties revenue. [London, 1662]. 4°. * SALE.

O C1017C   The case of the borough of Marlborough. [London? 1679]. cap. fol. * SALE.

O C1084A   Case of the Grocers Company. 1682. fol. * SALE.

O C1102A   The case of the Lady Wandsford. [London? 1660]. brs. SALE.

O C1114B   Case of the mariners and others of the ship Bristol. [London, 1697]. brs. SAB.

O C1114C   The case of the Marquess of Hertford. [London? 1642]. brs. SALE.

O C1125A   The case of the owners of the ship Redbridge. [London, 1697]. brs. SALE.

O C1161A   Case of the Russia company. [London, 1695]. brs. SALE.

O C1269A   A catalogue of all the kings. 1641. 12°. LOW.

O C1269B   Catalogue of all the mayors, bayliffs . . . of Yorke. York, 1664. 4°. HARL, AUC.

O C1278A   A catalogue of batchelors. [London, 1691]. brs. SALE.

O C1339A   A catalogue of jilts, cracks, prostitutes. R. W., 1691. brs. SALE.

O C1362A   A catalogue of law books. William Lee, Daniell Pakeman, and Gabriell Bedell, 1657. SR.

O C1366A   A catalogue of such erroneous opinions. Ralph Smith, 1643[4]. SR.

O C1368A   A catalogue of the baronets of this Kingdom. 1681. 12°. LOW.

O C1368B   A catalogue of the bowes of the town. [London, 1691]. brs. SALE.

O C1385A   A catalogue of the most approved divinity-books. 1655. 12°. LOW.

O C1406A   A catalogue of the nobility of England. 1642. 8°. LOW.

O C1408A   A catalogue of the petitions ordered to be drawn up. [London, 1693]. 4°. SALE.

O C1427A   A catalogue of virtuous women. For W. Cooper, 1671. 12°. T.C.I 93.

O C1450A   Catalogus pharmacorum omnium. For D. Newman, 1687. T.C.II 201.

O C1480A   Catechistical questions. For Christopher Wilkinson, and Thomas Burrell, 1674. 12°. T.C.I 181.

O C1490   Cathedrall newes from Canterbury. Fulke Clifton, 1644. SR.

O C1504A   Cato. Disticha. Edinburg, 1656. ALDIS 1535.

O C1506*   Cato. Disticha de moribus. Edinburgi, A. Anderson, 1673. 8°. ALDIS 1978.

O C1506**   Cato. Catonis disticha de moribus. By R. W., for the Company of Stationers, 1675. 8°. HAZ.

O C1506*** Cato. Catonis disticha de moribus. Typis E. Hodginson, & T. Hodgkin, 1676. 8°. HAZ.

O C1527A   Caus, Isaac de. New and rare inventions. Second edition. For Thomas Shelmerdine, 1700. AC.

O C1545A   [Caussin, Nicolas.] Entertainment for Lent. For John Dakins, 1661. 12°. SALE.

O C1550A   Caussin, Nicolas. A modest account of the chief points in controversie. 1696. CBEL.

O C1550B   Caussin, Nicolas. The penitent. For J. Knapton, 1696. 12°. T.C.II 581.

O C1550C   Caussin, Nicolas. The penitent. Tenth edition. For J. Knapton, 1697. 12°. T.C.III 9.

O C1550D   Caussin, Nicolas. A short treatise of the church militant. [Paris?], Anno, 1661. 12°. SALE.

O C1550E   Caussin, Nicolas. Thesaurus Graecae poeseos. William Garrett, 1659. SR.

O C1568A   The Cavaliers comfort. For William Gilbertson, [1646-65]. brs. HAZ, AUC.

O C1568B   The Cavaliers common prayer book unclaspt. Printed at York, 1674. 4°. HAZ.

O C1601A   Cave, William. Primitive Christianity. Fifth edition. For
           R. Chiswell, 1698. 8°. T.C.III 45, SALE.

O C1604A   Cave, William. Serious exhortations. For R. Clavell, 1700.
           T.C.III 209.

O C1609A   A caveatt for all kings. Theodore Sadler, 1663. SR.

O C1615A   A caveat to the justices of the peace. Richard Jameson, 1683. SR.

O C1637B   Cawdrey, Daniel. Survey of Dr. [John] Owen's Review of his
           Treatise on Schism. 1658. DNB, LOW, WAT.

O C1639A   Cawdrey, Daniel. A vindication of the diatribe against
           Dr. Hammond. 1658. DNB.

O C1653*   Cebes. His table. Sold by Robert Prickett, 1676. T.C.I 228.

O C1653B   Cebes. Tabula. Cantabrigiae, 1655. LOW, WAT.

O C1653C   Cebes. Cebetis Tabula. Cambridge, 1659. CBEL, WAT.

O C1653D   Cebes. Tabula. 1670. LOW, WAT.

O C1653E   Cebes. Tabula. 1682. 8°. WAT.

O C1756A   A certain, strange, and true discovery of a witch. [London], by
           John Hammond, 1645. 4°. * HAZ.

O C1764A   The certayntie and eternitie of Hell torments. Fran. Tyton,
           1671. SR.

O C1777A   Cervantes, Miguel de. The jealous gentleman. For C. Blount and
           R. Butt, 1681. 12°. T.C.I 461.

O C1799A   Chalmor, John. A set of copies of the round-hand. Sold by
           S. Weld, 1685. T.C.II 137.

O C1817B   Chamberlaine, Nath. Tractatus de literis. Dublin, 1679. 4°.
           ALL, WAT.

O C1817C   Chamberlaine, Richard. Complete justice. 1681. 8°. ALL, WAT.

O C1838A   Chamberlayne, Edward. A dialogue between an Englishman and a
           Dutchman. 1672. DNB, WAT.

O C1862A   Chamberlaine, Thomas. The compleat midwife's practice.
           Nath. Brookes, 1656. SR.

O C1879*   Chamberlen, Hugh. Practice of physick. 1664. 12°. ALL, WAT.

O C1886A   C[hamberlen], H[ugh]. A reply to a pamphlet, called,
           Observations. 1694. 4°. HARL.

O C1893C   Chamberlen, Peter. The complete midwifes practice enlarged.
           1643. WHI.

O C1917   Chambers, Humfry. A short catechisme expressing the faith. Miller, 1642[3]. SR.

O C1933A   Chandler, Samuel. The nature and advantages of a general union among Protestants. 1691. 8°. WAT.

O C1961A   The character of a bawd. For J. Hose, 1674. 8°. * HAZ, AUC, SALE.

O C1973A   The character of a good commander. For W. Marshall, 1689. T.C.II 277.

O C2013A   The character of an ordinance of Parliament in generall. Printed at Amsterdam, 1647. 4°. * HAZ.

O C2051A   The charge given in to the Court of France by the nunns of St. Catherine. Robert Pawlett, 1675. SR.

O C2066A   The charitable farmer miraculously rewarded. 1675. ROL.

O C2068A   Charity martyrd. Tho. Snowden, 1683. SR.

O C3662A   Charleton, John. The glorious reward. For T. Parkhurst, 1697. 4°. T.C.III 24.

O C3668A   Charleton, Walter. De morborum natura. 1661. 8°. WAT.

O C3671A   Charleton, Walter. The errors of physicians. 1650. 4°. WAT.

O C3724A   The charter of the Cinque Ports. 1675. 8°. HARL.

O C3724B   Charter of the Cinque Ports. 1682. 8°. HARL, AUC.

O C3725A   The charter of the Trinity-house in Deptford-strond. 1685. 12°. GOU.

O C3726A   Charters, laws, and privileges of the Cinque Ports. 1656. 8°. SWE.

O C3734B   Chateillon, Sebastian. An essay on the agreeableness. For H. Nelme, 1696. T.C.II 587.

O C3736A   Chaucer, Geoffrey. Works. Sold by S. Crouch, Math. Gilliflower, and W. Hensman; and A. Roper, and G. Grafton, 1689. fol. T.C.II 261.

O C3736B   Chaucer, Geoffrey. The miller's tale. 1665. 8°. WAT.

O C3770A   Cheesman, Abraham. Discourses. 1668. 8°. ALL, WAT.

O C3799B   Chetwood, Knightly. Solomon's choice; a sermon. For Samuel Carr and sold by B. Took and J. Nutt, 1700. 8°. T.C.III 255, AC, ALL, WAT.

O C3810A   [Cheynell, Francis.] A discussion of Mr. Frye's tenents. [London, 1650]. 4°. DNB.

O C3834*   Chidley, Samuel. An advertisement to borrowers. Will. Hope, 1665. SR.

O C3834B   Chidley, Samuel. Bells founder confounded. [London, 1658-9]. 4°. * HAZ, AUC.

O C3847A   Chilcot, William. A sermon preached . . . April 4, 1697. By Freeman Collins for Philip Bishop, in Exon, 1697. WAT.

O C3862A   Child, Sir Josiah. A new discourse on trade. For T. Sowle, 1700. 8°. MORG.

O C3866A   Childe, L. Sea-book, or pilot's sea-mirror. 1699. AUC.

O C3866B   Child, L. A short compendium of the . . . pilots sea mirror. Geo. Hurlock, 1663. WAT, SALE.

O C3874A   Childs booke and youths booke . . . way to read. Francis Cossinett, 1659. SR.

O C3908A   Choavin, Petrus. De naturali religione liber. Sold by S. Oliver in Norwich, and J. Robinson, [London], 1693. T.C.II 455.

O C3901A   A choice collection of country-dances. For R. Willington; sold by J. Young, 1700. T.C.III 172, MORG.

O C3915A   Choice devotions of the Roman Church. Richard Royston, 1673. SR.

O C3916A   Choice letters, French and English, collected. For D. Brown and G. Strahan, and sold by Bennet Banbury, 1700. AC.

O C3916B   Choice letters upon several occasions. For J. Place, and S. Heyrick, 1669. 12°. T.C.I 21.

O C3928A   A chorographic account of the south part of County Wexford. 1684. CBEL.

O C3931A   Christ the pearle of greate price. Joshua Conyers, 1676. SR.

O C3934A   Christian II, the last will and codicil of. For H. Rhodes, A. Bell, and E. Castle, 1700. AC.

O C3944A   A Christian declaration or exhortation unto true repentance. Rich. Harper, 1643. SR.

O C3945A   Christian ethicks, or divine morality opening the way. Jonathan Edwin, 1674. SR.

O C3945B   The Christian guide, a treatise. Hen. Rhodes, 1683. SR.

O C3951A   Christianae pietatis prima institutio. Impensis Societatis Stationarum, 1686. T.C.II 181.

O C3952   The Christian's companion. For B. Crayle, 1685. 8°. T.C.II 110.

O C3955D Christian's daily practice of piety. <u>Edinburgh</u>, 1698. ALDIS 3739.

O C3958A The Christian's plea for infant baptism. 1643. 4°. LOW.

O C3958B The Christian's practice. <u>For J. Back</u>, 1692. 8°. T.C.II 420.

O C3961A The Christian's time of triumph. <u>Francis Grove</u>, 1656. brs.
    SR, ROL.

O C3961B The Christian's triumph over temptation. <u>Jonah Deacon</u>, 1687. SR.

O C3962A A Christians worke on earth. <u>Thomas Snowden</u>, 1678. SR.

O C3965B Christmas the Christians grand feast. 1651. 4°. HAZ, AUC.

O C3967A Christ's office declared. <u>For Jonathan Robinson</u>, 1673. 8°.
    T.C.I 148.

O C3969A Christs valedictions. <u>Dan. Pakeman</u>, 1658. SR.

O C3969B Christs welcome to sinners. <u>Coates</u>, 1649. SR.

O C3969C Christurmius, J. Mathesis enucleata, or the elements. <u>For</u>
    <u>R. Knaplock</u>, <u>D. Midwinter</u>, <u>and T. Leigh</u>, 1700. 8°. <u>T.C.III</u> 215.

O C3971A A chronicle of the kings of England. <u>For George Sawbridge</u>, <u>and</u>
    <u>Tho. Williams</u>, 1674. T.C.I 190.

O C3990A Church, Nathaniel. Divine ejaculations. 1655. ALL, LOW, AUC.

O C3991A Church, Nathaniel. A pocket companion. <u>Rothwell</u>, 1653. SR.

O C4272A The church renewed covenant, June 29, 1680. [<u>Boston</u>, <u>by John</u>
    <u>Foster</u>, 1680]. 8°. EVANS 281, AUC.

O C4293A Cicero. De officiis. <u>Excudebat J. M.</u>, <u>pro Societate</u>
    <u>Stationariorum</u>, 1674. 8°. SALE.

O C4304A Cicero. Epistolarum libri IV. <u>Excudebat M. Flesher</u>, <u>pro Societate</u>
    <u>Stationariorum</u>, 1686. 8°. SALE.

O C4308A Cicero. Tully's morals. <u>For S. Buckley</u>, 1699. 12°. T.C.III 160.

O C4325A A circular letter to the clergy of Essex. colop: <u>Printed in</u>
    <u>the year</u>, 1690. brs. SALE.

O C4352B The cittie gamball, or newes from Seacole Lane. <u>Francis Grove</u>,
    1657. brs. SR, ROL.

O C4362* The city of Maestricht. <u>Sold by John Seller</u>; and Robert
    <u>Robinson</u>, 1672. T.C.I 112.

O C4363A The civil articles of Limerick. [<u>London</u>, 1692]. 4°. SALE.

O C4366A The civill warrs of the citie. <u>For Francis Coles</u>, 1645. 8°. *
    HAZ.

O C4404A   Clancie's cheats, or the life and death of Major Clancie.
            1687. N&Q.

O C4413B   Clare, William. Via naturalis. <u>Sold</u> by <u>W. Marshall</u>, 1690.
            8°. T.C.II 303.

O C4434A   Claridge, Richard. The sandy foundation of infant baptism
            shaken. 1695. DNB.

O C4466A   Clarke, John. Anthologia Biblica, or. <u>Fran. Egglesfield</u>, 1656.
            SR.

O C4466B   Clarke, John. Aulo melodia, or the art of playing on the flute.
            <u>Sold</u> by <u>J. Clark</u>, 1686. T.C.II 157.

O C4468**   Clarke, John. Dux grammaticus. Seventh edition. <u>Sold</u> by
            <u>J. Southby</u>, 1684. 8°. T.C.II 88.

O C4468*** Clarke, John. Formulae oratoriae. <u>Meredith</u>, 1646. SR.

O C4468**** [Clarke, John.] Formulae oratoriae. Sixth edition. <u>Impensis</u>
            <u>W. B.</u> and <u>H. J.</u>, 1647. 12°. SALE.

O C4469A   Clark, John. Formulae oratoriae. Twelfth edition. 1672.
            12°. SALE.

O C4470A   Clark, John. The history of the life. Third edition. <u>For</u>
            <u>H. Rhodes</u>, 1689. 12°. T.C.II 294.

O C4472A   Clark, John. Life of Tamerlaine. 1653. 4°. WAT.

O C4472B   Clarke, John. The new division violin. <u>Sold</u> <u>at</u> <u>his</u> <u>shop</u>,
            1685. T.C.II 125.

O C4472C   Clarke, John. Paroemio logia Anglo-latina . . . or. <u>By</u> <u>R. M.</u>
            <u>and</u> <u>are</u> <u>to</u> <u>be</u> <u>sold</u> by <u>Samuel</u> <u>Man</u>, 1646. SALE.

O C4472D   Clarke, John. Phraseologia Anglo-latina in usum Scholae
            Bristoliensis. <u>By</u> <u>E. Coles</u> <u>for</u> <u>William</u> <u>London</u>, <u>Newcastle</u>,
            1655. 12°. N&Q.

O C4474A   Clarke, John. Phraseologia Puerilis, or selected Latin and
            English phrases. <u>For</u> <u>Francis</u> <u>Eglesfield</u>, <u>and</u> <u>sold</u> by <u>William</u>
            <u>Riley</u>, 1670. 8°. T.C.I 62.

O C4475A   Clark, John. A poetical meditation. 1670. 8°. * HAZ.

O C4486A   C[lark], R. Vermiculars destroyed. Eighth edition. <u>For</u> <u>the</u>
            <u>author</u>, 1698. 4°. HAZ.

O C4488B   Clarke, Samuel, <u>younger</u>. Aurea legenda, or. <u>For</u> <u>Nathaniel</u>
            <u>Ranew</u>, 1683. 12°. SALE.

O C4495A   Clarke, Samuel, <u>younger</u>. The Protestant schoolmaster. 1680.
            12°. ALL, LOW.

O C4506   Clarke, Samuel. A description of the present state of Germany.
               1665. CBEL.

O C4528A   Clarke, Samuel. The life and death of Herod. William Miller,
               1664. SR, AUC.

O C4538A   Clarke, Samuel. The lives of ten eminent divines. 1662. 4°.
               DNB, WAT.

O C4573A   Clarkson, David. Discourses and sermons. For T. Parkhurst,
               1698. fol. T.C.III 85.

O C4577A   Clarkson, David. Sermon on justification. 1675. 4°. WAT.

O C4581A   Clarkson, Laurence. The pilgrimage of saints. 1646. 4°.
               DNB, WHI.

O C4597A   Claude, Jean. A treatise of self-examination. Edinburgh,
               1685. ALDIS 2536.

O C4608*   Clavis Graecae linguae. For A. Roper, 1669. 8°. T.C.I 13.

O C4608B   Claw, William. Via naturalis; . . . or, the natural way to learn
               the Latin tongue. For W. Marshall, 1700. AC.

O C4616A   Cleadon, Thomas. A serious and brief discourse touching the
               sabbath day. 1676. 4°. WAT, WHI.

O C4617A   A cleere & iust vindication of the late ordinance. Overton,
               1645. SR.

O C4619A   Cleare method of morning and evening prayer. Glasgow, heirs of
               A. Anderson, 1648. ALDIS 1314.

O C4622A   Cleave, Charles. On the famous painter Mr. Joseph Eden, Pindaric
               Odes. [c. 1685]. 4°. * SALE.

O C4626B   Cleland, Benjamin. The saints encouragement. By John Redmayne
               for Walter Dight, in Exon, 1667. 8°. ALL, WAT.

O C4626C   [Cleland, William.] A ballad, to the tune of Hey boyes up go we.
               Anno, 1685. brs. HAZ.

O C4627A   Cleland, William. Effigies clericorum, a poem. 1660. 18°. HAZ.

O C4638C   Clements, Henry. Synopsis commonum locorum praecipue. Oxford,
               1700. CBEL.

O C4650A   The clerk's manual. Second edition. Sold by I. Harrison; and
               W. Freeman, 1682. 8°. T.C.I 488.

O C4650B   The clerk's tutor for writing. Sold by Henry Twyford, 1670. 8°.
               T.C.I 58.

O C4651A   The clerk's vade mecum. 1665. SWE.

O C4697A   Cleveland, John. Poems. Eighteenth edition. By J. R. for John
      Williams, 1666. HAZ, LOW.

O C4698A   [Cleveland, John.] The rebellion of the rude multitude under
      Wat Tyler. Printed and sold by J. R., [1660]. 8°. HAZ.

O C4709A   Clifford, Samuel. An account of the judgment of . . . Mr. Baxter.
      For J. Lawrence, 1700. AC.

O C4709B   Clifford, Samuel. The principles of the Christian religion
      explained. For J. Lawrence, 1700. AC.

O C4709C   Clifford, William. Christian rules proposed. Paris, 1655.
      12°. DNB, GIL.

O C4714A   C[lifford], W[illiam]. A little manual. Fourth edition. For
      Matthew Turner, 1687. 12°. DNB, HAZ.

O C4717A   Clipson, Richard. An epistle to friends of truth. 1680.
      fol. SMI.

O C4718A   A cloak for the grosse widow. 1675. ROL.

O C4739A   The clubmens resolution. John Meycock and Tho. Fawcett, 1675. SR.

O C4791A   [Cocke, Thomas.] Kitchin-physick; or, advice to the poor.
      1675. 8°. HARL.

O C4792A   Cocke, Thomas. Kitchin-physick. Printed in the year, 1695.
      8°. HAZ.

O C4809B   Cockburn, John. The history and examination of duels. 1677.
      CBEL.

O C4818A   Cocker, Edward. The accomplished school-master. Second edition.
      For J. Back, 1697. T.C.III 45.

O C4818B   Cocker, Edward. The accomplished school-master. Third edition.
      For J. Back, 1699. T.C.III 161.

O C4818C   Cocker, Edward. The accomplish'd schoolmaster. Fourth edition.
      For J. Back, 1700. 4°. T.C.III 219.

O C4818D   Cocker, Edward. Cocker's arithmetic vulgar and decimall.
      Thomas Rookes, 1676. SR.

O C4821A   Cocker, Edward. Arithmetick. Third edition. 1682. LOW, N&Q.

O C4824A   Cocker, Edward. Cocker's arithmetick. By E. Holt for T.
      Passinger, 1691. 12°. SALE.

O C4832B   Cocker, Edward. The competent writing master. [Before 1675].
      8°. * DNB.

O C4832C   Cocker, Edward. Compleat arithmeticon. Decimal arithmetick.
      1669. 12°. DNB, N&Q.

O C4832D   Cocker, Edward. The compleat writing master. By T. Basset and R. Pawlet, 1670. 4°. * N&Q.

O C4832E   Cocker, Edward. A copy-book of fair writing. 1657. 8°. DNB, WAT.

O C4832F   Cocker, Edward. Copy book. 1671. 8°. LIV.

O C4835A   Entry cancelled.

O C4835B   Entry cancelled.

O C4837A   Cocker, Edward. England's pen-man. For O. Blagrave, 1690. T.C.II 308.

O C4838A   Cocker, Edward. Guide to penmanship. Second edition. 1673. N&Q.

O C4838B   Cocker, Edward. Introduction to writing. Sold by J. Garret, 1680. DNB, LOW, N&Q.

O C4842A   Cocker, Edward. Cocker's morals. 1670. 4°. N&Q.

O C4843B   Cocker, Edward. Cocker's morals. For B. Crayley, 1685. 4°. T.C.II 148, CBEL.

O C4847A   Cocker, Edward. Multum in parvo. To be sold by T. Sawbridge, 1684. 4°. T.C.II 65, SALE.

O C4849*   Cocker, Edward. The pens celerity. To be sold by Robert Walton, 1667. 4°. HARL, DNB.

O C4849B   Cocker, Edward. The pen's experience. [Before 1657]. DNB.

O C4849C   Cocker, Edward. The pen's gallantry. 1657. DNB.

O C4849D   Cocker, Edward. The pen's transcendencie. Thomas Johnson, 1657. SR, DNB, N&Q.

O C4850A   Cocker, Edward. The pen's transcendency. Sold by R. Walton, 1685. HAZ.

O C4850B   Cocker, Edward. The pen's triumph. 1657. N&Q.

O C4854A   Cocker, Edward. Tutor to writing. Sold by J. Garret, 1684. T.C.II 107.

O C4856A   Cocker, Edward. Urania revived. For R. Sollers, 1680. 4°. T.C.I 394.

O C4856B   Cocker, Edward. Young clerk's tutor. 1660. 12°. DNB, SWE.

O C4856C   Cocker, Edward. Young clerk's tutor. For Robert Crofts, 1662. SWE.

O C4890A   Coggeshall, Henry. The art of practical measuring. For T. Bennet, 1689. 8°. T.C.II 287, TAY.

O C4890B   Coggeshall, Henry. The art of practical measuring. For T. Bennet, 1690. T.C.II 335.

O C4894A   Cokaine, Sir Aston. A chain of golden poems. By W. G. and are to be sold by Isaac Pridmore, 1659. 8°. DNB, AUC, SALE.

O C4923A   Coke, Sir Edward. The fifth part of the Reports. 1660. SWE.

O C5029*   Cole, Thomas. A discourse of Christian religion. Sold by W. Marshall, and J. Marshall, 1698. T.C.II 73.

O C5030A   Cole, Thomas. How may the well discharge of our present duties. 1683. 4°. WAT.

O C5064B   Coles, Elisha, elder. A practical discourse of God's sovereignty. For Nath. Ponder, 1674. 4°. T.C.I 161.

O C5064C   Coles, Elisha, elder. A practical discourse of God's sovereignty. Sold by John Sell, 1676. 8°. T.C.I 248.

O C5067A   [Coles, Elisha, younger.] The compleat English school master. For Peter Parker, 1673. 8°. T.C.I 152, ALL.

O C5077A   Coles, Elisha, younger. A metrical paraphrase on the history of Jesus Christ. 1679. DNB, AUC.

O C5080A   [Coles, Elisha, younger.] Nolens volens, or you shall learn to play on the violin. Sold by him, and others, 1694. T.C.II 524.

O C5080B   [Coles, Elisha, younger.] The pen's most easie and exact improvement. For T. Howkins, 1687. 4°. T.C.II 210.

O C5086A   Coles, Thomas. Sermon on 2 Kings x.15. 1664. 4°. ALL, WAT.

O C5090B   Colet, John. Daily devotions. For G. Widdows, 1669. 24°. T.C.I 24.

O C5104A   Collectio monumentorum, rerumque maxime insignium. Ex libris E[ben] Tracy, 1695. T.C.II 550.

O C5104B   Collectio monumentorum . . . Second edition. For J. Guillim, 1697. 8°. T.C.III 31.

O C5107   A collection of all the new songs. For Philip Brooksby, 1673. 8°. T.C.I 134.

O C5113A   A collection of all the Turkish enterprises. By C. M. and are to be sold by Tho. Palmer, 1664. 8°. HAZ.

O C5119A   A collection of choice sonatas. For John Walsh and J. Hare, 1700. AC.

O C5138A   A collection of curious poems. For R. Wild, 1689. T.C.II 276.

O C5145A   A collection of experiences of the work of grace. For J. Marshall, 1700. 8°. AC.

O C5152A   A collection of original Scotch tunes. For H. Playford, 1700. T.C.III 172.

O C5175A   A collection of poems in various subjects. For T. Speed, 1695. T.C.II 550.

O C5196A   Collection of such of the orders. 1656. 12°. SWE.

O C5200B   A collection of the arms, crests, and supporters, of all the companies in London. Sold by Robert Walton, 1673. T.C.I 152.

O C5203A   A collection of the greatest persecutions. Rothwell and Tho. Underhill, 1650. SR.

O C5203B   A collection of the Latin primitives. For Nathaniel Brooke, 1672. 8°. T.C.I 112.

O C5203C   A collection of the most bloody usage. Sold by J. Overton, 1678. T.C.I 334.

O C5206A   A collection of the principal sermons of Christ. For Henry Million, 1675. 8°. T.C.I 203.

O C5210   A collection of the several songs. For P. Brooksby, 1673. 8°. T.C.I 144.

O C5211   Collection of the testimonies of the fathers of the New England churches respecting baptism. Cambridge, by Samuel Green, 1668. 4°. SAB.

O C5211A   A collection of thirty one songs. By F. Leach for Charles Corbet, and published by W. Davis, 1685. 4°. * HAZ.

O C5211B   A collection of three state tracts. For O. Blagrave, 1691. 4°. T.C.II 352.

O C5212A   A collection of 24 of the newest country dances. For H. Playford, 1700. T.C.III 172.

O C5216A   The collection of old clothes for the distressed Protestants of Ireland. [London, 1642]. brs. SALE.

O C5244A   Collier, Jeremy. The case of giving bail to a pretended authority. 1692. 4°. DNB, WAT.

O C5246A   Collier, Jeremy. The comparison between giving and receiving. 1687. DNB.

O C5250A   Collier, Jeremy. A dialogue concerning the times between Philubelgus. 1690. 4°. DNB.

O C5255A   Collier, Jeremy. A further vindication of the absolution. 1696. DNB.

O C5255B   Collier, Jeremy. Maxims and reflections on plays. For R. Sare, 1690. 8°. AUC.

O C5260A   Collier, Jeremy. A reply to some remarks upon the case. 1693. 4°. DNB.

O C5266A   Collier, Jeremy. To the right hon. the Lords and gentlemen convened. 1690. brs. DNB.

O C5267B   Collier, Thomas. An answer to an epistle written to the churches of the Anabaptists. 1657. WHI.

O C5324A   Collinges, John. The life and death of Mary Simpson. 1649. 4°. WAT.

O C5335A   Collings, John. The shepherd's wanderings. 1652. 4°. SAB, WAT.

O C5366   Collins, Hercules. The sandy foundation of infant-baptism shaken. For the Author, and are to be sold by Will. Marshall, and John Marshall, 1695. SMI, WHI.

O C5369A   Collins, John. Arithmetic in whole numbers and fractions. Thomas Plant, 1688. DNB.

O C5372A   [Collins, John.] Exchanges ready computed. [London? 1655]. fol. SALE.

O C5382A   Collins, Nicholas. Summary of the statutes concerning justices of the peace. Fourth edition. 1663. 12°. ALL, WAT.

O C5383*   Collins, R. The country gauger's vade mecum. Second edition. Sold by Moses Pitt, 1683. T.C.II 54.

O C5401*   Colom, James. A fierie or flaming pillar. In Amsterdam, by James Colom, 1650. 12°. SALE.

O C5401B   Colom, James. The lightning column. Amsterdam, Peter Goos, 1658. TAY.

O C5402A   [Colom, Jacob.] Lightning colomn. Amsterdam, by Arnold Colom, 1661. fol. HAZ.

O C5403*   Colom, Jacob. Lightning colom. Amsterdam, by Peter Goos, 1667. fol. TAY.

O C5403**   Colom, Jacob. The lightning column. Amsterdam, Peter Goos, 1668. fol. LIV, TAY.

O C5403***   Colom, Jacob. The lightning column. At Amsterdam, by Jacob and Casparus Loots-man, 1670. fol. HAZ, LIV.

O C5403****   Colom, Jacob. Lightning colom. At Amsterdam, by Jacob and Casparus Loots-man, 1674. fol. HAZ.

O C5403*****Colom, Jacob. The lightning column. Amsterdam, 1676. TAY.

O C5403C   Colom, Jacob. The lightning columne. Amsterdam, 1693. fol. SAB.

O C5403D   Colom, Jacob. The lightningh [sic] columne. At Amsterdam, by Casparus Loots-Man, 1699. fol. HAZ.

O C5403E   Colom, Jacob. The new and enlarged lightning sea column. At Amsterdam, by Jacob Robyn, 168-. fol. HAZ.

O C5403F   Colom, Jacob. The new fiery sea-colomne. John Macock, 1656. SR.

O C5422A   Colsoni, François. A new and accurate grammar. For S. Manship, 1695. 8°. T.C.II 540.

O C5422B   Colsonias, C. A new grammar of three languages. For R. Wild, 1690. 8°. T.C.II 305.

O C5422C   Colton, Dr. The artist's vade mecum. For E. Tracy, 1698. T.C.III 66.

O C5446A   Comber, Thomas. The church catechism. For R. Clavell, and C. Brome, 1694.

O C5446B   Comber, Thomas. The church catechism enlarged. For T. Parkhurst, 1697. 8°. T.C.III 24.

O C5446C   Comber, Thomas. The church catechism. Robert Clavel and Charles Brome, 1700. 8°. * SALE.

O C5460A   Comber, Thomas. A discourse concerning the daily frequenting. For C. Brome, 1697. 8°. T.C.III 9.

O C5467A   [Comber, Thomas.] Friendly and seasonable advice. Second edition. For Henry Brome, 1675. 12°. SALE.

O C5471A   [Comber, Thomas.] Friendly and seasonable advice. Charles Brome, 1687. 12°. SALE.

O C5493*   Comber, Thomas. A sermon preached . . . March 10, 1694/5. For W. Rogers, 1695. 4°. T.C.II 546.

O C5500A   Come turne to mee thou pretty little one. Rob. Ibbitson, 1656. brs. ROL, ROX.

O C5507*   [Comenius, Johann Amos.] A general table of Europe. 1669. 8°. HARL.

O C5528A   Comenius, Johann Amos. Physicae ad lumen divinum reformatae synopsis. Tho. Underhill and Peter Whalen, 1646. SR.

O C5530A   Comenius, Johann Amos. Sensualium pictus: or, a picture. For S. and J. Sprout, 1700. AC.

O C5533A   Comenius, Johann Amos. Vestibulum technicum, or an artificial vestibulum. For T. Parkhurst, 1682. 8°. T.C.I 489.

O C5538A   The comfort of the Comons of England. Rich. Harper, 1640[1]. brs. SR, ROL.

O C5538B   The comforts of whoreing. 1694. 12°. LOW.

O C5545A   A commemoration sermon, or a discourse. For Hen. Brome, 1677.
            8°. T.C.I 287.

O C5545B   A commemoration sermon preached, at Derby, February 18, 1674.
            For Henry Brome, 1675. 4°. T.C.I 203.

O C5568A   The common hunt. [London, 1679]. cap. fol. * HAZ, SALE.

O C5574A   The common weales cancer wormes. Sold by Peter Stent, [1672].
            brs. SALE.

O C5578A   The communicant's catechism. For S. Lee, 1680. 12°. T.C.I 392.

O C5580B   A companion for a prince. For H. Mortlock, 1689. 12°. T.C.II 293.

O C5581A   A companion in solitude. By G. Croom, 1689. 8°. T.C.II 284.

O C5609A   A compendious true narration of the late siege of Plimoth.
            Fran. Egglesfield, 1643[4]. SR.

O C5609B   A compendium, containing exact rules . . . in the composing of
            two or more parts. For W. Gilbert, 1673. T.C.I 151.

O C5609C   Compendium of several irregularities. 1656. 4°. SWE.

O C5616A   The complaint of the Northwest countryman. Robert Leiborne,
            1645. SR.

O C5617A   The complaint of the shepherd Harpalus. For F. Coles, T. Vere,
            J. Wright, [c. 1660]. brs. HAZ.

O C5627A   The compleat academy or a nursery of compliments. Tho.
            Passenger and Will. Whitwood, 1670. SR.

O C5627B   Compleat academy. For T. Passenger, and W. Whitwood, 1676.
            T.C.I 259.   RHT

O C5627C   The compleat attorney. Hen. Twiford, 1652. SR.

O C5628B   Compleat bee-master. For G. Conyers, 1698. T.C.III 97.

O C5638B   The compleat conveyancer. For Isaac Cleve, J. Waltho, and
            A. Roper, 1700. 8°. AC.

O C5638C   The compleate coppy-holder. Will. Cooke, 1640[1]. SR.

O C5638D   The compleat doctoresse. Edward Farnham, 1658. SR.

O C5638E   The compleat English and French cook. Second edition. For
            Will. Miller, 1690. 12°. T.C.II 316.

O C5638F   The complete English man. Thomas Dawkes, 1685. SR.

O C5638G   Compleat English secretary. <u>For</u> <u>J.</u> <u>Blare</u>, 1697. T.C.III 41.

O C5639B   Compleat excise man. <u>For</u> <u>Tho.</u> <u>Rooks</u>, 1676. 8°. T.C.I 228, SWE.

O C5639C   Compleat guide to the English tongue. <u>For</u> <u>R.</u> <u>Wild</u>, 1689. 8°. T.C.II 279.

O C5639D   A complete history of the life and military actions of Richard, Earl of Tyrconel. <u>For</u> <u>J.</u> <u>Dunton</u>, 1689. T.C.II 250.

O C5639E   A compleat history of the lives, actions . . . Protestants who fell in the West. 1693. 4°. HARL.

O C5641A   The compleat jockey. 1688. 4°. LOW.

O C5646A   Complete manvall: or, analecta. 1641. 12°. SWE.

O C5646B   Complete manvall. 1648. 12°. SWE.

O C5646C   Complete manvall. Seventeenth edition. 1661. 12°. SWE.

O C5646D   Complete manvall. 1681. 12°. SWE.

O C5650A   The compleat planter and cyderist. <u>Thomas</u> <u>Basset</u>, 1690. 8°. T.C.II 338, SALE.

O C5651A   The compleat royal jester. <u>For</u> <u>S.</u> <u>Neal</u>, 1694. 12°. T.C.II 526.

O C5651B   Compleat royal jester. Second edition. <u>Sold</u> <u>by</u> <u>N.</u> <u>Boddington</u>, 1697. 8°. T.C.III 10.

O C5654A   Compleat solicitor, performing. 1666. 8°. SWE.

O C5655A   Compleat solicitor. 1671. 8°. SWE.

O C5657A   The compleat solicitor. Second edition. <u>For</u> <u>W.</u> <u>Freeman</u>, 1699. 12°. T.C.III 164, SWE.

O C5657B   Compleat solicitor. 1700. SWE.

O C5659A   Compleat tutor to the violin. <u>For</u> <u>J.</u> <u>Young</u>, 1700. T.C.III 214, MORG.

O C5724A   The conduct of Mars, necessary. <u>Benjamin</u> <u>Mott</u>, 1685. SR.

O C5725*   A conference between a modern atheist. <u>For</u> <u>J.</u> <u>Dunton</u>, 1693. T.C.II 472.

O C5725AB   A conference between a reverend divine. <u>For</u> <u>T.</u> <u>Simmons</u>, 1682. 8°. T.C.I 504.

O C5801A   The confession of the fifteen criminals at Tiburne. <u>Eliz.</u> <u>Mallet</u>, 1685. SR.

O C5802A   The confessions, behaviour, and dying speeches of Dromelius . . . 19th of July, 1700. For E. Mallet, [1700]. brs. SALE.

O C5802B   The confessions, behaviour, and dying speeches of the criminals that were executed, at Tyburn . . . 20th July, 1700. For E. Mallet, [1700]. brs. SALE.

O C5803A   Confiding England under conflicts. Crooke, 1644. SR.

O C5809A   The confusion of Mahomet's sect. Humphrey Blunden, 1652. SR.

O C5810A   A confutation of a slanderous and scurrilous libel, entituled Animadversions. 1642. 4°. HAZ.

O C5816A   A congratulatory address to the Right Hon. Sir William Ashurst. R. Hayhurst, 1693. brs. SALE.

O C5838A   A congratulatory poem to the Honourable Sir Charles Duncomb. For A. Baldwin, 1699. brs. HAZ.

O C5878*   Coningsby, Thomas. Grammatical treatise. 1647. ALL.

O C5883A   Connor, Bernard. Dr. Connor's answer concerning a plan. 1695. 4°. WAT.

O C5883B   Connor, Bernard. Compendious plan of the body of physic. Oxon, 1697. 8°. ALL, WAT.

O C5884A   Connor, Bernard. De secretione animali. 1697. 8°. ALL, WAT.

O C5899A   A conscionable caveat. [London, 1645]. fol. * HAZ.

O C5899B   A conscionable couple. Fran. Grove, 1656. brs. ROL, ROX.

O C5904A   Consideratio quarundum controversiarum. Thomason, 1644. SR.

O C5906A   Considerations about subscriptions. Edinburgh, 1690. 4°. ALDIS 3030.

O C5908B   Considerations for regulating the Exchequer. 1642. SWE.

O C5909C   Considerations in behalfe of forreignors . . . in England. Sarah Griffith, 1662. SR.

O C5924A   Considerations upon the management of the Bank of England. 1697. fol. * HARL.

O C5937*   The constancy of Susannah. 1675. brs. ROL, ROX.

O C5939A   Constant Betty's garland. [London], for J. Blare, [1685?]. 8°. * N&Q.

O C5943*   The constant couple. Francis Grove, 1657. brs. SR, ROL.

O C5946A   The constant virgin with her virtuous resolution. Francis Coles, 1656. SR.

O C5952A   The contented bride. <u>Francis Grove</u>, 1657. brs. SR, ROL.

O C5987A   The conveyancers directory. <u>Hen. Twiford</u> <u>and</u> <u>Thomas Dring</u>, 1656. SR.

O C6029A   Cooke, Unton. A letter to His Highness the Lord Protector, from. 1654. 4°. * SALE.

O C6050A   Cooper, Christopher. Cooper's compleat English teacher. For <u>G. Conyers</u>, 1698. 8°. AC, CBEL.

O C6054A   Cooper, John. The case of. <u>Edward Crowch</u>, 1657. SR.

O C6055A   Cooper, Joseph. The art of cookery refined. Third edition. By <u>J. E. for R. Lowndes</u>, 1665. 8°. HAZ.

O C6067A   Coote, Edmund. The English school-master. Twenty-sixth edition. By <u>R. & W. Leybourn</u>, <u>for the Company of Stationers</u>, 1656. 4°. HAZ.

O C6067B   Coote, Edmund. The English school-master. Twenty-seventh edition. By <u>R. & W. Leybourn</u>, <u>for the Company of Stationers</u>, 1657. 4°. HAZ, SALE.

O C6068A   Coote, Edmund. The English school-master. Thirtieth edition. By <u>William Leybourn</u>, <u>for the Company of Stationers</u>, 1661. 4°. HAZ.

O C6071A   Coote, Edmund. The English school-master. 1667. DNB, HARL, WAT.

O C6071B   Coote, Edmund. The English school-master. Thirty-fourth edition. 1668. 4°. DNB, AUC.

O C6076B   Coote, Edmund. The English school-master. Forty-fifth edition. By <u>R. Roberts</u>, <u>for the Company of Stationers</u>, 1687. 4°. SALE.

O C6081A   Copies of three several letters of great importance. <u>George Bishop</u>, 1644. SR.

O C6093A   Coppin, Richard. Antichrist in man. 1649. 4°. DNB.

O C6104A   Coppin, Richard. The threefold state. 1656. 4°. DNB.

O C6110A   The copie of a barons court. <u>Printed at Helicon, beside Parnassus, and are to be sold in Caledonia</u>, [c. 1700]. 4°. * HAZ.

O C6124A   The coppie of a letter from the Hague. 1642. 4°. HAZ.

O C6130A   A copy of a letter of the most serene King of Poland. For <u>R. H.</u>, 1684. brs. HAZ.

O C6197A   A copie of several letters between the Jansenists. <u>Richard Royston</u>, 1657. SR.

O C6238A   A coppy book conteyning variety of examples of the . . . hands.
            For Tho. Parkhurst, 1675. obl. 4°. SALE.

O C6280B   Cordell, Robert. Divine closet, meditations. Josua Coniers,
            1663. SR.

O C6281A   Cordemoy, Gerard de. The general history of France. 1685.
            1685. 2 v. fol. WAT.

O C6291A   Cordier, Mathurin. An explanation of the etimologicall part of
            the Latin tongue. John Burroughs, 1656. SR.

O C6292A   Cordier, Mathurin. Maturinus Corderius's School-colloquies.
            By Thomas Ratcliffe for the Company of Stationers, 1663. 8°.
            SALE.

O C6296A   Coridon and Phillida, or. Francis Grove, 1656. brs. SR, ROL.

O C6296B   Coridon's complaint for Celia's unkindness. John Clarke, 1673.
            brs. SR.

O C6296C   Coridon's complaint for Celia's unkindenesse. John Clark, 1675.
            brs. ROL.

O C6296D   Coridon's complaint for Celia's unkindnesse. 1675. brs. ROL.

O C6305A   Corker, James. A sermon on the blessed Eucharist. 1695. 12°.
            DNB.

O C6312A   Corneille, Pierre. Horace. By A. C. for Henry Brome, 1677.
            4°. T.C.I 291, N&Q.

O C6335A   Cornwallis, Henry. The Christian householder. For E. Tracy,
            1697. T.C.III 19.

O C6377A   Cotgrave, Randle. A French-English dictionary. By W. H. for
            Luke Fawne, 1650. fol. HAZ.

O C6386A   Cotton, Charles. Instruction for angling. For C. Brome,
            1697. 8°. T.C.III 9.

O C6398B   [Cotton, Charles.] The scoffer scoffed: the second part.
            For E. Golding, 1684. 8°. T.C.II 85.

O C6399A   Cotton, Charles. A voyage to Ireland. 1670. DNB, WAT.

O C6418A   Cotton, John. Christ the fountain of life. Thomas Parkhurst,
            1656. SR.

O C6476A   Cotton, Sir Robert Bruce. Abstract out of the records of the
            Tower. 1651. 8°. SWE, WAT.

O C6482A   [Cotton, Sir Robert Bruce.] Brief discourse concerning the power
            of peers. 1680. 4°. SWE.

O C6514A   Coulon. Ludovico. Lexicon Homerijcum. <u>Godfrey Emerson</u>, 1645. SR.

O C6520A   The counterfeit Jew. [Newcastle, <u>S. Bulkley</u>?, 1653]. 4°. HAZ.

O C6524*   The Countess of Banbury's case. 1696. HARL.

O C6526A   The country copy-book. <u>For Dixy Page</u>, 1672. 4°. T.C.I 119.

O C6526B   The country courtship. <u>John Back</u>, 1688. brs. SR, ROL.

O C6533A   The country gentleman's vade mecum. <u>E. Harris</u>, 1700. MORG.

O C6538A   The country lasse for my money. <u>John Andrews</u>, 1656. brs. SR, ROL.

O C6565A   The country mouse. Twelfth edition. <u>For J. Clarke</u>, senior, 1683. 8°. * HAZ.

O C6566A   The country parson's directions. <u>For R. Wild</u>, 1688. T.C.II 229.

O C6568A   The country pedler. <u>Jonah Deacon</u>, 1683. brs. SR, ROL.

O C6568B   The country schoolmaster. 1673. T.C.I 152.

O C6583*   The couragious seaman's safe returne. <u>Tho. Vere</u>, 1656. brs. ROL.

O C6583**   A couragious victory obtained against the Spanyard. <u>Fran. Grove</u>, 1657. brs. SR, ROL.

O C6584A   A course of catechising. <u>For O. Blagreve</u>, 1685. 12°. T.C.II 131.

O C6584B   The court and country cooker. <u>Mathew Gilliflower and Benjamin Barker</u>, 1698. SR.

O C6588A   The court of curiosity. <u>For W. Crook</u>, 1669. 8°. T.C.I 21. SR.

O C6588B   The court of curiosity. <u>For W. Crook</u>, 1672. 12°. T.C.I 113.

O C6588C   The court of curiosity. Third edition. <u>For W. Crook</u>, 1681. 8°. T.C.I 454.

O C6588D   The court of curiosity. Fourth edition. <u>For W. Crook</u>, 1688. 12°. T.C.II 234.

O C6589B   The court of King Charles continued. 1651. 8°. LOW.

O C6619A   The covenant, or, no king. <u>For Charles Tyus</u>, [1656-64]. brs. * HAZ, AUC.

O C6625A   Coventry, Thomas. Perfect and exact directions. 1644. 12°. ALL, SWE, WAT.

O C6648A   Cowir a ftyddlacon atteb. 1660. 12°. ROW.

O C6697A   Cowper, John. Instruction for the ignorant. For W. Marshall, 1700. 8°. T.C.III 195, AC.

O C6705A   [Cox, Nicholas.] The gentlemans recreation. By T. Roycroft, for Richard Blome, 1686. fol. * HAZ.

O C6741A   Crackfart and Tory: or, Knave and fool. [London], printed in the year, 1680. 4°. * HAZ, AUC.

O C6807A   Crandon, John. Mr. Baxter's Aphorisms exorcized. For William Ley, 1656. 4°. SALE.

O C6822*   Cranford, James. Expositions on the Prophecies of Daniel. 1644. 4°. DNB.

O C6823A   Cranford, James. Ireland, or a booke: together with an exact mappe. By John Rothwell, 1647. 12°. * LOW.

O C6875A   Creed, William. Sion's hallelujah; a sermon. 1660. 4°. WAT.

O C6909A   Cricket in the Leige, or a new prophesie. Thomas Broad, 1657. SR.

O C6910A   The cries of the citty of London. Henry Hills, Jr., 1688. brs. ROL.

O C6919A   Crimsall, Richard. Cupid's soliciter of love. By J. M. for W. Thackeray, and are to be sold by J. Back. 12°. N&Q.

O C6926B   [Crisp, Stephen.] Christ made sin. For W. Marshall, 1694. 4°. T.C.II 507.

O C6926C   Crisp, Stephen. Christ made sin. For W. Marshall, and J. Marshall, 1697. 8°. T.C.III 21.

O C6956A   Crispe, Tobias. Christ alone exalted. First volume. Edw. Blackmore and Math. Symons, 1647. SR.

O C6956B   Crisp, Tobias. Christ alone exalted. For J. A., sold by W. Marshall, 1683. 8°. T.C.II 41, SR, DNB.

O C6958A   Crispe, Tobias. Christ alone exalted. Second volume. Edward Blackmore and Math. Symmons, 1646. SR, DNB.

O C6979B   Croft, Richard. The wise steward. By F. Collins for D. T., 1697. 8°. HAZ.

O C6980A   Croft, William. Six sonatas. For and sold by James Young, 1699. fol. T.C.III 156.

O C6980B   Croft, William. Six sonatas or solos. Sold by J. Young, 1700. T.C.III 198, AC.

O C7003*   Crofton, Zachary. The sinne of altar worship. Ralph Smith,
            1661. SR.

O C7026A   [Cromarty, George, Mackenzie, Earl of.] Proposals concerning
            religion. [Edinburgh?, 1695]. 4°. ALDIS 3503.

O C7031A   Crompton, William. Brief survey of the old religion. 1672.
            8°. DNB.

O C7177   Cromwell, Oliver. His Highnesse . . . Two speeches . . . 11 and
            12 Sept. Leith, 1654. 4°. ALDIS 1489.

O C7234A   Crooke, William. A sermon, preached at the funeral of a religious
            man, found drowned in a pit. 1670. 8°. ALL, WAT.

O C7236A   Crophius, J. Bapt. Gratulatio ac victoria Hibernica Guilielmi
            III. Oxon., 1690. fol WAT.

O C7253A   [Cross, Nicolas.] Pious reflections and devout prayers. Doway,
            by M. Mairesse, 1695. 8°. HAZ.

O C7256A   Cross, T. A coppy book methodised. Thomas Parkhurst, 1657. SR.

O C7256B   Crosse, Thomas. The experienced instructor. For T. Howkins,
            1687. 8°. T.C.II 211.

O C7266A   Crosse, William. Ecclesia Romana est idololatrica. Cambridge,
            July 2, 1678. brs. SALE.

O C7279A   C[rouch], H[umphrey]. The Greekes and Trojans Warrs. 1675.
            brs. ROL, ROX.

O C7291A   Crouch, John. Census poeticus, the poets tribute. 1663. 4°.
            * DNB, HAZ, AUC.

O C7295A   Crouch, John. An elegie upon the death of Her Most Illustrious
            Majestie Heneretta Maria. Printed 1669. fol. * HAZ.

O C7303A   Crouch, John. Portugallia in portu, Portugall in harbour.
            For Richard Hall, 1662. fol. * HAZ, SALE.

O C7308A   [Crouch, Nathaniel.] Admirable curiosities. Sold by N. Crouch,
            1696. 12°. LOW, WAT.

O C7308B   [Crouch, Nathaniel.] Admirable curiosities. 1697. 12°. DNB,
            AUC.

O C7310A   [Crouch, Nathaniel.] The apprentices companion. Christopher
            Bateman, 1693. 12°. SALE.

O C7312A   Crouch, Nathaniel. Delights for the ingenious. For Nathaniel
            Crouch, 1690. 12°. T.C.II 318.

O C7312B   [Crouch, Nathaniel.] Delights for the ingenious. For N. Crouch,
            1695. 12°. T.C.II 540.

O C7312C   [Crouch, Nathaniel.] The divine banquet. Fourth edition. For N. Crouch, 1696. T.C.II 575.

O C7313A   Crouch, Nathaniel. Emblems. 1684. 12°. LOW, AUC.

O C7322A   Crouch, Nathaniel. The English hero. Fifth edition. For Nathaniel Crouch, 1698. 12°. HAZ.

O C7344A   Crouch, Nathaniel. Martyrs in flames. 1695. DNB, LOW, WAT.

O C7344B   [Crouch, Nathaniel.] Martyrs in flames. By Nathaniel Crouch, 1700. 12°. HAZ.

O C7345A   [Crouch, Nathaniel.] The scarlet whore. For Nathaniel Crouch, 1690. 12°. T.C.II 250, AUC.

O C7355A   [Crouch, Nathaniel.] The vanity of the life of man. For Nathaniel Crouch, 1690. 12°. T.C.II 317.

O C7359*   [Crouch, Nathaniel.] The wars. Sold by N. Crouch, 1696. T.C.II 607.

O C7361B   Crouch, Nathaniel. Wonderful prodigies. For Nathaniel Crouch, 1693. T.C.II 460.

O C7362A   Crouch, Nathaniel. Youth's divine pastimes. For N. Crouch, 1686. T.C.II 178.

O C7363A   Crouch, Robert. Praxis Catholica, or. For R. Harford, 1680. 8°. T.C.I 393.

O C7373A   The crown garland of golden roses. By J. M. for W. and T. Thackeray, 1662. 8°. HARL, SALE.

O C7417A   A cruell cry in the eares of Cavaleers. Robert Ibitson, 1649. SR.

O C7421A   The cruel proceedings of the Inquisition. Sold by R. Janeway, 1681. T.C.I 440.

O C7422*   A cruel tragedy: or, Strange and wonderful news from Swan-alley. For Absalom Chamberlain, 1684. brs. HAZ.

O C7422**   The cruell uncle, or. By C. Crouch for F. Coles, T. Vere, and I. Wright, 1670. 18°. HAZ, LOW.

O C7422B   Cruelty punished, or a full and perfect relation . . . Deane. For C. N., 1677. fol. * GOU, HAZ.

O C7425A   C[rull], J[odocrus]. A continuation of Samuel Pufendorf's Introduction. Third edition. 1699. MORG.

O C7429   C[rull], J[odocrus]. The principles of the ancient and modern phylosophy. Sold by Tho. Speed, 1697. 8°. T.C.III 27.

O C7429A   Crull, Jodocrus. The principles of the most ancient. For T. Speed, 1699. 8°. T.C.III 115.

O C7430A   Crumpe, John. Hebdomada magna, or the great weeke of the passion. Hen. Twiford, 1640[1]. SR.

O C7433A   Cruso, J. Naufragia publicanorum esse. Edward Dod, 1657. SR.

O C7437A   Cruso, Timothy. An early victory over Satan. 1693. 4°. DNB.

O C7438A   Cruse, Timothy. Four last sermons. For T. Parkhurst, 1698. T.C.III 86.

O C7455A   The cuckolds revenge. Fran. Grove, 1656. brs. ROL.

O C7455B   Culliford's case, or wedlock frustrated. 1695. 4°. HARL, SALE.

O C7517A   Culpepper, Nicholas. Health better than wealth. 1665. 4°. * GOU.

O C7554A   Culpepper, Sir Thomas. Brief survey of the growth of usury in England. 1671. DNB, WAT.

O C7595A   Cunsan. The Christian dyary. Waterson, 1647. SR.

O C7599A   Cupid's courtesie. 1656. brs. ROL, ROX.

O C7599B   Cupid's courtesie, or the young gallant foiled. John Conyers, 1664. brs. SR, ROL, ROX.

O C7601A   Cupid's figaries. William Gilbertson, 1656. brs. SR, ROL.

O C7607A   Cupid's match made up and finished. Fran. Grove, 1656. brs. ROL.

O C7608A   Cupid's posies, for bracelets. For John Wright, 1642. 8°. * HAZ, LIV, AUC.

O C7612A   Cupid's solicitor of love. 1680. CBEL.

O C7612B   Cupid's sports and pastimes. For W. Thackeray, 1684. 8°. HAZ.

O C7620*   A cure for all distressed maids. Fran. Grove, 1656. brs. ROL.

O C7693A   Curtius Rufus, Quintus. De rebus gestis. Ex officina Joannis Redmayne, 1672. 12°. SALE.

O C7701A   Curtois, John. An essay to perswade Christian parents. Second edition. For A. and J. Churchill; and Mr. Knight, in Lincoln, 1699. 8°. T.C.III 130.

O C7710*   Cynthia; . . . a novel. 1700. ESD.

O C7714A   Cyprian. Opuscule varia. 1650. 8°. WAT.

O C7716A   Cyrano de Bergerac, Savinien. The comicall histories. <u>Thomas</u>
             <u>Young</u>, 1657. SR, CBEL.

O C7720   Cytarwydd-deb i'r Anghytarwydd. <u>Thomas</u> <u>Dawkes</u>, 1677. 12°. ROW.

O C7721   Y cywir ddychwelwr. <u>Sold</u> <u>by</u> <u>Thomas</u> <u>Brewster</u>, 1697. ROW.

D

O D101A   Dacres, William. Elements of water drawing. 1660. 4°. ALL,
             WAT.

O D101B   Dafforne, Richard. The apprentices time-entertainer. 1669.
             4°. ALL, HARL, WAT.

O D104B   Daffy, Anthony. Directions given by. [<u>London</u>, c. 1690]. 4°.
             SALE.

O D125A   Dale, Samuel. A generall herball. <u>Benjamin</u> <u>Motte</u> <u>and</u> <u>Henry</u>
             <u>Faithorne</u>, 1687. SR.

O D129A   Dalgarno, George. Didascadocophus, or. <u>Oxford</u>, <u>sold</u> <u>by</u>
             <u>W</u>. <u>Kettilby</u>, 1692. 8°. T.C.II 417.

O D150A   Dalton, Michael. Office and authority. 1651. 12°. SWE, WAT.

O D159A   A damsell's constancy to her love. 1645. ROL.

O D159B   The damsell's hardshift. 1675. ROL.

O D159C   The damsell's loyall love to a seaman. 1675. ROL.

O D160A   Dampier, William. A discourse of winds. 1679. DNB.

O D177B   The danger of being almost a Christian. <u>Francis</u> <u>Egglesfield</u>,
             1657. SR.

O D177C   The danger of moderation. In a letter. [<u>London</u>, c. 1675].
             4°. HAZ, SALE.

O D194*   Dangerfields danger. <u>Charles</u> <u>Dennison</u>, 1685. SR.

O D202A   Daniel, Godfrey. The Christian doctrine gathered. <u>Dublin</u>,
             1652. 8°. ALL, LOW, WAT.

O D202B   Entry cancelled.

O D246A   Dare, Josiah. The compleat tutor: or, Counsellor Manners, his
             last legacy. <u>By</u> <u>Tho</u>. <u>Warren</u> <u>for</u> <u>Francis</u> <u>Saunders</u>, 1695. 8°.
             HAZ.

O D247A   Darc, Josiah. Manners, his last legacy. Sold by Robert Clavell, 1676. 8°. T.C.I 249.

O D260A   Darling, John. The carpenter's rule. For T. Sawbridge, 1669. 12°. T.C.I 18.

O D269A   Darrell, William. The vanity of human respects. 1688. 4°. DNB.

O D274B   Dary, Michael. The doctrine of adfected equations. Sold by S. Crouch, 1678. T.C.I 333.

O D281A   D'Assigny, Marius. The art of memory. Edinburgh, reprinted by J. Reid, [c. 1699]. 8°. SALE.

O D288A   Dastin, John. Donum Dei, or, the gift of God. Nathaniel Crouch, 1676. SR.

O D294A   D'Auvergne, Edward. History of the campaign in Flanders, 1641. 1692. DNB.

O D322A   Davenant, Sir William. The distresses. John Crooke, 1658. SR.

O D349A   Entry cancelled.

O D360A   Davenport, John. God's call to His people. For R. Chiswell, 1670. 4°. T.C.I 35.

O D377A   David's repentance. Twenty-first edition. Sold by T. Vere, and J. Wright, 1677. 12°. T.C.I 295.

O D392A   Davies, John. Apocalypsis, or, a discovery of some notorious heretics. 1655. DNB, AUC.

O D392B   Davies, John. Apocalypsis; or the revelation. 1658. 12°. ALL, WAT.

O D392C   [Davies, John.] Apocalypsis, or, the revelation of certain notorious advancers of heresie. For J. Williams, 1671. 8°. SALE.

O D395   Davies, John. Political and military observations. 1677. WAT.

O D404A   Davies, Sir John. Nosce teipsum. Dublin, 1697. N&Q.

O D408B   [Davies, Sir John.] A work for none but angels. By M. S. for Thomas Jenner, 1650. 4°. N&Q, AUC.

O D410A   Davies, Lewis. Cyfammod eglwysig. 1700. ROW.

O D422A   Davis, John. An answer to those printed papers. Patentees of Salt. 1641. TAY.

O D429A   Davis, Richard. Hymns composed upon severall subjects. <u>William Marshall</u>, 1692. SR.

O D430A   Davis, Richard. Hymns composed. Third edition. <u>For W. Marshall</u>, 1700. AC.

O D436A   Davis, Robert. The compleat gardiner. <u>Simon Miller</u>, 1658. SR.

O D438A   Davis, William. Jesus the crucifyed man. <u>[Philadelphia]</u>, <u>for the author</u>, <u>[by Reynier Jansen]</u>, 1700. EVANS 908, MORG.

O D438B   Davis, William. The surveyor's companion. 1692. TAY.

O D450A   Dawes, <u>Sir</u> Thomas. Title to certain lands. 1654. fol. * ALL, <u>WAT</u>.

O D453A   [Dawes, <u>Sir</u> William.] The anatomy of atheism. A poem. Second edition. <u>For T. Speed</u>, 1700. 8°. T.C.III 219, AC.

O D455A   [Dawes, <u>Sir</u> Thomas.] The duties of the closet. <u>For T. Speed</u>, 1695. 12°. T.C.II 554, WAT.

O D455B   [Dawes, <u>Sir</u> Thomas.] The duties of the closet. Second edition. <u>For T. Speed</u>, 1699. 12°. T.C.III 115.

O D455C   [Dawes, <u>Sir</u> William.] The great duty of communicating. <u>For T. Speed</u>, 1700. 8°. T.C.III 183. AC, DNB, MORG.

O D457A   Dawes, <u>Sir</u> William. A sermon preach'd . . . January 16, 1699. <u>For Sam. Smith</u> and <u>Benj. Walford</u> and <u>Tho. Speed</u>, 1700. 4°. SALE.

O D459B   Dawson, Richard. The humble addresse and remonstrance of. <u>For the author</u>, 1661. 4°. * HAZ.

O D476A   Dayes for ever memorable and workes of God, in . . . 1645. A catalogue of cities. <u>J. Bartlett</u>, 1646. 4°. * SALE.

O D485A   Deacon, John. Guide to glory. 1658. 12°. N&Q.

O D489B   The dead man's song. <u>For F. Coles</u>, <u>T. Vere</u>, <u>J. Wright</u>, and <u>J. Clarke</u>, [1680-90?]. brs. HAZ, AUC.

O D499A   The death and burial of Mistresse Money. <u>By Richard Cotes</u>, <u>to be sold by Francis Grove</u>, 1651. 8°. HAZ, AUC.

O D501*   The death and buriall of Robin Hood. <u>Jos. Walker</u>, 1691. ROL, ROX.

O D803A   The declensions of nouns. <u>For N. Ponder</u>, 1684. 8°. T.C.II 101.

O D818A   A defence of the reformed religion. <u>Symon Miller</u>, 1658. SR.

O D820   A defence of wearing and reverencing the Holy Cross. [c. 1660.] 4°. * SALE.

O D829B   [Defoe, Daniel.] The character of the late Dr. Samuel Annesley,
         1697. fol. CBEL, DNB, LOW, MORG.

O D832A   [Defoe, Daniel.] Essays upon several projects. 1697. 8°. LOW,
         MORG.

O D833A   [Defoe, Daniel.] General heads and questions touching.
         [Edinburgh], 1700. fol. MORG.

O D838A   Defoe, Daniel. Occasional conformity of dissenters. 1698. DNB.

O D839A   [Defoe, Daniel.] A pamphlet against the addresses to King
         James. 1687. 4°. LOW.

O D876A   Delamere, Henry Booth. A dialogue between a Lord-Lieutenant.
         1690. 4°. DNB.

O D891A   Delaune, Thomas. The idolatry and blasphemy of the Romish Masse
         detected. Thomas Malthus, 1683. SR.

O D898A   The delectable history of Poor Robin. First part. Joshua
         Conyers, 1675. SR.

O D898B   A delectable little history in meeter, of a Lord and his three
         sons. [Edinburgh], 1692. 18°. ALDIS 3220, HAZ.

O D903A   Delightful newes for all loyall subjects. Being His Majesties
         Royall assent. For Iohn Howell, 1642. 4°. * HAZ, SALE.

O D903B   Delightful novels. Second edition. For Benj. Crayle, 1685.
         12°. T.C.II 139. SR.

O D903C   Delightful novels. Third edition. For B. Crayle, 1686.
         T.C.II 174.

O D904A   Delightful way to teach young children. Sold by J. Garret,
         1686. * T.C.II 179.

O D904B   Delights for both sexes. 1697. 8°. LOW, AUC.

O D918A   Dell, William. The building and glory. Second edition. For
         G. Calvert, 1647. 4°. * SALE.

O D945A   Deloney, Thomas. The garland of good-will. For John Wright,
         1659. 8°. HAZ.

O D956A   [Deloney, Thomas.] The lamentation of Mr. Page's wife of
         Plimouth. For F. Coles, Thomas Vere, and W. Gilbertson,
         [1680?]. brs. HAZ.

O D958A   [Deloney, Thomas.] The most rare and excellent history of the
         Dutchess of Suffolk's callamity. For F. Coles, T. Vere, and
         J. Wright, [1680?]. brs. HAZ, AUC.

O D959A   [Deloney, Thomas.] The most rare and excellent history. <u>By</u> <u>and</u> <u>for</u> <u>A.</u> <u>M.</u>, [1685?]. brs. HAZ, ROL.

O D1006A   Denham, <u>Sir</u> John. Poems and translation. 1676. DNB.

O D1013B   Denison, Stephen. A briefe answeare to the defence of John Ethrington. <u>Miller</u>, 1641. SR.

O D1019A   Denne, Henry. The drag-net of the kingdom of heaven. 1646. 8°. DNB, WHI.

O D1020*   Denne, Henry. The foundation of children's baptism discovered. 1645. DNB.

O D1047A   Denniston, Walter. Gualteri Dannistoni ad Georgium Buchananum epistola. <u>Edinburgi</u>, <u>typis</u> <u>Jacobi</u> <u>Vatsoni</u>, 1700. SALE.

O D1051B   D[ennys], J[ohn]. The secrets of angling. <u>For</u> <u>Roger</u> <u>Jackson</u>, [1652]. 12°. HAZ, AUC.

O D1056A   Dent, Arthur. Pregeth am editeirwch. 1682. ROW.

O D1056B   Dent, Arthur. Pregeth ynghylch edeteirwch. 1677. ROW.

O D1059A   Dent, Arthur. A sermon on repentence. 1643. DNB, AUC.

O D1059B   Dent, Arthur. Tryssor isr gymrui. <u>An</u> <u>Thomas</u> <u>Dawks</u>, 1677. 12°. ROW, AUC.

O D1083A   The Deptford garland. [<u>London</u>], <u>for</u> <u>J.</u> <u>Blare</u>, [c. 1690]. 8°. * HAZ, N&Q.

O D1102A   Dering, <u>Sir</u> Edward. Carmen Sepulchrale, in memory of Lady Unton Dering. 1686. fol. * LOW.

O D1128C   Desborow, Charles. The humble address of. 1699. SAB.

O D1130A   Descartes, René. . . . Epistolae . . . Pars tertia et ultima. <u>Sold</u> <u>by</u> <u>H.</u> <u>Faithorne</u> <u>and</u> <u>J.</u> <u>Kersey</u>, <u>and</u> <u>S.</u> <u>Smith</u>, 1683. 4°. T.C.II 17.

O D1132A   Descartes, René. Exercitationes. <u>Cantabrigiae</u>, <u>Imp.</u> <u>J.</u> <u>Creed</u>, 1685. T.C.II 147.

O D1139A   The description and use of the triangular quadrant. 1671. T.C.I 80.

O D1142A   The description of a merry dreame. <u>Francis</u> <u>Grove</u>, 1657. brs. SR, ROL.

O D1160A   A description of the late dreadfull fire of London. <u>John</u> <u>Sellers</u>, 1683. SR.

O D1163A   Description of the nature and working of the patent wheel-scoops. 1645. TAY.

O D1166A   A description of the poysoners of King John. [London, c. 1660.]
brs. HAZ.

O D1167A   A description of the sea coasts of England. 1653. 4°. HAZ, AUC.

O D1170A   A description of the towne of Great Varmouth. For Sam. Speed,
1668. GOU.

O D1175A   The designe of Christianity. Richard Royston, 1671. SR.

O D1175B   Design of the Tower hamlets to suppress bawdy-houses. 1691.
4°. LOW, AUC.

O D1179A   Desires after Jesus. For S. Keble, and R. Cumberland, 1698.
12°. T.C.III 75.

O D1188A   [Desjardins, Marie C.] The exiles. Richard Marriott, 1673. SR.

O D1188B   Desjardins, Marie C. The life of the Countess of Dunois. For
T. Cockerill, 1698. 8°. T.C.III 94, COX.

O D1197B   The despairing lover's address to Charon. [London], for
C. Dennisson, [1685-1688]. brs. ROX.

O D1203A   Despautère, Jean. . . . Grammaticae institutionis. Edinburgi,
Thomas Brown, 1677. 12°. SALE.

O D1208A   A detection of a fraud of R: B: Leake, 1641. SR.

O D1218A   The devil in petti-coates. 1697. brs. HAZ.

O D1219A   The devil of Deptford. For Nathaniel Crouch, 1699. brs.
HAZ, LOW.

O D1221A   The devil turned casuist . . . or the cheats of Rome. 1696.
8°. HARL, AUC.

O D1223A   The divells brood newly revived. Fran. Coles, 1641. brs. SR,
ROL.

O D1237A   Devotions and prayers fitted to the mean uses. For Richard
Royston, 1676. 12°. T.C.I 234.

O D1243A   Devotions to S. Joseph spouse of the B. B. Mary. [Paris?],
1700. 12°. SALE.

O D1245A   The devout souls daily exercise. For N. Crouch, 1700. AC.

O D1256B   DeWitte, Peter. Catechizing upon the Heidelbergh Catechisme.
Sixteenth edition. At Amsterdam, by Gillis Joosten Saeghman,
[c. 1700]. HAZ.

O D1292B   A dialogue between a courtier and a scholler. [London, c. 1643.]
4°. * HAZ, N&Q.

O D1293A   A dialogue between a director of the New East-India Company. Sold by A. Baldwin, 1700. 4°. AC, MORG.

O D1293B   A dialogue between a divine and a beggar. For G. Conyers, 1699. T.C.III 131.

O D1293C   A dialogue between a gentleman and a lady. Sold by J. Nutt, 1698. 8°. T.C.III 96, HAZ.

O D1295A   Dialogue between a loyalist and a timid royalist. 1644. N&Q.

O D1295B   A dialogue between a minister and a weake believer. Humphrey Blunden, 1641. SR.

O D1299*   A dialogue between a souldier and his love. [London], for J. Blare, 1689. brs. ROX.

O D1299B   A dialogue between a Williamite and a Jacobite. Richard Chiswell, 1689. SR.

O D1300A   A dialogue between a young person. Jonah Deacon, 1683. SR.

O D1301B   Dialogue between an Englishman and a Netherlander. 1643. N&Q.

O D1305A   A dialogue between Dicke and Robin. Tho. Lambert, 1640[1]. brs. SR, ROL.

O D1311A   A dialogue between George Keith. Printed, 1700. 8°. SMI.

O D1313A   A dialogue between Jack and Will. 1697. 4°. GOU.

O D1323A   Dialogue between Satan and a young man. Thos. Parkhurst, 1700. brs. SALE.

O D1332A   A dialogue between the late King James and the Prince of Conty. For Richard Baldwin, 1697. 4°. * SALE.

O D1332B   A dialogue between the late King James and the Prince of Conty. For F. Griffen, 1697. 8°. * SALE.

O D1339A   A dialogue between two faithful lovers. Wil. Gilbertson, 1656. brs. SR, ROL.

O D1350A   A dialogue betwixt Lewis and the Devil. John Wallis, [1690]. brs. SALE.

O D1354A   Dialogue betwixt the Cavalier's warre horse. 1643. 4°. LOW.

O D1354B   A dialogue betwixt the Devill and an informer. William Crooke, 1683. SR, ROL.

O D1361A   Dialogue concerning the late proceedings at Guildhall. 1695. 4°. HARL.

O D1361B   Dialogue concerning the Lord Mayor's going to meeting-houses. 1697. 4°. HARL.

O D1373A   Dialogues of the dead; in imitation of Lucian, and the French. For R. C. and are to be sold by J. Nutt, 1699. 8°. SALE.

O D1380A   Dicaro, John. The sinnfulness & vnlawfullnes of making . . . the picture of Christ's humanity. Bartlett, 1640[1]. SR.

O D1380B   Dichfield, John. Eis tas Geoyvis. Richard Williams, 1657. SR.

O D1381A   Dick and Tom, or a dialogue. For L. Curtis, 1680. T.C.I 422.

O D1390B   Dickson, David. The apostolick epistles analytically expounded. Thomas Firby, 1655. SR.

O D1411A   Dickson, David. The true comfort of a Christian. Edinburgh, 1673. 12°. ALDIS 1985.

O D1414A   Diemerbroeck, Isband van. The anatomy of human bodies. Sam. Crouch, John Gellibrand, and Benjamin Alsop, 1683. SR, T.C.II 17.

O D1419A   The different humours of man. For T. Parkhurst, 1692. 8°. T.C.II 420. AUC.

O D1419B   Difficulty of salvation discover'd. For Tho. Parkhurst, 1699. T.C.III 161.

O D1426A   Digby, Sir Kenelm. Choice precepts. Nath. Brookes, 1657. SR.

O D1461A   Digges, Sir Dudley. A speech made in the first Parliament . . . touching . . . Buckingham. John Field, 1643. SR, DNB.

O D1473A   A dilema from a paralell. Overton, 1646. SR.

O D1493A   Dimsdale, Robert. Robert Dimsdale's advice how to use his medicines. Printed and sold by John Bringhurst, 1684. SMI.

O D1497A   Dingley, Robert. Divine relishes of matchless goodness. 1651. DNB.

O D1499A   Dingley, Robert. Messiah's splendour. 1654. 8°. DNB.

O D1525*   The direct method of curing chymically. 1675. 8°. SALE.

O D1528*   Directions and instructions concerning an attorney's practice. 1648. 12°. SWE.

O D1532A   Directions for low-belling, trammelling, and driving fowl. For J. Sprint, and G. Conyers, 1700. T.C.III 218.

O D1538*   Directions to learn to play upon . . . the flagellet. Second part. Sold by Robert Pawlet, 1670. 8°. T.C.I 49.

O D1542A   A directory for ladies and gentlewomen. Peter Cole, 1649. SR.

O D1553A   A directory for the publique worship of God. By Tho. Ratcliffe, for the Company of Stationers, 1660. 12°. SALE.

O D1561A   The disclosing of a late counterfeited possession by the devyll. 1654. 12°. GOU.

O D1565A   The discontented lady. Robert Ibbitson, 1656. brs. ROL.

O D1571A   A discourse: being the substance of several sermons. For W. Marshall, 1700. T.C.III 194. AC.

O D1580A   A discourse concerning God's providence. For R. Basset, 1700. AC.

O D1587A   A discourse concerning the having many children. For William Rogers, 1695. 8°. T.C.II 540. SR.

O D1596A   A discourse of divers accidents & matters. Sparke, 1651. SR.

O D1597A   A discourse of eternity. Printed, 1654. SMI.

O D1602A   A discourse of schism. For J. Lawrence, 1700. AC.

O D1604A   A discourse of the excellent vertue & use of . . . Balsam de Chili. For E. Tracy, 1696. T.C.II 579.

O D1605B   A discourse of the mistery of God opened. John Wright, Jr., 1644[5]. SR.

O D1623A   A discourse touching the precedency of kings. Samuell Speed and Christopher Eccleston, 1663. SR.

O D1627A   A discourse upon the Pharisee and the Publicane. John Harris, 1685. SR.

O D1631A   Discovery and confutation of a tragical fiction devised . . . by Edward Squyer. 1699. 4°. HARL.

O D1633*   A discovery of a bloody and barbarous murther at Stepney. For Langley Curtis, 1684. 4°. HAZ.

O D1633B   A discovery of a desperate and dangerous designe . . . Fennes. 1642. TAY.

O D1637A   Discovery of a speedy way found out by a young lady . . . for feeding . . . silk-worms in Virginia. 1652. 4°. HAZ.

O D1650A   The discovery of the Fannaticks plott. John Mayor, 1683. brs. SR.

O D1658A   A discovery of the Savoy Plot. Th. Linsey, 1680. brs. SALE.

O D1668A   Diseases that may happen to a horse. John Redman, 1656. SR.

O D1668B   A dish of petites, pritty well dres't. [London, 1642.] 4°.
                * HAZ.

O D1673A   The dispensary transvers'd, a poem. For John Nutt, 1700. AC.

O D1673B   The dispensatory of Amsterdam. Thomas Johnson, 1657. SR.

O D1680A   The dissent of the ministers of Essex. Smith, 1648[9]. SR.

O D1688A   The dissenter's usual pleas for toleration discussed. 1679.
                4°. N&Q.

O D1711A   Divers remarkable orders of the ladies at Spring Gardens.
                1647. 8°. HAZ.

O D1731A   A divine prophesie of dissenters proved deceivers. Jonah
                Deacon, 1683. SR.

O D1734A   The divine right of convocations examined. For A. Baldwin,
                1700. AC.

O D1737A   The division flagelet. For J. Clarke, 1684. T.C.II 85.

O D1748*   Dixon, Robert. The nature of the two testaments. Sold by
                Robert Clavell, 1683. fol. T.C.II 42.

O D1763*   Dr. Mason's wonderful vision. A further . . . relation. For
                J. Black, [1694]. 8°. * HAZ.

O D1773A   Entry cancelled.

O D1773B   Entry cancelled.

O D1786*   Dod, John. Old Mr. Dod's sayings. For A. Churchill, 1688.
                T.C.II 236.

O D1786**   Dod, John. Old Mr. Dod's sayings. Glasgow, R. Sanders, 1690.
                SALE.

O D1796A   Doddridge, Sir John. The several opinions. 1672. 24°. ALL,
                SWE.

O D1803A   Dodwell, Henry. A cautionary discourse of schism. 1690?
                DNB, WAT.

O D1861A   Donne, John. Fasciculus poematum. Mosely, 1653. SR, DNB.

O D1871A   Donne, John. A sheaf of miscellany epigrams. 1651. N&Q.

O D1874A   Donne, John, jr. The humble petition of Covent Garden.
                1662. WAT.

O D1880*   Doolittle, Thomas. A call to delaying sinners. For John
             Whitlock, 1683. 12⁰. T.C.II 39, SR, DNB, WAT.

O D1880**   Doolittle, Thomas. A call to delaying sinners. Third edition.
             For D. Newman, 1689. 12⁰. T.C.II 296.

O D2057A   Downame, George. An abstract of the duties. For W. Miller,
             1691. 8⁰. T.C.II 363.

O D2074A   Downame, John. A preparation to the due receiving of the
             Sacrament of the Lords Supper. Stephens, 1644. SR.

O D2087A   The down-fall of several great men. For T. Fabian, 1681. 8⁰.
             T.C.I 441.

O D2108A   [Downing, Sir George.] A discourse written by. By Jos. Fox,
             1688. 12⁰. SALE.

O D2118B   Drage, William. The practice of physick. 1666. 4⁰. DNB, N&Q.

O D2118C   Drage, William. Pretologie, a treatise concerning intermitting
             fevers. 1665. 16⁰. DNB, WAT.

O D2121A   The drayner confirmed. Printed in the year, 1629, and now againe
             printed at London, A.D. 1647. GOU, TAY.

O D2140A   The draught-man's academy. Sold by Robert Pricke, 1676.
             T.C.I 228.

O D2142A   A draught of the incampment of the Irish army . . . Aghrim.
             By Edward Jones in the Savoy, 1691. fol. * HAZ.

O D2148A   A dreadful account of a barbarous bloody murther . . . Mr.
             Cymball. R. Lyford, 1695. brs. SALE.

O D2154A   The dreadful voice of fire. [London, 1700.] brs. HAZ.

O D2154B   A dreadful warning for drunkards. For D. M., 1678. 4⁰. * HAZ.

O D2159A   Drelincourt, Charles. Catechisme ou instruction familiere.
             Bennett Griffin, 1692. 8⁰. SR.

O D2160*   Drelincourt, Charles. The Christian's defence. Second edition.
             For John Starkey, 1682. 8⁰. SALE.

O D2160***   Drelincourt, Charles. The Christian's defence. Fourth edition.
             For R. Clavell, J. Robinson, and A. & J. Churchill, 1700. 8⁰.
             T.C.III 220, AC.

O D2160C   Drelincourt, Charles. Directions. For A. Swalle, 1680. 24⁰.
             T.C.I 414.

O D2160D   Drelincourt, Charles. Prieres et meditations. Par R.
             Everingham, 1686. T.C.II 169.

O D2162A   Drelincourt, Charles. Ten Popish cavills. Rich. Hodgkinson, 1656. SR.

O D2167A   Drexel, Jeremy. The Christians zodiacke. For Samuel Broun, 1643. 12°. HAZ.

O D2184A   Drexel, Jeremie. A pleasant and profitable treatise of Hell. [London], printed 1668. 8°. HAZ, SALE.

O D2204A   [Drummond, William.] To the exequies of . . . Sir William Alexander. Edinburgh, 1656. 4°. ALDIS 1558, HAZ.

O D2206A   The Drury-Lane monster. For J. Roberts. brs. SALE.

O D2206B   Drych Cydwybod, set modd. [c. 1661?] 12°. ROW.

O D2206C   Drych i dri math o bold. 1646. ROW.

O D2206D   Drych i dri math o bobl. 1677. 8°. ROW.

O D2407B   [Du Bosc, Jacques.] The accomplished woman. Second edition. For Thomas Collins and John Ford, 1671. 12°. HAZ, SALE.

O D2410A   [Dubreuil, Jean.] The perspective practique. John Williams, 1659. SR.

O D2423A   Du Chastelet de Luzancy, Hippolite. A treatise of the sacraments. For T. Bennet, 1700. AC.

O D2431*   Ducket, Thomas. To the supreme authority of this nation, the Parliament . . . the humble petition of. [London, Nov. 15, 1653.] fol. * HAZ.

O D2437A   Ductor ad Pandoram, or A tutor for the treble-violin. For J. Clarke, 1682. T.C.I 485.

O D2469A   Dugard, William. Rhetorices elementa. Fourth edition. Typis autoris. Veneunt apud Fr. Eglesfield, 1655. 8°. HAZ.

O D2470A   Dugard, William. Rhetorices elementa. Twelfth edition. For J. Phillips, H. Rhodes, & J. Taylor, 1699. T.C.III 114.

O D2470B   Dugard, William. Rudimenta Graecae linguae. 1656. CBEL, DNB.

O D2498A   Du Hamel, Jean Baptiste. Philosophia vetus. Paris, sold by J. Gellibrand, 1682. 12°. T.C.I 512.

O D2510A   The Duke of Monmouth's constancy. Jonah Deacon, 1683. brs. SR, ROL.

O D2515A   Duke of Shoreditch: or, Barlow's ghost. For J. Asperne, [c. 1700]. brs. HAZ, MORG.

O D2526A   Du Mont, Jean. Voyages through France. Edward Castle, 1698. SR.

O D2606A   Duncon, Mary. Duncan, the ancient and truly renowned physician, his . . . lozenges. [London, 1680.] brs. SALE.

O D2612A   Dundee, John Graham, Lord. The Lord of Dundee's speech to his soldiers. [London, 1680.] brs. HAZ.

O D2612B   Dunn, Hugh. William Sharpe, Esq.; Appellant, Hugh Dunn, Gent, and Mary . . . respondents, the case of. [London, 1695.] brs. SALE.

O D2612C   Dunn, Mary. Between William Sharpe, Esq.; Appellant . . . The said respondent Mary maketh oath. [London, 1695.] brs. SALE.

O D2616A   Dunstar, Samuel. Anglia rediviva: being a full description. For D. Midwinter & T. Leigh, 1698. 8°. T.C.III 96.

O D2622A   Dunton, John. An emblem of ye Athenian Society. 1692. brs. SALE.

O D2633A   Dunton, John. The second part of the Art of living incognito. Sold by A. Baldwin, 1700. 4°. AC.

O D2635B   Duodecim menses, or The twelve months. Sold by John Overton, 1676. T.C.I 247.

O D2686C   Durel, Jean. Ecclesiae Anglicanae liturgia. Tim. Garthwaite & Sam. Browne, 1665. SR.

O D2695A   Duren. Mr. Duren's his eleven treatices touching ecclesiasticall peace. Crooke, 1640[1]. SR.

O D2701A   [D'Urfey, Thomas.] Beauty's cruelty. For J. Deacon, [1682-1700]. brs. HAZ.

O D2719A   [D'Urfey, Thomas.] A description of the jubilee in 1700. [London, c. 1700.] brs. MORG.

O D2747A   [D'Urfey, Thomas.] The maiden warrior. For F. Coles, T. Vere, and W. Gilbertson, [c. 1690]. brs. HAZ.

O D2754A   D'Urfey, Thomas. A new song in the last reviv'd comedy, called The fond husband. [c. 1696.] brs. SALE.

O D2782A   [D'Urfey, Thomas.] Songs in the first and second part of Massianello. For J. Walsh, 1699. T.C.III 139.

O D2809A   Durham, James. A commentarie upon . . . Revelation. Sold by T. Malthus, 1685. 4°. T.C.II 118.

O D2817A   Durham, James. The law unsealed. Third edition. Edinburgh, reprinted by Andrew Anderson, to be sold by James Dunlop, in Glasgow, 1675. 8°. SALE.

O D2896A   The Dutch damnified. For F. Coles, T. Vere, and J. Wright, [c. 1690]. brs. HAZ, AUC.

O D2907B   The Dutch's happy conquest. Alexander Milborne, 1689. brs. SR, ROL.

O D2909B   Dutton, John. John Dutton alias Prince Duttons farewel to Temple-Bar. For the author, 1694. 4°. ALL, HARL, HAZ, WAT, AUC.

O D2911A   The duty of man, in choice sentences. For J. Nutt, 1700. 8°. T.C.III 195. AC.

O D2914A   The duty of youth to glorifie God. Sold by most booksellers, 1675. 12°. T.C.I 196, SR.

O D2917A   Du Vair, Guillaume, bp. The moral philosophy. Fourth edition. For H. Mortlock, 1682. 8°. T.C.I 489, CBEL.

O D2924A   Dyer, Sir James. The abridgment of the reports of. Walbanck, 1647. SR.

O D2924B   Dyer, Sir James. A collection of cases. For J. Martin, R. Horne, H. Brome, R. Chiswell, and R. Boulter, 1671. fol. T.C.I 93.

O D2929A   Dyer, Richard. A bleeding Saviour. 1676. 8°. ALL, WAT.

O D2929B   Dyer, Richard. Characters in blood. For Thomas Sawbridge, 1672. 8°. T.C.I 110.

O D2929C   Dyer, William. Dyer's works. Printed in the year 1671. 12°. SALE.

O D2947B   Dyer, William. Mercy triumphant. For N. Crouch, 1696. T.C.II 587.

O D2948A   Dyer, William. The present interest of England. 1688. T.C.II 233.

O D2958B   The dying tears of a penitent sinner. For Francis Grove, [1623-61]. HAZ, AUC.

O D2958C   Dying tears, or England's joy turned to mourning . . . Glocester. For Charles Tyus, [1660]. brs. HAZ.

O D2958D   The dying young man. For John Andrews, [1654-65]. brs. HAZ.

O D2964A   Dyke, Jeremiah. The worthy communicant. For N. Ranew, and J. Robinson, 1674. 12°. T.C.I 185.

O D2964B   Dyke, Jeremiah. The worthy communicant. Sixteenth edition. Sold by N. Ranew, and J. Robinson, 1680. 12°. T.C.I 399.

O E46A   Eachard, John. The causes why the sword is come upon England.
           Matthew Simmons, 1647. SR.

O E72A   The Earl of Essex his death. [London, 1646.] brs. ROX.

O E93A   Earle, John. Microcosmography. Twelfth edition. For Samuel
           Crouch, 1676. 12⁰. DNB, HAZ, N&Q.

O E94A   An earnest and persuasive exhortation. John Bradford, 1695. SR.

O E98*   An earnest persuasive to personal reformation. For T. Cockerill,
           1700. 12⁰. T.C.III 196, AC, MORG.

O E156A   An eccoe or the trumpet's triumph. Fran. Coles, 1644. SR.

O E178B   Edmondson, William. An answer to the clergy's petition. 1688.
           4⁰. DNB, SMI.

O E184A   The education of young ladies and gentlewomen. For S. Keble,
           1680. 12⁰. T.C.I 419.

O E195A   Edwards, Charles. Prit lytri Newydd yn Cyunwys Gwyddorion.
           1682. 12⁰. DNB.

O E195B   [Edwards, Christopher.] A tender salutation of love unto all
           the young convinced. [London], 1674. fol. SMI.

O E215A   Edwards, Jonathan. Llytr yu erbyn Sosiniceth. 1693. ROW.

O E231A   [Edwards, Thomas.] The particular visibility of the church.
           1647. 4⁰. DNB, WAT.

O E238A   [Edwards, Thomas.] A treatise of the civil power . . . of
           Ecclesiasticals. 1642. 4⁰. DNB, WAT.

O E318A   Eland, W. A tutor to astrology. Sixth edition. For Joseph
           Moxon, 1670. T.C.I 32. SALE.

O E325*   Elder, J. A book of copies for learners of round-hand. Sold
           by R. Bellinger, 1685. T.C.II 148, SR.

O E325AB   Elder, William. Pearls of eloquence. Londod [sic], for T. L.,
           1655. 8⁰. HAZ, LIV, N&Q.

O E325AC   Elder, William. Pearls of eloquence. Thomas Locke and Philip
           Wattleworth, 1656. SR, N&Q.

O E325AD   Elder, William. Pearls of eloquence. Thomas Locke, 1657. SR.

O E325AE   Elder, William. Pearles of eloquence. Thomas Moseley, 1659.
           SR.

O E325AF   Elder, William. Pearls of eloquence. Fifth edition. <u>For W. L.</u> <u>and</u> <u>are</u> <u>to</u> <u>be</u> <u>sold</u> <u>by</u> <u>S. Walsell</u>, 1685. 8°. HAZ.

O E325D   Elder, William. Youth's recreation. <u>Sold</u> <u>by</u> <u>T. Malthus</u>, 1682. T.C.I 507.

O E368A   An elegie on the barbarous, unparallel'd in soldiery, murder, committed at Colchester. <u>Printed</u> <u>in</u> <u>the</u> <u>year</u>, 1648. 4°. * HAZ.

O E373A   An elegie on the death of King Charles the Second. <u>William</u> <u>Thackeray</u>, 1685. brs. SR, ROL.

O E426E   An elegie on the much lamented deaths of Mr. Frances Bampfield. <u>Geo. Larkin</u>, 1684. bds. SR.

O E433A   An elegie on the reverend learned minister . . . William Jenkins. <u>Geo. Larkin</u>, 1685. bds. SR.

O E433B   An elegie on the reverend minister Mr. Frances Bampfield. <u>John</u> <u>Lawrence</u>, 1684. bds. SR.

O E433B   An elegie on Thomas Earle of Stratford. [<u>London</u>, 1641.] brs. HAZ.

O E466C   An elegie upon the death of Mr. Phill Porter. <u>Francis Coles</u>, <u>John</u> <u>Wright</u>, <u>Tho. Vere</u>, <u>and</u> <u>Will. Gilbertson</u>, 1656. brs. SR, ROL.

O E495B   Elestone, Sarah. The last speech and confession of. 1678. 4°. * HAZ.

O E499B   Eligham, Clement. A call to a general reformation of manners. <u>Sold</u> <u>by</u> <u>James Knapton</u> <u>and</u> <u>Rob. Knoblock</u>, 1700. AC.

O E516A   Eliot, John. A just reply to a false and scandalous paper. [<u>London</u>, <u>April</u>, 1649.] 4°. * HAZ, ROW.

O E552*   Ellis, Clement. Christianity in short. Third edition. <u>For</u> <u>T. Guy</u>, 1683. 12°. T.C.II 55.

O E564A   Ellis, Clement. The lambs of Christ. <u>For W. Rogers</u>, 1699. T.C.III 165.

O E572A   Ellis, Clement. Serious consideration and speedy repentance. <u>William Rogers</u>, 1691. SR.

O E573A   Ellis, Clement. The sum of Christianity. <u>For W. Rogers</u>, 1699. 8°. T.C.III 133.

O E586A   Ellis, John. Commentarius in Obadiam. 1641. 8°. ALL, DNB, WAT.

O E589A   Ellis, John. Retractions & repentings. <u>William Godbid</u>, 1661. SR, DNB.

O E606A   Ellis, Tobias. The English schoole. <u>Nevill Symons</u>, 1668. SR.

O E606B   Ellis, Tobias. The English school. Second edition. <u>For</u>
     T. <u>Gibbs</u>, 1669/70. 8°. T.C.I 28.

O E606C   Ellis, Tobias. The English school. Third edition. <u>For Nevil</u>
     <u>Simmons</u>, 1672. 8°. T.C.I 123.

O E606D   Ellis, Tobias. The English school. <u>For G. Sawbridge & Thomas</u>
     <u>Cockerill</u>, 1675. 8°. T.C.I 223.

O E610A   Ellison, Nathaniel. Of confirmation; a sermon. <u>For J. Wyat</u>,
     1700. AC.

O E618A   Ellwood, Thomas. A discourse concerning riots. <u>For Benjamin</u>
     <u>Clark</u>, 1683. 4°. * SMI, SALE.

O E656A   Elys, Edmund. . . . ad Samuelem Parkerum, STD. epistola tertia.
     Impensis, <u>R. Clavell</u>, 1680. 8°. T.C.I 395.

O E692A   Elys, Edmund. A refutation . . . Locke. <u>For and sold by</u>
     <u>William Marshall and John Marshall</u>, 1697. 8°. T.C.III 4,
     SALE.

O E704A   Emblems for the King & Queen. <u>For H. Newman</u>, 1695. T.C.II 560.

O E713A   Emlyn, Thomas. A sermon preached before the societies for
     reformation . . . in Dublin. <u>For W. Marshall</u>, 1700. 8°.
     T.C.III 196, AC, MORG.

O E713B   Emmerton, John. The case of. [<u>London</u>, 1680.] cap., fol. *
     SALE.

O E717A   The empire of the great Mogul. <u>For Thomas Basset, and</u>
     <u>R. Chiswell</u>, 1675. T.C.I 224, COX.

O E719A   Enchiridion. An office of thanksgiving. <u>Sold by E. Evets</u>,
     1699. 24°. T.C.III 106.

O E719B   Enchiridion arithmeticon, or a manual of millions. <u>For R.</u>
     <u>Horne</u>, 1669. 8°. T.C.I 22.

O E723A   The encomium royall, or a poem on the coronation of James the
     Second. <u>Charles Dennison</u>, 1685. SR.

O E725B   An end to the controversie between the Church of England.
     <u>For Richard Wellington</u>, 1697. 8°. T.C.III 12, SALE.

O E727A   An endeavor of making the principles of Christian religion.
     Second edition. <u>For Thomas Underhill</u>, 1643. 8°. HAZ.

O E2931C   England at her easement. [<u>London</u>], <u>printed in the yeare</u>,
     1648. 4°. * HAZ.

O E2937A   Englands admonition. <u>John Stafford</u>, 1649. SR.

O E2937B   England's afflictions fully demonstrated. John Stafford,
       1650. SR.

O E2950A   England's calamities discovered. 1696. 4°. HARL.

O E2951A   Englands captivity returned. [London, 1660.] brs. HAZ, AUC.

O E2951B   Englands comfort revived. Rich. Harper, 1641. ROL.

O E2954A   England's cure after a ling'ring sicknes. Rich. Harper, 1640[1].
       SR, ROL.

O E2960A   England's disorder; or, the subjects exclamation. For Richard
       Burton, 1646. brs. HAZ.

O E2962A   England's dust and ashes raked up. 1648. 4°. HARL.

O E2969A   England's glory, or the loyall subjects contents. Jonah Deacon,
       1685. bds. SR, ROL.

O E2974   England's great prognosticator. For Francis Grove, [1623-61].
       brs. HAZ, AUC.

O E2977A   England's happiness improved. Second edition. For Roger Clavell
       and sold by T. Leigh and D. Midwinter, 1699. 8°. HAZ, SALE.

O E2980A   England's heavenly admonitions. Francis Grove, 1657. brs.
       SR, ROL.

O E2980B   England's honour and London's glory. For William Gilbertson,
       [1660]. brs. HAZ.

O E2980C   England's honour revived. John Andrews, 1656. brs. SR, ROL.

O E2988A   England's joy for the coming in of . . . Charls. For John
       Andrews, [1660]. brs. HAZ, AUC.

O E2988B   England's joy in a lawful triumph. For Francis Grove, [1660].
       brs. HAZ, AUC.

O E2988C   England's joy or a relation of the most remarkable passages.
       By Thomas Creak, 1660. 4°. * HAZ, LOW, AUC.

O E2991A   England's lamentation in great distresse. Nich. Gamage, 1643.
       brs. SR, ROL.

O E2991B   England's late calamities. 1675. brs. ROL.

O E2993A   England's memento to thankfulness. John Hancock, 1646. brs. SR.

O E2995A   England's metamorphosis, or sudden alteration. John Hamond,
       1643. SR.

O E3000A   England's navie. Francis Grove, 1656. brs. SR, ROL.

O E3007A   England's outcry, or, sad lamentation. Tho. Fawcett, 1644.
         SR.

O E3017A   England's pleasant May-flower. For W. Gilbertson, [1640-65].
         brs. HAZ, AUC.

O E3022A   England's reformation needing to be reformed. 1661. 4°. HARL.

O E3022B   England's rejoycing at that happy day. For Francis Grove,
         [1623-61]. brs. HAZ, AUC.

O E3041A   England's royall conquest. For Richard Burton, [1641-74]. brs.
         HAZ, AUC.

O E3044A   England's safety in trade's encrease. Bourne, 1641. SR.

O E3060A   England's tryumph and Holland's downfall. For F. Coles,
         T. Vere, and J. Wright, [1666?]. brs. HAZ, AUC.

O E3068A   England's valour and Holland's terrour. For F. Coles, T. Vere,
         W. Gilbertson, and J. Wright, [c. 1690]. brs. HAZ, AUC.

O E3075A   England's worthies worthy to bee rememb'red. Fran. Grove,
         1657. brs. ROL.

O E3079A   English and Low-Dutch instructor. The first part. Rotterdam,
         Isaak Naevanus, 1678. 12°. SALE.

O E3079B   English and Nether-Dutch dictionary. Sold by Dorman Newman,
         1676. 8°. T.C.I 255.

O E3089A   The English horseman. For Simon Miller, 1673. 8°. T.C.I 127.

O E3090A   An English introduction to the Latine tongue. By John
         Redmayne, 1670. T.C.I 51.

O E3091A   An English introduction to the Latin tongue. For H. Mortlock,
         1684. 8°. T.C.II 77.

O E3100A   The English man's phisician. Richard Chiswell, 1692. SR.

O E3105*   The English military discipline. Sold by John Overton, 1676.
         4°. T.C.I 261.

O E3106A   The English nun. [London, 1700?] T.C.III 187. AC, HARL,
         MORG.

O E3115A   The English Protestant, or Utopia new modelled. Walbanck,
         1649. SR.

O E3116A   The English school. Third edition. Sold by George Sawbridge
         and Robert Clavell, 1673. T.C.I 138.

O E3118A   The English schole-master. Amsterdam, by Ian Bouman, 1663.
         8°. HAZ, LIV, SALE.

O E3118B   The English seaman's resolution. For F. Coles, T. Vere, and
       J. Wright, [c. 1690]. brs. HAZ, AUC.

O E3121A   The English traveller's companion. For Tho. Basset, and
       Richard Chiswell, 1676. T.C.I 229.

O E3121B   The English tutor. For B. Billingsley and S. Crouch, 1682.
       12°. T.C.I 474.

O E3140A   An ephemeris for thirty years. For T. Rooks, 1669. 8°. T.C.I 13.

O E3141A   Epicedia in obitum 8 senatorum Londonensiumi. Cantabrigiae,
       1641. 8°. GOU.

O E3154A   Epictetus. The most excellent morals of. 1692. N&Q, WAT.

O E3163A   An epistle admonitory written to an eminent professor. James
       Crumpe, 1644[5]. SR.

O E3168A   An epistle to the Right Honorable Charles Montagu. For E.
       Whitlock, 1698. fol. T.C.III 55, AUC, SALE.

O E3170A   Epistola medio-sexonica. Second edition. By F. L. for William
       Larner, 1659. 4°. * HAZ.

O E3172A   An epitaph upon a late worthy member . . . of Commons. [1641.]
       brs. HAZ.

O E3173A   Epitaphium domini Baronis de Hastings. 1649. brs. HAZ.

O E3175A   An epithalamium upon the auspicious match. 1662. HARL.

O E3178A   Epitome of English orthography. Boston, by B. Green, 1697. 8°.
       * EVANS 782.

O E3178B   The epitome of the Bible. For Jonathan Robinson, 1678. 12°.
       T.C.I 311, SALE.

O E3178C   An epitome of the Holy Bible. For E. Richardson, 1699. 24°.
       T.C.III 124.

O E3190A   Erasmus, Desiderius. Colloquiorum epitome. Edinburgh, 1641.
       ALDIS 1001, AUC.

O E3191A   Erasmus, Desiderius. Colloquiorum. In aedibus Milonis Flesher,
       1649. 8°. SALE.

O E3193A   Erasmus, Desiderius. Colloquiorum. In aedibus Eliz. Flesher,
       1672. 8°. SALE.

O E3198A   Erasmus, Desiderius. Dicta sapientum. Edinburgh, 1654.
       ALDIS 1490, AUC.

O E3198B   Erasmus, Desiderius. Dicta sapientum. Edinburgh, A. Anderson,
       1673. 8°. ALDIS 1987.

O E3199A   Erasmus, Desiderius. Dicta sapientum. Edinburgh, 1697.
            ALDIS 3263.

O E3202A   Erasmus, Desiderius. Familiaria Colloquia. Sixteenth edition.
            For T. Cockerill, 1698. T.C.III 68.

O E3208A   Erasmus, Desiderius. Preparatio ad mortem Erasmi, or a
            preparative. For S. Keble, 1700. AC.

O E3237A   Erbury, William. The reign of Christ. 1654. DNB.

O E3239A   Ercker, Lazarus. A description of all the chiefest minerall
            cures. John Love, Nicholas Hooper, 1675. SR.

O E3243A   Erra Pater. A prognosticatium for ever. For Thomas Bassett,
            Richard Chiswell, Samuel Smith, Benjamin Walford, and George
            Conyers, 1694. 8°. SALE.

O E3248A   The errors of the Church of Rome. By J. D. for A. Churchill,
            1687. 4°. SALE.

O E3248B   The errors of the common catechisme. Math. Symmons, 1645. SR.

O E3262A   Espagne, Jean d'. The joyfull convert. By J[one] Leach,
            1658. 12°. * SR, SALE.

O E3277A   An essay against simony. For R. Clavell, 1694. 4°. T.C.II 519,
            AUC.

O E3281A   An essay for promoting trade. [London, 1700?] 4°. * MORG.

O E3285A   An essay of a catechism. For D. Dring, 1695. 24°. T.C.II 555.

O E3295A   An essay toward settlement upon a sure foundation. [London,
            1659.] brs. WHI.

O E3301A   An essay upon the usefulness of mathematical learning. Sold
            by W. Hawes, 1700. AC.

O E3302A   Essays upon first, the ballance of power. For James Knapton,
            1700. 8°. AC.

O E3384A   The Ethiopian's complaint. By A. Sowle, 1691. 8°. T.C.II 372.

O E3386A   Eucharistical devotions. For H. Bonwick, 1700. AC.

O E3395A   Euclid. Euclid's Elementorum. Apud Abel Swalle, 1687. 8°.
            HARL, SALE.

O E3397A   Euclid. Elements of arithmetic. W. & J. Marshal, [c. 1690].
            12o. SALE.

O E3399A   Euclid. Elements. 1686. 12°. LOW, WAT.

O E3401A   Euclid. Euclid's Elements. Oxford, 1698. WAT.

O E3413A   [Euer, Samson.] Tryal's per pais. For George Dawes and are to
              be sold by Matthew Wotton, 1685. 8°. SALE.

O E3418*   Europe's revels. For H. Playford, 1698. T.C.III 54.

O E3429A   Eustachius. Ethica. Typis I. R. Impensis Ich. Williams, 1671.
              8°. SALE.

O E3443A   The evangelical history, Part the 2d. For A. Swalle & T. Child,
              1696. 8°. T.C.II 568.

O E3449A   Evans, John. Hesperides. Humphrey Moseley, [1655?]. SR, HAZ.

O E3474A   Evans, Rhys. Arise Evans, the English prophett, or his
              wonderfull prophesies. Joseph Blacklock, 1672. SR.

O E3524A   Evelin, Robert. A letter describing New Albion. 1641. TAY.

O E3525A   An evening adventure. 1680. HAZ.

O E3536A   Everard, Robert. Baby-baptism routed. 1650. 4°. DNB, GIL,
              WHI.

O E3537A   Everard, Capt. Robert. The creation and fall of the first
              Adam reviewed. 1652. 12°. N&Q.

O E3543A   Everard, Thomas. Stereometry. Second edition. For R. Clavel
              & Chr. Hussey, 1689. 8°. T.C.II 264, SALE.

O E3543B   Everard, Tho. Stereometry. Third edition. For R. Clavell,
              1696. 8°. T.C.II 606, SALE.

O E3543C   Everard, W. Mercantile book-keeping. 1675. ALL.

O E3545A   Everenden, H. Reward of the wicked. Glasgow, [Sanders],
              1696. ALDIS 3559.

O E3549*   Everlasting fire no fancy. 1678. HARL.

O E3549B   Every man to his humour. F. C., T. V., W. G., 1658. brs. ROL.

O E3554A   Evidences of the faith of God's elect. William Marshall, 1694.
              brs. SR.

O E3555A   The evill spirit conjur'd. For R. F., 1653. SALE.

O E3557A   Ex nihilo omnia i or The saints companion. By J. Orme for
              Thomas Jones, 1692. 8°. HAZ, AUC.

O E3571A   An exact account of the indictment. For R. Scot, T. Basset,
              J. Wright, and R. Chiswell, 1679. 8°. T.C.I 376.

O E3575A   An exact account of the most remarkable fires . . . London. [1667.] fol. * AUC.

O E3595A   An exact and faithful account of the most glorious and signal victory. For L. C., 1690. brs. AUC.

O E3599A   An exact and lively map or representation of the Booth's upon the Ice. William Warter, 1683. T.C.II 62.

O E3627A   Exact book of most approved precedents. 1641. 12°. SWE.

O E3631A   Exact clerk and scrivener. 1656. 12°. SWE.

O E3640A   An exact description of the reception made for the King by the States Generall. Fran. Saunders, 1691. SR.

O E3654A   An exact list of the commanders & officers . . . under . . . Fairfax. Robert Austen, 1644[5]. SR.

O E3663A   An exact narrative of the affection, services, and expences of Capt. Reeve Williams. 1653. 4°. * SALE.

O E3669A   Exact numerical lists of the benefit numbers . . . Greenwich Hospital. For M. Fabion, 1700. AC.

O E3670A   The exact pleader. Sold by R. Taylor, 1681. 8°. T.C.I 451, SWE.

O E3685A   An exact relation of the delivering up of Reading . . . to . . . Essex. 1643. 4°. GOU, AUC.

O E3693A   An exact relation of the marching of the red & blew regiments . . . Gloster. Ben Allen, 1643. SR.

O E3697A   An exact relation of the storming and taking of Dartmouth. 1645. 4°. * GOU.

O E3700A   An exact relation of the whole proceedings of the Parliaments forces in Tunbridge. Andr. Coe, 1643. SR.

O E3704A   An exact scheme of all the variety of shews . . . ice on the River Thames. William Warter, 1684. SR.

O E3704B   The exact surveyor. 1654. 8°. HARL.

O E3706A   Examen & purgamen Vavasoris. 1653. ROW.

O E3712A   The examination, confession, tryal, condemnation, and execution of Joan Perry. 1676. 4°. * HAZ.

O E3718A   The examination of Isabel Binnington. Yorke, 1662. 12°. HAZ.

O E3726A   An examination of the grounds or causes . . . Quakers. 1660. SAB.

O E3727A An examination of the Pacifick paper. For W. Marshall, &
     J. Marshall, 1697. 4°. T.C.III 20.

O E3768A The exceeding riches of God's saving speciall mercies. John
     Grismond, 1661. SR.

O E3785A An excellent ballad intituled, The unfortunate love. For
     F. Coles, T. Vere, and W. Gilbertson, [c. 1690]. brs. HAZ.

O E3792A An excellent ballad of patient Grissel. For F. Coles, T. Vere,
     and W. Gilbertson, [c. 1690]. brs. HAZ, ROL.

O E3792B An excellent ballad of patient Grissel. By and for Alex.
     Milburn, [1684-93]. brs. HAZ.

O E3794A An excellent ballad of that most dreadful combate . . . Dragon
     of Wantley. By and for W. O., [c. 1685]. brs. SALE.

O E3794B An excellent ballad of the death and passion of our Lord.
     1675. brs. ROL, ROX.

O E3804A An excellent new ballad, intituled, The cripple of Cornwall.
     [London, 1700.] brs. SALE.

O E3804B An excellent new ballad of the birth . . . Christ. For F. Cole,
     M. Wright, T. Vere, and W. Gilbertson, [c. 1690]. brs. HAZ.

O E3832A An excellent new song on the happy coronation. [London], by
     J. Blare, 1689. brs. ROX.

O E3833A An excellent new song or, The orange flag display'd. [London],
     printed in the year, 1658. brs. HAZ.

O E3833B The excellent parable of the prodigall child. 1656. brs.
     ROL, ROX.

O E3836A An excellent song, whereby thou shalt find great consolation.
     1656. brs. ROL, ROX.

O E3837A An excellent sonnet, or The swaines complaint. For John
     Wright, [1641-57]. brs. HAZ.

O E3856A The execution of William Staley and Edward Coleman. For
     Philip Brooksby, 1678. 4°. HAZ.

O E3863A The exercise of the foot. Sold by Robert Morden, 1694. 8°.
     * HAZ.

O E3865* Exercitations concerning the name, original . . . of a day of
     sacred rest. For N. Ponder, 1671. 8°. T.C.I 82.

O E3865** Exercitia Latina, or Latine for Garretson's English exercises.
     For H. Walwyn, 1699. 12°. T.C.III 126.

O E3866AC The exhortation that a father gave to his children. F. C.,
     J. W., T. V., W. G., 1656. ROL.

O E3867A   An exhortation to perseverance. For J. Nutt, 1700. AC.

O E3867B   An exhortation to the inhabitants of Down and Connor. 1695. AUC.

O E3877A   The experienc'd instructor. For Tho. Howkins, 1686. T.C.II 170.

O E3880A   Experimentorum novorum physico-mechanicorum. Oxford, sold by
R. Davis, 1683. 8°. T.C.II 5.

O E3880B   The expert doctor's dispensatory. The whole art of physick.
N. Brook, 1657. 8°. SALE.

O E3881A   The expert gardiner. Nathan. Brookes, 1657. SR.

O E3884A   An explanation of the church office of baptism. For H. Bonwick,
1700. AC.

O E3884B   An explanation of the creed. Second edition. Sam. Tidmarsh,
1683. T.C.III 158.

O E3888B   An expostulation for the pious employment of wit. [c. 1670]. brs.
HAZ.

O E3892A   An express of the burning of St. Maloes. 1695. TEM.

O E3931A   The extraordinary cure of Elizabeth Parcet . . . of the King's
evil . . . touching . . . Monmouth. For Benj. Harris, 1680.
brs. HAZ.

O E3935A   Eye-salve for England, or the grand Trappan detected. 1667.
4°. HARL.

O E3944A   Eyre, William. Epistola ad V serium. 1652. 4°. ALL, WAT.

O E3949B   Eyston, Bernard Francis. A clear looking-glass for all wandering
sinners. Roane, 1654. 24°. DNB, GIL.

F

O F70A   Faber, James. Myrothecium spagyricum, or a chemicall dispensatory.
Nath. Brooke, 1655. SR.

O F80A   Factum, for the English merchants . . . debts contracted on the
Levant by the Earle of Cery. [London? 1645.] fol. * SALE.

O F80B   Facy, William. Stenography. 1672. ALL, LOW.

O F83A   Fage, Robert. A geographical directory. Sold by J. Overton,
1678. T.C.I 304.

O F105A   Fair warnings to a careless world. 1665. 4°. LOW, AUC.

O F123A   Fairfax, George. Navigation epitomiz'd. [London, c. 1690.]
               brs. SALE.

O F257A   Fairweather, Thomas. Two sermons preached. For C. Brome, 1697.
               T.C.III 12, ALL, WAT.

O F257B   Faith and experience or a short narration of the life and death
               of Mary Simpson in . . . Norwich. Rich. Tomlyns, 1649. SR.

O F258A   Faith I must lash you. Fran. Coles, 1641. brs. SR, ROL.

O F268A   A faithful and implicit account of the behaviour . . . Essex
               free-holders. 1679. fol. GOU.

O F268B   The faithful councellor, or, the marrow of the lawe in English.
               Edward Dod, Nath. Ekins, Tho. Brewster, and Gregory Mole,
               1651. SR.

O F278A   A faithfull narrative of the strange appearance of the spirit
               of Edward Aren to T. G. [London], printed in the year, 1674.
               4º. * HAZ, AUC.

O F293A   The faithlesse lover. Tho. Passenger, William Thackary, John
               Wright, and John Clarke, 1683. brs. SR, ROL.

O F294A   The falacy of the great water drincker discovered. Bern. Alsop,
               1650. SR, HAZ, AUC.

O F299A   Faldo, John. A curb for William Penn's confidence. [c. 1674.]
               DNB, SMI.

O F309A   Fale, Thomas. Fale redivivus, or the sunshine of shadows.
               [1654?] TAY.

O F312A   Falk, Jeremiah. Novae & exquisitae florum icones. For J.
               Marshall, 1700. AC.

O F343A   The false dissembling young men fitted. Fran. Grove, 1656.
               brs. SR, ROL.

O F352A   Familiar forms of speaking. Third edition. By J. Grover, for
               T. Helder, 1680. 12º. SALE.

O F353A   Familiar forms of speaking. Seventh edition. Sold by Thomas
               Grey, 1688. T.C.II 221.

O F353B   Familiar forms of speaking. Eighth edition. For T. Helder,
               1691. 12º. T.C.II 352.

O F353C   Familiar forms of speaking. Ninth edition. For T. Helder,
               1692. 12º. T.C.II 432.

O F354A   Family prayers for every day. Second edition. For J. Wyatt,
               1700. T.C.III 178.

O F359A   The famous and renowned history of the memorable . . .
           Chevy-Chase. By and for C. Brown, [c. 1690]. 4°. * SALE.

O F363A   A famous battell fought by the Earle of Bedford. By I. Williams,
           Octob. 1, [1642]. 4°. * SALE.

O F370A   The famous history of Bevis of Southampton. For J. Deacon,
           1692. 4°. T.C.II 397.

O F373A   The famous history of Fryer Bacon. For T. Passenger, 1682. 4°.
           T.C.I 480.

O F378A   The famous history of Stout Stukley. [c. 1650.] CBEL.

O F386A   The famous triall of Mr. Persecution. John Dunton, 1683. SR.

O F387A   A famous victory obtained by Sr. John Merrick's regiment. 1642.
           AUC.

O F404A   Phanatics semper iidem. 1661. 4°. AUC.

O F406A   Fancy, Peter. Joyfull news to the nation. For Richard Burton,
           [1641-74]. brs. HAZ.

O F439B   Farmborow, Nich. Fundamenta grammatices, or. Fourth edition.
           For R. Clavell, 1699. T.C.III 165.

O F457A   Farnaby, Thomas. . . . Index rhetoricus. For Richard Chiswell,
           1676. 12°. T.C.I 261.

O F464A   [Farnaby, Thomas.] Troposilematologia. [London], prostant
           apud Rich. Royston, 1648. 8°. * SALE.

O F465A   [Farnaby, Thomas.] Troposchematologia, maximum partem. Fifth
           edition. Prostant apud Richardum Royston, 1677. 8°. SALE.

O F526A   A farther account of Latham Spaw. For Robert Clavell, 1672.
           T.C.I 111.

O F526BA   A farther account of the tryals of the New England witches.
           For J. Dunton, 1693. T.C.II 476.

O F553A   The father's advice to his children. Richard Meade, 1688. brs.
           SR, ROL.

O F553B   Father's exhortation. 1675. brs. SR, ROL.

O F562A   Fawcet, Samuel. Sermon on Psalm xxv.22. 1668. 8°. ALL,
           WAT.

O F576*   Fearful news from Coventry. 1642. 4°. * HAZ, LOW.

O F576**   The fearful summer, or London's calamitie. 1665. 4°. AUC.

O F576*** A fearfull warning for all wicked livers. Francis Grove, 1656.
           brs. SR, ROL.

O F597A   Featley, John. A divine antidote against the plague. 1660.
           ALL, WAT.

O F599A   Featley, John. A fountain of teares. Thomas Mabb, 1665. SR.

O F647C   [Feltham, Owen.] Batavia: or the Hollander displayed. 1697.
           8°. HARL.

O F668A   Female pre-eminence, or. Hen. Million, 1671. SR.

O F669A   The female secretary. Hen. Million, 1671. SR.

O F674B   [Fenelon, François de Salignac de la Mothe.] The education of
           young gentlewomen. For N. R. and sold by T. Leigh and D.
           Midwinter, 1699. 12°. T.C.III 96, SALE.

O F681A   Fenner, William. The Christian mans directory. Rothwell,
           1648. SR.

O F691A   Fenner, William. The greatest scholar. John Rothwell, 1660.
           SR.

O F721A   Fenwick, John. Friends, these are to satisfie you. [London,
           1675.] brs. SAB, AUC.

O F729A   [Ferguson, Robert.] Advice to the country in their electing.
           [1695.] 4°. DNB.

O F753A   [Ferguson, Robert.] A letter to Robert Harley. [1698?] 8°.
           DNB, MORG.

O F764A   [Ferguson, Robert.] A view of an ecclesiastick. Second edition.
           For J. Marshall, 1699. 4°. T.C.III 146.

O F806A   Fernel, Jean. All the works of. Peter Cole, 1651. SR.

O F806B   Fernel, Jean. The workes of. Peter Cole, 1657. SR.

O F823A   Festeau, Paul. French grammar. For Samuel Lowndes, 1671. 8°.
           T.C.I 91.

O F825A   Festeau, Paul. Nouvelle grammaire angloise. For Thomas
           Thornicroft, 1671/2. 8°. T.C.I 98.

O F825B   Festeau, Paul. Nouvelle grammaire angloise. Second edition.
           Chez G. Wells, 1678. 8°. T.C.I 323, SALE.

O F828A   Festival of love. 1689. 8°. AUC.

O F838C   Few words are best. For W. Gilbertson, [1640-1655]. brs. HAZ.

O F863B   Field, John. A few words. Fra. Clarke, 1683. SR.

O F884A   Fiery darts of the devil quenched. 1654. AUC.

O F886A   The fifteen plagues of a lawyer. By H. Goodwin, [c. 1700]. 8⁰. * HAZ.

O F904A   Filer, Sam. A sermon preached at the triennial visitation. For T. Flesher, 1682. 4⁰. T.C.I 470.

O F921A   Filmer, Robert. Observations upon Aristotles politiques. Fourth edition. For S. Keble, 1695. 8⁰. T.C.II 561. SWE.

O F944B   Finch, Martin. Of the conversion. For H. Mortlock, 1679. T.C.I 368.

O F953A   Entry cancelled.

O F954A   The fire upon the altar. For A. Roper, 1678. 8⁰. T.C.I 329.

O F966A   Firmin, Giles. Some remarks upon the Anabaptist's answer. [1694.] DNB, WHI.

O F969A   Firmin, Giles. Weighty questions. For J. Salusbury, 1693. 4⁰. T.C.II 473, ALL.

O F974A   The first book for children. By W. O., and are to be sold by M. Mead, [c. 1700]. 16⁰. HAZ.

O F980A   Entry cancelled.

O F1003A   Fisher, George. Plurimum in minimo, or. For G. Conyers, 1693. 12⁰. T.C.II 483.

O F1010A   Fisher, Payne. The anniversary ode on his sacred majesty's inauguration. 1685. 4⁰. DNB, HAZ.

O F1013A   Fisher, Payne. Carmen ad clerum. [1666.] 4⁰. * HAZ.

O F1015A   Fisher, Payne. Elogium sepulchrale pro Edvardo Comite Sandovici. 1672. 4⁰. HAZ.

O F1018A   Fisher, Payne. Epitaphium Roberti Monlocuti Comitem de Lindsey. 1668. 4⁰. * HAZ.

O F1018B   Fisher, Payne. Epitaphium vel elogium sepulchrale . . . Henrici Norwood de Luckhampton. 1689. 4⁰. * HAZ.

O F1022A   [Fisher, Payne.] In obitum serenissimi . . . Olivari. Excudebat Joannes Field, 1658. brs. SALE.

O F1029A   Fisher, Payne. Negotiatio Whitlocciana. Roger Daniel, 1655. fol. LOW, AUC.

O F1038A   Fisher, Payne. Soterie pro valedudine . . . Albemarle. 4⁰. * HAZ.

O F1046A Fisher, Samuel. An antidote against the fear of death. 1650. DNB.

O F1048A Fisher, Samuel. The burden of the word of the Lord. 1656. DNB.

O F1053A Fisher, Samuel. Lux Christi emergens. 1660. DNB.

O F1106A Fitz-William, John. Sermon . . . on Isai xxxviii.1. 1696. 12°. ALL, WAT.

O F1120A Five sermons preached on various occasions. For J. Salusbury, 1689. 4°. T.C.II 283.

O F1120B Fiver several indictments. 1663. AUC.

O F1122A Five speeches spoken to his Majesty returning out of Scotland. 1641. 4°. LOW.

O F1129A Flamel, Nicolas. The hierogliphicall figures of. Humph. Mosely, 1655. SR.

O F1154A Flatman, Thomas. The review, to the Reverend . . . William Sancroft . . . a Pindarique ode. Ben. Tooke and Jona. Edwyn, 1673. * SR.

O F1159* Flavell, John. Divine providence. Edinburgh, 1681. ALDIS 2267.

O F1159** Flavell, John. A double scheme or table. Thomas Cockerill, 1691. SR.

O F1159B Flavell, John. England's duty. Second edition. Sold by A. Bell, 1700. AC.

O F1164A Flavell, John. The grand evil discovered. For Samuel Crouch, 1676. 8°. T.C.I 244.

O F1167A Flavell, John. Husbandry spiritualized. For T. Parkhurst, 1694. T.C.II 521.

O F1171A Flavell, John. Navigation spiritualized. For R. Tomlins, 1670. 8°. T.C.I 62, DNB.

O F1171B Flavell, John. Navigation spiritualized. Sold by T. Fabian, 1677. 8°. T.C.I 296.

O F1180A Flavell, John. The reasonableness of personal reformation. 1691. DNB, WAT.

O F1182A Flavell, John. The righteous man's refuge. 1682. DNB.

O F1185A Flavell, John. Sacramental meditations. For N. Crouch, 1694. T.C.II 518.

O F1198A F[lavell], J[ohn]. A token. For T. Parkhurst, and D. Newman, 1685. 12°. T.C.II 119.

O F1198B   Flavell, John. A token. For T. Parkhurst, and D. Newman,
              1690. 12°. T.C.II 326.

O F1201A   Flavell, John. The touchstone of sincerity. Edinburgh, 1695.
              ALDIS 3761.

O F1260A   Fleming, Giles. His Majesty's pedigree. T. Rooks, 1664. AUC.

O F1269A   Fleming, Robert. The fulfilling of Scriptures. Third edition.
              For W. Marshall, and J. Marshall, 1695. T.C.II 561.

O F1281A   Fleming, Robert, younger. Joshua's choice. 1684. DNB.

O F1362A   Fletcher, William. The dying words of. Philadelphia, by
              Reinier Jansen, 1699. SAB.

O F1365A   Floral ornament and flower beds. [? 1650.] fol. SALE.

O F1367A   Flores del desierto, cosidas. [London], 1667. 12°. SALE.

O F1367B   Floridon and Luerna, a romance. 1663. 4°. HAZ, LOW.

O F1380A   Florus, Lucius Annaeus. The Roman history. For P. Parker,
              1673. 8°. T.C.I 129.

O F1381B   Flory de S. Foy. The greate exemplar of Christian truth.
              Langley Curtis, 1678. SR.

O F1384A   Flower, Christopher. Sermon on John xix.42. 1660. 4°. ALL,
              WAT.

O F1385A   Flower, John. The free and honourable servant. 1652. 8°. DNB.

O F1385B   Flower, John. Sermon on Matt. iv.9. 1669. 4°. ALL, WAT.

O F1386A   Floyd, David. Great Britaines catalogue of honour. Samuell
              Speed, 1666. SR.

O F1389A   Floyer, Sir John. The touch-stone of medicines. For R. Wild,
              1689. 8°. T.C.II 253.

O F1406A   Fontaine, Nicholas. The history of the Old and New Testament,
              in curious brass cuts. Sold by Jo. Williams, 1671/2. T.C.I 96.

O F1406B   Fontaine, Nicholas. The history of the Old and New Testament.
              Printed for and sold by Richard Blome, 1691. 8°. HAZ, SALE.

O F1406C   Fontaine, Nicholas. The history of the Old and New Testament.
              For S. Keble, 1692. 24°. T.C.II 489.

O F1412A   [Fontenelle, Bernard Le Bouvier de.] A discovery of new
              worlds. For J. Walthoe, 1690. 8°. T.C.II 342.

O F1417A   Fontenelle. The theory or system. 1688. CBEL.

O F1430A   For sale by the candle at Col. Mason's coffee-house . . . May 15.
John <u>Vernon</u>, [1673]. fol. * SALE.

O F1444A   Forbes, James. A summary of that knowledge. 1700. 8°. DNB,
MORG.

O F1449A   Forbes, John. Sermon on 2 Timothy ii & 4th. <u>Delft</u>, 1642. 12°.
ALL, WAT.

O F1452A   Forbes, Robert. [Theses.] [<u>Aberdeen</u>, <u>Forbes</u>], 1684. ALDIS 2494.

O F1457A   The force of love. John <u>Walthoe</u>, 1684. T.C.II 96.

O F1466A   Ford, John. An ill beginning. 1660. HAZ.

O F1478A   Ford, Simon. A Christian's acquiescence. By <u>R. D.</u> for John
<u>Baker</u>, 1665. 8°. HAZ, AUC.

O F1495A   Ford, Simon. Preservative against Quakerism. For <u>R. Wilde</u>,
1690. T.C.II 331.

O F1505A   Ford, Stephen. A discourse of regeneration. For <u>Nath. Crouch</u>,
1674. 8°. T.C.I 194, ALL, WAT.

O F1533*   Forde, Emanuel. The most famous, delectable . . . Parismus.
Fifth edition. By <u>E. Alsop</u> <u>for</u> John <u>Andrews</u>, 1657. 4°. CBEL,
HAZ, SALE.

O F1545A   Forde, Emanuel. The pleasant history of Parismus. By <u>J. B.</u>
<u>for</u> Charles <u>Tyus</u>, [c. 1660]. 4°. * SALE.

O F1561A   The form and manner of administrating. For <u>T. Cockerill</u>, 1700.
T.C.III 211.

O F1584A   Forms of prayer, collected. For <u>H. Bonwicke</u>, 1687. 12°.
T.C.II 205.

O F1584B   Forms of prayer for every day. For <u>R. Boulter</u>, 1682. 8°.
T.C.I 492.

O F1584C   Formes of prayer used in the court of Her Highnesse the Princess
Royall. [<u>Holland</u>], 1649. * AUC.

O F1588A   Forrest, James. Method of curing fevers, against Dr. Brown.
<u>Edinburgh</u>, 1694. ALDIS 3370.

O F1588B   Forresta de Waltham alias Forresta de Essex. The Meers, Meets,
Limits. For <u>L. Chapman</u>, 1642. 4°. * HAZ.

O F1588C   Forresta de Windsor in Com. Surrey. The Meers, Meets, Limits.
1646. 4°. COX, GOU, HAZ.

O F1611A   Forster, Thomas. The lay-mans lawyer. Second edition. 1658.
12°. * ALL, SWE, WAT.

O F1611B   Forster, William. Arithmetick, explaining. G. Sawbridge, 1667. LOW.

O F1615A   Fortin. The father's legacie. Thomas Davies, 1656. SR.

O F1618A   The fortunate, the deceived, and the unfortunate, lovers. For W. Cadman, 1683. T.C.II 49.

O F1618B   Fortunatus's looking-glass, or an essay upon loftiness. 1699. 4°. HARL.

O F1619A   The fortune tellers foule mistake. Francis Grove, 1656. brs. SR, ROL.

O F1629A   Foster, Samuel. The art of measuring. For J. William, 1677. 8°. T.C.I 279.

O F1637A   Foster, William. Hoplo-crisma spungus, or a sponge. 1641. DNB.

O F1638A   A foule quarrell fairly ended. Fran[cis] Grove, 1657. brs. SR, ROL.

O F1644A   Foulkes, Robert. The confession, prayers, letters. Langly Curtis, 1674. SR, WAT.

O F1648A   Fountaine, Edward. Melancholy bane. 1654. AUC.

O F1649A   The fountain of chymical philosophy. [London], printed in the year, 1694. 8°. HAZ.

O F1658A   Four hundred new sorts of birds. Sold by J. Overton, 1671. T.C.I 88.

O F1665A   Four plain practical discourses. For E. Tracy, 1700. 12°. T.C.III 203, AC.

O F1670A   Four speeches delivered in Guildhall. Edinburgh, Tyler, 1643. 4°. * ALDIS 1083.

O F1672A   Four tracts, I. A short discourse about divorce. For D. Brown, and R. Smith, 1698. 8°. T.C.III 107, HAZ.

O F1725A   [Fowler, Edward.] Twenty-eight propositions, by which. 1693. 4°. CBEL, DNB.

O F1725B   Fowler, Edward. Two sermons. For B. Aylmer, 1683. 4°. T.C.II 39.

O F1736A   The ffowler caught in his owne snare. Rich. Harper, 1641. brs. SR, ROL.

O F1742A   F[ox], G[eorge]. An answer to a paper. Second edition. 1660. 4°. SMI.

O F1756BA   F[ox], G[eorge]. A catechism for children. 1650. 18°. HAZ.

O F1851A   Fox, George. Instructions for right spelling. 1691. 12°. SMI.

O F1852A   Fox, George. Instructions for right spelling. 1700. 12°. SMI.

O F2022A   Fox, John. The door of heaven opened. For S. Sprint, 1688.
12°. T.C.II 240.

O F2032A   Foxcroft, John. The altogether Christian. For J. Robinson,
1695. T.C.II 537, WAT.

O F2033A   Foxcroft, John. The character of blessing. For J. Robinson,
1696. T.C.II 600.

O F2054A   France's grandeur and glory. Francis Eglesfield, 1673. SR.

O F2060A   Francisco, Seigneor. Easie lessons on the guittar. For Jo. Carr,
1677. T.C.I 291.

O F2095A   Fraser, Alexander. A generall and compleate list millitary.
Nathan Brookes, 1684. SR.

O F2098A   Fraser, George. Positions. Aberdeen, [Forbes], 1691. 4°. *
ALDIS 3167.

O F2098B   Fraser, George. [Theses.] [Aberdeen, Forbes], 1683. *
ALDIS 2434.

O F2099A   Fraughton, W. Of the causes and cure. For B. Harris, 1678.
12°. T.C.I 310.

O F2103A   Frederick III. Two manifestos, or declarations. [London, May
3, 1644]. 4°. * HAZ.

O F2113A   The free customs, benefits and priviledges . . . Stepny. For
Henry Twyford, 1675. 4°. HAZ, SALE.

O F2113B   A free discourse between two intimate friends. Lod. Lloyd,
1670. SR.

O F2164A   [Freke, William.] The prophetick foreknowledge. [1700.]
8°. MORG.

O F2184A   The French dancing master. For J. Walsh and J. Hare, 1700.
T.C.III 214, AC.

O F2190A   The French pasterer. Nath. Brookes, 1656. SR.

O F2192A   The French perfumer. Second edition. For S. Buckley, 1697. 8°.
T.C.III 17, SALE.

O F2196B   The French rogue. For N. Boddington, 1694. 12°. T.C.II 522,
CBEL.

O F2197G   A fresh and terrible alarm to all married people. John Bradford,
1697. brs. SR, ROL.

O F2204A   The Frier and the boy. By Jane Bell, [1655?]. 8°. HAZ.

O F2207A   The Frier well fitted. Fran. Grove, 1656. brs. SR, ROL.

O F2215A   A friendly caveat, or hee that hath most money. William
              Gilbertson, 1656. brs. SR, ROL.

O F2219A   A friendly dialogue between two countrymen. 1699. brs. SALE.

O F2221A   A friendly letter, in 3 three parts. I. To all young men.
              Second edition. Sold by D. Brown, R. Sympson, and J. Marshall,
              1700. AC.

O F2224A   A friendly letter to such as hear voices. J. Whitlock, 1695.
              brs. SALE.

O F2253A   Fruits of solitude, in reflexions and maxims. 1693. AUC.

O F2254*   Fryngio, C. de. Medecina magnetica, or the rare and wonderfull
              art of curing by simpathy. Ralph Smith, 1656. SR.

O F2261A   Fulke, William. A most pleasant prospect into the garden. By
              E.G., for William Leake, 1642. 8°. HAZ.

O F2262A   A full account of a most tragycal and inhuman murther . . .
              Claes Wells. D. Edwards, 1699. brs. SALE.

O F2265A   The full account of the behaviour and confession of the
              condemned criminals. 1687. brs. GOU.

O F2266A   A full account of the great and terrible earthquake in Germany.
              For P. C., 1673. 4°. * SALE.

O F2276A   Full and easie satisfaction. Nevil Simmons, 1673. SR.

O F2285A   A full and particular account of a most horrid, barbarous and
              willful murder. By J. How, [c. 1700]. brs. SALE.

O F2286A   A full and particular relation of that . . . unheard-of murther.
              Alex. Milbourn, 1692. brs. SALE.

O F2286B   A full and particular relation of the most horrid murther.
              Alex. Milbourn, 1691. brs. SALE.

O F2291A   A full & perfect relation of the taking of . . . Newcastle.
              Robert Bostock, 1644. * SR.

O F2292A   A full and true account of a bloody and barbarous murder . . .
              Southwark. R. Janeway, 1690. brs. SALE.

O F2292B   A full and true account of a most barbarous and bloody murther
              . . . by Edward Williams. William Alkins, 1700. brs. SALE.

O F2293B   A full and true account of a most barbarous and cruel murder
              . . . Wakefield. 1677. 4°. GOU.

O F2293C   A full and true account of a most barbarous murther and robbery committed by John Davis. A. W., 1699. brs. SALE.

O F2293D   A full and true account of a most barbarous murther and robbery committed on . . . Mrs. Johannah Williams. T. Lightbody, 1699. brs. SALE.

O F2294*   A full and true account of a most dreadful and astonishing fire . . . Whitehall. By G. Bradford, 1698. brs. GOU, N&Q.

O F2307A   A full and true account of the loss of their Majesties Ship The Diamond. Printed in the year, 1695. 4°. * SALE.

O F2310B   A full and true account of the situation . . . of Stetin. William Jacob, Langley Curtis, Daniel Browne, Daniel Major, and James Vade, 1678. SR.

O F2311*   A full and true account of the strange discovery. B. H., 1699. brs. SALE.

O F2311BA   A full and true account of the tryal . . . of the Scotch rebels. J. Pardo, 1689. brs. SALE.

O F2311D   A full and true account of two most horrid, barbarous, and cruel murders. For J. How, [c. 1700]. brs. SALE.

O F2313A   A full and true relation how a maid at Kensington was carried away. 1674. 4°. * GOU.

O F2315D   Full and true relation of a woman that was delivered . . . of a great toad. 1676. 4°. * HARL.

O F2323A   A full and true relation of the great and bloody fight. For R. Janeway, 1682. 4°. * T.C.I 496.

O F2348*   A full display of strange and prodigious cruelties. Chr. Hussey, 1683. * SR.

O F2361A   A full relation of the expedition of [Robert] Monroe in . . . Vulster. 1644. * CBEL.

O F2374A   A full relation of the wonderful fountain discovered . . . Holberstadt. 1646. TAY.

O F2394A   Fuller, Nicholas. Argument in the case of Thomas Lad. 1674. 4°. ALL, SWE, WAT.

O F2415A   Fuller, Thomas. A choragraphicall comment on the history of the Bible. Williams, 1649. SR.

O F2480A   Fuller, William. A brief discovery. Dublin, reprinted in the year, 1696. 8°. * HAZ.

O F2526A   Fulton, Alexander. Alexandri Fultoni Scoti epigrammatum libri quinque. Perth, 1679. 8°. HAZ.

O F2527A   Fumblers hall. 1675. brs. SR, ROL.

O F2527B   Fundamenta grammatices, or the foundation. For R. Clavell,
                     1679. 8°. T.C.I 375.

O F2527C   Fundamenta grammatices, or. For R. Clavell, 1690. 8°.
                     T.C.II 325, SR.

O F2527D   The fundamental articles of Christian faith. For R. Clavell,
                     1697. T.C.III 35.

O F2527E   Fundamental constitution of the palace-court or Marshalsea.
                     1663. 8°. GOU.

O F2530A   Fundamentum patriae: or England's settlement. For Thomas Rooks,
                     1665. 8°. HAZ.

O F2531A   A funeral elegy in commemoration of . . . Sir John Johnston.
                     J. Miller, 1690. brs. SALE.

O F2531B   Funeral elegy on the Rt. worshipful & pious lady, the Lady Faith
                     Knight. [London, 1671.] brs. AUC.

O F2537A   Funerall monuments of England and Wales. Awnsham and John
                     Churchill, 1694. SR.

O F2540A   The funeral solemnities at the interment of the corpse of . . .
                     John, Duke of Rothes. [London, 1685.] obl. fol. * HAZ.

O F2543A   A further account of nineteen rebels . . . executed at Taunton
                     Dean. 1685. fol. * SALE.

O F2543B   A further account of the dispensaries in the College of physicians.
                     Sold by J. Nutt, 1700. AC.

O F2550B   A further and more particular account of the rebels in Scotland.
                     In the Savoy, by Tho. Newcombe, 1679. fol. * HAZ.

O F2565A   Further reasons humbly offer'd for passing the Fish Bill.
                     [London?, 1700.] brs. HAZ.

                                    G

O G74A   G[adbury], J[ohn]. Astrological predictions for the year 1679.
                     For R. G., 1679. 4°. * HAZ.

O G78A   Gadbury, John. Cardines cœli. For M. G. and sold by Daniel
                     Brown, Sam. Sprint, John Gullim, 1685. 4°. HAZ.

O G79B   Gadbury, John. A table of the holy feast of Easter. Robert
                     Lamborne, 1678. SR.

O G131A   Le galand escroc. For James Magnes and R. Bentley, 1676.
                T.C.I 258.

O G131B   Galathea vaticinans, being part of an epithalamium. By W. G.,
                1662. 8⁰. * HAZ, AUC.

O G142A   Gale, Theoph. The court of the Gentiles. Part IV. For W.
                Freeman, 1682. 4⁰. T.C.I 497, DNB.

O G166A   Galilei, Galeleo. . . . his mathematicall workes. Henry Twyford
                and Henry Marsh, senior, 1660.

O G169A   The gallant hermaphrodite. 1688. AUC.

O G172A   Gallant news of late I bring. For Francis Grove, [1623-61.]
                brs. HAZ.

O G174A   The gallant seaman's resolution. Fran. Grove, 1656. brs. SR,
                ROL, ROX.

O G174B   The gallant she-souldier. For Richard Burton, [1641-74]. brs.
                ROX.

O G174C   The gallantries and amours of the kings. Henry Rhodes and John
                Harris, 1694. SR.

O G180A   Gallimore, Francis. The happiness of such as mind their creator.
                1694. 4⁰. ALL, WAT.

O G180B   G[allimore], F[rancis]. A short discourse, or serious reflections.
                For H. Newman, 1695. 4⁰. T.C.II 554.

O G181C   Gallus, Cornelius. Six elegies upon old age. For R. Wellington,
                1693. 8⁰. T.C.II 480, WAT.

O G189A   The game of picquett. John Martin and John Ridley, 1650. SR.

O G208A   Garbutt, Richard. A preservative against judgments. 1669.
                12⁰. WAT.

O G208B   Garbutt, Richard. A sober testimony against drunkards. 1675.
                8⁰. WAT.

O G219A   Garden, James. Funeral sermon on Henry Scougal. [Aberdeen,
                Forbes], 1678. ALDIS 2128.

O G220A   The Garden of Eden. Sold by J. Overton, 1690. T.C.II 322.

O G226A   Gardiner, James. Of earnestly contending for the faith. For
                B. Ailmer, 1700. AC.

O G232A   Gardiner, Richard. Richardi Gardiner ex aede Christi Oxon.
                Specimen oratorium. Impensis Humfredi Moseley, 1653. 8⁰. *
                ALL, DNB, HAZ, WAT.

O G238A   Gardiner, Robert. Ars clericalis. 1696. SWE.

O G259A   The garland of delight. <u>John Andrews</u>, 1656. SR.

O G272A   Garretson, J. English examples. Third edition. <u>For T. Cockerill</u>,
1690. 12°. T.C.II 342.

O G272B   Garretson, J. English exercises. <u>For Thomas Cockerill</u>, 1683.
12°. T.C.II 7, SR.

O G272C   Garretson, J. English exercises. Second edition. <u>For Thomas
Cockerill</u>, 1687. 12°. T.C.II 194.

O G306A   Gataker, Charles. The harmony of truth. <u>By J. C. for Henry
Brome</u>, 1670. 4°. SALE.

O G373A   Gauden, John. The whole duty of a communicant. <u>For L. Curtis</u>,
1681. 12°. T.C.I 438, WAT.

O G373B   Gauden, John. The whole duty. Third edition. <u>Sold by C. Skegnes</u>,
<u>& H. Rhodes</u>, 1686. 12°. T.C.II 182.

O G373C   Gauden, John. The whole duty. Fourth edition. <u>Sold by H. Rodes</u>,
1688. 12°. T.C.II 220.

O G373D   Gauden, John. The whole duty of a communicant. Fifth edition.
<u>For W. Boddington</u>, <u>& H. Rhodes</u>, 1693. 12°. T.C.II 446.

O G395*   Gawen, Thomas. A brief explanation of the several mysteries of
the Holy Mass. 1686. 8°. DNB.

O G442A   Gedde, John. Excellent method of bee-houses. 1656. 8°. HARL.

O G443A   Gedde, John. New discovery. 1676. 8°. HARL, WAT.

O G450A   Gee, Edward. Steps of ascension. <u>For T. Collins</u> and <u>J. Ford</u>,
1671. 24°. T.C.I 83.

O G450B   Gee, Edward. Steps of ascension, 1677. ALL, DNB, LOW, N&Q.

O G483A   Gemitus plebis, or a mournfull complaint. <u>Thomas Newberry</u>,
1656. SR.

O G484A   Genealogy of the lairds of Ednem and Duntreth. <u>Glasgow, Sanders</u>,
1699. 8°. ALDIS 3852.

O G484B   The genealogy of the most illustrious house of Brunswick
Lunenburgh. <u>Sold by A. Baldwin</u>, 1700. AC.

O G495A   A general calendar of the several Kings of England. 1685.
8°. HARL.

O G497B   A general examination of the common Greek grammar. <u>For H. Mortlock</u>,
1689. 8°. T.C.II 278.

O G498A   A general exercise of pike and musquet. <u>Sold by W. Marshall</u>,
1690. 4°. T.C.II 363.

O G511B   A generall warning for wilfull young men. Fran[cis] Grove,
           1656. brs. SR, ROL.

O G523*   The gentlewomans cabinet unlocked. [London], for W. Thackeray
           and T. Passenger, [1664]. 8°. * HAZ.

O G523**   The gentlewoman's companion. For Dorman Newman, 1672. 8°.
           T.C.I 118.

O G523*** A gentlewomans rich token. Roberte Austen, 1644[5]. SR.

O G527A   Geologia Norvegia, or a brief instructive remembrancer. Sam.
           Thomson, 1663. SR.

O G533A   Georgicviz, Bartholomew. A short epitome of Turkish customes.
           James Cotterell, 1655. SR.

O G582A   Gerbier, Sir Balthazar. A true manifest. [Holland], Anno 1653.
           12°. * N&Q.

O G585A   Gere, William. Proposals for reformations and abuses of the law.
           1659. WAT.

O G607A   Gerhard, John. An introduction to the general art of drawing.
           For Robert Pricke, 1674. 4°. AUC.

O G611A   Gerhard, John. Meditations. For H. Sawbridge, 1684. 24°.
           T.C.II 108.

O G612A   Germaine, J. A new map of the royal exchange. Sold by
           J. Overton, 1671. T.C.I 88.

O G615A   [Gervais, Armand François.] The life of the Apostle Saint
           Paul. By James Young, for Henry Twyford, 1653. 12°. HAZ.

O G624A   Gesualdo, Filippo. Pluto sophio, or the art of memory. Mosely,
           1655. SR.

O G629A   Gething, Richard. Chirographia. 1645. DNB, WAT.

O G680A   [Gibson, William.] A Christian testimony born. By Andrao
           Sowle, 1683. 4°. SMI.

O G687A   Gibson, William. Tythes ended by Christ. 1673. 4°. WAT.

O G690A   Giffard, John. French adverbs done into English. Thomas Knight,
           1659. SR.

O G711A   Gilbert, Michael. Schematologia grammatica exemplis. For
           R. Clavell, 1681. 8°. T.C.I 453, SALE.

O G726A   [Gilby, Anthony.] A dialogue between a sovldier of Barvvick.
           [London], printed, 1642. * SALE.

O G741A   Giles, William. A defence of Dr. Sherlock's preservative.
           Fourth edition. For B. Aylmer, 1688. 4°. AUC.

O G755A   [Gillespie, George.] A recrimination charged. 1644. 4°.
DNB, WAT.

O G767A   Gillespie, Patrick. Ruler's sins the cause of national
judgments. 1650. DNB.

O G767B   Gillier, Jean Claude. New book of songs. For H. Playford,
1698. T.C.III 94.

O G767C   Gilly, Sarah. Receipts. 1662. 8°. ALL, LOW.

O G773A   Gilpin, Randolph. Liturgia sacra &. For Joseph Clarke, 1671.
T.C.I 74.

O G791A   Glad tidings of great joy. Rich. Harper, 1641. brs. SR, ROL.

O G791B   Gladman, Elkanah. An apologie for the ordination of ministers.
Edw. Husband, 1644[5]. SR.

O G801A   Glanvill, Joseph. An earnest & seasonable exhortation. For
John Baker, 1672. T.C.I 116.

O G805B   Glanville, Joseph. An earnest invitation to the Sacrament of
the Lord's Supper. Sixth edition. For J. Knapton, 1684. 12°.
SALE.

O G836A   Glanville, Joseph. The way to happiness. For Gedeon Schow,
in Edinburgh, 1671. 12°. SALE.

O G845A   Glauber, John Rudolph. The rest of Glauber, his workes.
Joseph Barber, 1657. SR.

O G868A   The glorious star of King Charles the 11d. 1660. * HARL.

O G871A   A glorious victory obtained by the Venetians against the Turks.
Eliz. Alsop, 1656. SR.

O G876A   The glory of repentance. John Williams, Tim. Garthwaite and
Henry Marsh, 1657. SR.

O G884A   Gloucester's triumph. By J. C. for H. Fletcher, 1660. 4°. *
SALE.

O G897A   Goad, John. Astro-meteorologica, or aphorisms. Second edition.
By O. B. for J. Sprint, 1699. fol. T.C.III 127, AUC.

O G900A   Goad, John. Auto didactia, or A practical vocabulary. For H.
Bonwicke, 1690. 8°. T.C.II 304, ALL, DNB, GIL, WAT.

O G901A   Goad, John. Genealogicon Latinum. For H. Brooke, 1676. 8°.
T.C.I 231.

O G901B   Goad, John. Genealogicon Latinum: a small dictionary. Second
edition. 1676. 8°. ALL, DNB, WAT.

O G904A   God acknowledged. <u>For</u> <u>W.</u> <u>Marshall</u>, <u>&</u> <u>J.</u> <u>Marshall</u>, 1696. T.C.II 585.

O G906A   God in the creature: apoem. <u>For</u> <u>G.</u> <u>May</u>; <u>sold</u> <u>by</u> <u>R.</u> <u>Clavell</u>, 1686. T.C.II 158.

O G913A   Goddard, Jonathan. Discourse concerning physick. 1668. 8°. DNB.

O G914A   Goddard, Jonathan. The fruit trees' secrets. 1664. 4°. ALL, WAT.

O G915A   Goddard, Jonathan. Observations concerning the nature . . . of a tree. 1664. fol. ALL, WAT.

O G930A   Godfridus. The knowledge of things unknown. <u>By</u> <u>G.</u> <u>P.</u> <u>for</u> <u>George</u> <u>Sawbridge</u>, 1671. 12°. HAZ, LIV, SALE.

O G931*   Godfridus. The knowledge of things unknown. <u>For</u> <u>W.</u> <u>Thackeray</u>, 1679. SALE.

O G933C   Godley, Ar. Grounds of grammar. <u>For</u> <u>M.</u> <u>Turner</u>, 1673. T.C.I 135.

O G935A   The godly man's companion. Third edition. <u>For</u> <u>C.</u> <u>Brome</u>, 1685. 24°. T.C.II 130.

O G935B   The godley man's companion. Fifth edition. <u>For</u> <u>C.</u> <u>Brome</u>, 1692. T.C.II 430.

O G935C   The godly man's companion. Fifth edition. <u>For</u> <u>C.</u> <u>Brome</u>, 1699. T.C.III 129, AC.

O G937A   A godly new ballad, intituled, A douzen of points. [<u>London</u>], <u>for</u> <u>W.</u> <u>Thackeray</u> <u>and</u> <u>T.</u> <u>Passenger</u>, [c. 1690]. brs. AUC.

O G953A   God's garden hedged and watered. <u>Thomas</u> <u>Hodgkin</u>, 1683. SR.

O G959A   Gods love to his people Israel. <u>By</u> <u>A.</u> <u>Maxwell</u>, <u>in</u> <u>the</u> <u>year</u> 1666. 4°. SALE.

O G960A   Gods mercy and justice displayed . . . Dorothy Lillingstone. 1679. AUC.

O G960B   Gods revenge against the abominable sin of adultery. <u>Jacob</u> <u>Tonson</u>, 1670. SR.

O G962A   God's terrible judgement in Oxfordshire. 1677. 4°. GOU.

O G962B   God's vengeance upon a cavalier at Listelleth. 1642. AUC.

O G967A   Godwin, Edmond. God, the believer's best stronghold. <u>For</u> <u>J.</u> <u>Robinson</u>, 1696. T.C.III 600.

O G1004A   Gore, W. An introduction to the general art of drawing. <u>Sold</u> <u>by</u> <u>S.</u> <u>and</u> <u>J.</u> <u>Sprint</u>, 1698. T.C.III 95.

O G1009A   The gold-finch and the wrenne. <u>Printed</u> <u>in</u> <u>the</u> <u>yeare</u>, 1641. brs. HAZ.

O G1012A   The golden cabinet, or, the compleat fortune-teller. [c. 1700.] 8°. SALE.

O G1017A   The golden garland of princely delight. <u>Will</u>. <u>Gilbertson</u>, 1656. SR.

O G1017B   The golden garland of princely delight. Thirteenth edition. <u>For</u> <u>J</u>. <u>Deacon</u>, 1670. 8°. T.C.II 397, CBEL, HAZ, LOW.

O G1018A   The golden mine opened. <u>For</u> <u>W</u>. <u>Marshall</u>, 1699. 4°. T.C.III 136.

O G1020A   Golgotha, or a looking-glass for London. 1665. 4°. HARL.

O G1031A   Good, William. Direction for receivinge of the communion. <u>Bernard</u> <u>Alsop</u>, 1644[5]. SR.

O G1044A   A good fellow is a costly name. <u>Fran</u>. <u>Grove</u>, 1656. brs. SR, ROL.

O G1050A   Good husband, hould for love's sake I intreate you. <u>Printed</u> <u>and</u> <u>are</u> <u>to</u> <u>be</u> <u>sold</u> <u>by</u> <u>Peter</u> <u>Stent</u>, [1667]. brs. SALE.

O G1051A   The good man's death lamented. 1655. 4°. HAZ.

O G1051B   The good man's death lamented. <u>Joshua</u> <u>Conyers</u>, 1684. SR.

O G1052A   Good news for batchelors and maids. colop. <u>For</u> <u>Tho</u>. <u>Thunder</u>, 1695. 4°. * HAZ.

O G1052B   Good news for England or the heads of a peace. <u>For</u> <u>the</u> <u>author</u>, 1695. brs. SALE.

O G1052C   Good news for England, or the peoples triumph. <u>For</u> <u>M</u>. <u>Wright</u>, [1658-62]. brs. HAZ, AUC.

O G1056A   Good newes from Germanie, or relation . . . Woffenbuttle. 1641. AUC.

O G1061A   Good newes from Milford-Haven. <u>J</u>. <u>Coe</u>, 1644. 4°. * SALE.

O G1081A   The good subject's delight. <u>Tho</u>. <u>Passenger</u>, <u>William</u> <u>Thackery</u>, <u>John</u> <u>Wright</u>, <u>and</u> <u>John</u> <u>Clarke</u>, 1683. brs. SR, ROL.

O G1082A   A good warning for all maidens. <u>For</u> <u>F</u>. <u>Coles</u>, <u>T</u>. <u>Vere</u>, <u>and</u> <u>W</u>. <u>Gilbertson</u>, [1660-80]. brs. HAZ.

O G1099A   G[oodinge], T[homas]. The law against bankrupts. <u>For</u> <u>R</u>. <u>Southby</u>, 1693. 8°. T.C.II 478, SWE.

O G1122A   [Goodman, John.] A serious and compassionate enquiry. Fourth edition. <u>For</u> <u>L</u>. <u>Meredith</u>, 1692. 8°. T.C.II 433.

O G1162A   Goodwin, John. A defence of the honourable sentence. 1649. WAT.

O G1168A   Goodwin, John. God justified. <u>Overton</u>, 1647. SR.

O G1212A   Goodwin, John. The unrighteous judge. 1648[9]. 4°. DNB.

O G1252A   Goodwin, Thomas. The punishment of sinn. <u>John</u> <u>Grizmond</u>,
         1661. SR.

O G1298A   Gore, Thomas. Loyalty displayed. 1681. 4°. * WAT, N&Q.

O G1299A   Gore, Thomas. A table shewing how to blazon a coat. 1655.
         brs. N&Q, WAT.

O G1314A   Gospel-way confirmed by miracles . . . Anne Wells. 1648. 8°.
         * HARL.

O G1320A   Gostlin, Edmund. Aurefodina linguae Gallicas, or the gold mine
         of the French language opened. <u>For John Streater</u>, 1646. PLOMER.

O G1349A   G[other], J[ohn]. A seasonable discourse about religion.
         1689. 4°. DNB.

O G1362A   Gouge, Thomas. Christian directions. <u>For Nev. Simmons</u>, 1676.
         8°. T.C.I 239.

O G1366A   Gouge, Thomas. The Christian householder. 1663. 4°. ALL,
         DNB, WAT.

O G1368A   Gouge, Thomas. How alms may be acceptable to God. 1677. 4°.
         DNB, WAT.

O G1388A   Gouge, Thomas. The young man's guide. <u>For S. Lee</u>, 1684. 8°.
         T.C.II 65.

O G1388B   Gouge, Thomas. The young man's guide. 1696. 4°. AUC.

O G1401A   [Gough, John.] The academy of complements. Sixth edition.
         <u>By T. Badger</u>, <u>for H. Moseley</u>, 1645. 12°. HAZ.

O G1403A   [Gough, John.] Academy of complements. 1655. 12°. HAZ.

O G1405A   [Gough, John.] The academy of complements. <u>For A. Mosely</u>,
         1664. 12°. CBEL, HAZ.

O G1405B   [Gough, John.] The academy of complements. 1671. 12°.
         T.C.I 75.

O G1405C   [Gough, John.] Academy of complements. 1681. 8°. HAZ, AUC.

O G1423A   [Gould, Robert.] Love given o're. <u>For Langley Curtis</u>, 1683.
         4°. * HAZ.

O G1455A   The governour of Cyprus. <u>For J. Knapton</u>, 1689. 12°. T.C.II 286.

O G1457A   Gower. Children's diseases. 1682. AUC.

O G1467A The grace of God abounding. Josh. Conyers, 1683. SR.

O G1474A Graecorum epigrammatum. For H. Mortlock, 1696. 8°. T.C.II 593.

O G1497A The grand imprudence of men fighting against God. 1644. AUC.

O G1499A The grand interest of the Prince and people. Jonathan Edwin, 1677. SR.

O G1500A Grand juries address . . . to the mayor . . . of Bristol. Edinburgh, by the Heir of A. Anderson, 1681. fol. ALDIS 2270.

O G1510A The grand question resolved. For Tho. Parkhurst, 1696. 8°. * SALE.

O G1511A The grand Scipio. Humphrey Moseley and Thomas Dring, 1658. SR.

O G1511B The grand Scipio. 1660. fol. AUC.

O G1512* The grand seigniors Spy. John Leake, 1687. SR.

O G1525A The grant and cession of the sovereign lordship of Genoa. 1684. 8°. * HARL.

O G1540A Grantham, Thomas. Mr. Horne answered. 1675. 4°. * WHI.

O G1545A Grantham, Thomas. St. Paul's catechism. Second edition. 1643. 8°. DNB, WHI, AUC.

O G1550A Grantham, Thomas, M.A. Charles the Second, second to none. 1661. 4°. DNB.

O G1579A A grateful acknowledgement. For W. Kettilby, 1684. 4°. T.C.II 67.

O G1614A Gray, Andrew. The mystery of faith. Glasgow, 1659. CBEL, DNB.

O G1617A Gray, Andrew. The mystery of faith. Edinburgh, 1670. AUC.

O G1618A Gray, Andrew. The mystery of faith. Sold by R. Boulter, 1681. 8°. T.C.I 435.

O G1619* Gray, Andrew. The spiritual warfare. Edinburgh, 1671. CBEL, DNB.

O G1620A Gray, Andrew. The spiritual warfare. Glasgow, Sanders, 1688. 12°. ALDIS 2762.

O G1660A Great and wonderful prophecies. [London], for J. C., [1684]. 4°. * HAZ.

O G1660B A great & wonderfull victory obtained by the Danes. By T. M. for Livewell Chapman, 1659. 4°. * AUC.

O G1663A The great bastard. Reprinted at Cologne, [London], 1691. 8°. * SALE.

O G1664A   Great Brittaine's alarum. <u>William</u> <u>Ley</u>, 1646. SR.

O G1679A   The great **c**oncern, or A serious warning. <u>Sold</u> <u>by</u> <u>J.</u> <u>Robinson</u>,
       & <u>B.</u> <u>Aylmer</u>, 1673. 8°. T.C.I 156.

O G1682A   The great **d**anger of continuing in . . . the Romish religion.
       1668/9. 8°. T.C.I 4.

O G1704*   The great flood, or sad . . . news from Northampton. 1663.
       4°. * GOU, N&Q.

O G1716A   Great news from Dartmouth. <u>Richard</u> <u>Baldwin</u>, 1692. brs. SALE.

O G1719A   Great news from Germany. <u>Richard</u> <u>Baldwin</u>, 1691. brs. SALE.

O G1722B   Great news from Hungary. <u>Edinburgh</u>, 1696. fol. * ALDIS 3564.

O G1729*   Great news from St. Johns-Street. <u>For</u> <u>Absalom</u> <u>Chamberlain</u>,
       1685. brs. HAZ.

O G1733A   Great news from the camp at Chester. <u>R.</u> <u>Janeway</u>, 1689. fol. *
       SALE.

O G1735*   Great news from the French fleet. <u>W.</u> <u>D.</u>, 1693. brs. SALE.

O G1735B   Great news from the King in Flanders. <u>T.</u> <u>Bone</u>, 1691. brs.
       SALE.

O G1735C   Great news from the King of Poland. <u>For</u> <u>A.</u> <u>G.</u>, 1682. brs. HAZ.

O G1735D   Great news from the King's army before Namur, in a postscript to
       the post boy. 1695. TEM.

O G1735E   Great news from the King's camp at Namurre . . . 11 July.
       <u>J.</u> <u>Salisbury</u>, 1695. brs. SALE.

O G1735F   Great news from the King's camp at Namurre, July 19. 1695.
       brs. SALE.

O G1735G   Great news from the north of England. <u>W.</u> <u>Sturt</u>, 1690. brs.
       SALE.

O G1744B   The greate prerogative of a private life, by way of dialogue.
       <u>Langly</u> <u>Curtis</u>, 1678. SR, AUC.

O G1769A   A great victory obteyned at the raising the siege at Taunton.
       <u>Robert</u> <u>Austen</u>, 1645. SR.

O G1779A   A greate victory obtained by Sir William Waller . . . near
       Troughbridge. <u>Roberte</u> <u>Austen</u>, 1644[5]. SR.

O G1806A   Grebner, Paul. A brief description of the future history.
       <u>Reprinted</u> <u>and</u> <u>sold</u> <u>by</u> <u>E.</u> <u>Whitlock</u>, 1697. 4°. T.C.III 9.

O G1873A   Greenwood, William. *Βουγεντηριον*, or . . . Eighth edition. 1680.
       8°. ALL, SWE.

O G1874A Greeting, Thomas. The pleasant companion . . . flagellett. John Playford, 1671. SR.

O G1876A Greg, Mother. The burgess ticket. Printed in the year, 1695. 4°. * SALE.

O G1895A Gregory, Francis. Instructions concerning the art of oratory. 1659. CBEL, DNB.

O G1934A The granadiers loyall health. Josuah Conyers, 1686. brs. T.C.III 303, SR, ROL.

O G1937A G[renville], D[enis]. The chiefest matters, contained in sundry discourses. Printed at Roüen, by William Machuel, 1689. 4°. WAT.

O G1939A Grenville, Denis. Denys Granville, Dean of Durham, his Reasons for withdrawing into France. 1686. 4°. * HARL.

O G1962A Grew, Obadiah. Farewell sermon. 1663. DNB, WAT.

O G1997A Griffith, George. Plain discourses on the Lord's Supper. Oxon, 1684. 8°. ALL, DNB.

O G2000A Griffith, John. A complaint of the oppress'd. 1661. 4°. * DNB, WHI.

O G2002A Griffith, John. Laying on of hands. 1654. WHI.

O G2003* Griffith, John. Six principles of the Christian religion. 1655. 4°. DNB, WAT.

O G2018A Griffith, Owen. Abrahams prospect. For R. Hunt, in Hereford, 1681. 4°. * WAT.

O G2029A Grimston, Sir Harbottle. The Christian's New Yeare's gift. For J. Williams, 1674. 24°. T.C.I 192.

O G2029B Grimston, Sir Harbottle. A Christian New Yeare's guift. Tho. Newcomb, 1676. SR.

O G2054A Groans from Bridewel. 1677. 4°. AUC.

O G2056A The groans of France in slavery, gasping after liberty. [London? 1698.] 4°. SALE.

O G2057A The groans of the oppressed. colop: Glasgow, printed in the year, 1700. 8°. * HAZ.

O G2067A Den grooten vocabulaer . . . The great vocabulary. Tot Rotterdam, by Pieter van Waesberghe, Anno, 1644. 8°. HAZ.

O G2072A Grosse, Alexander. A fiery pillar. Edinburgh, 1645. ALDIS 1188.

O G2075A Grosse, Alexander. The good mans way to Godward. John Bartlett, 1657. SR.

O G2076A   Grosse, Alexander. Man's misery without Christ. 1642. 4$^{\rm o}$.
        DNB.

O G2092A   Grotius, Hugo. Baptizatorum. For H. Bonwicke, 1695. 8$^{\rm o}$.
        T.C.II 562, WHI.

O G2094A   Grotius, Hugo. The conciliation of grace. Sold by S. Keble,
        1679. 8$^{\rm o}$. T.C.I 189.

O G2131B   Grotius, Hugo. Two discourses: 1st. of God. By James Flesher
        for William Lee, 1652. 12$^{\rm o}$. HAZ, AUC.

O G2138*   The grounds and principles of religion. Ben. Tooke, 1693. SR.

O G2146A   Grove, Richard. The communicants guide. Richard Royston,
        1654. SR.

O G2151A   Grove, Robert. Papismus. For J. Collins; & S. Lowndes,
        1682. 8$^{\rm o}$. T.C.I 487, WAT.

O G2162A   The grove, or the rival muses, a poem. For J. Deere, 1700. AC.

O G2172A   Gualdo Priorato, Galeazzo. The warres and other occurrences.
        Hum. Moseley, 1658. SR.

O G2183B   Guide for constables. 1692. 12$^{\rm o}$. SWE.

O G2184B   The guide of a Christian. For B. Ailmer, 1700. AC.

O G2184C   A guide to discourse, conteyning. Thomas Vere, 1670. SR.

O G2185B   A guide to heaven. For C. Brome, 1685. 24$^{\rm o}$. T.C.II 130.

O G2185C   A guide to heaven. For C. Brome, 1691. 24$^{\rm o}$. T.C.II 353.

O G2185D   A guide to heaven. For C. Brome; & A. Churchill, 1697. T.C.III 45.

O G2185E   The guide to heaven. For A. Churchill and C. Brome, 1700. AC.

O G2187A   A guide to parish clerks. Sold by W. Marshall, 1700. 12$^{\rm o}$.
        T.C.III 198, AC.

O G2187B   A guide to parish clerks. Second edition. For W. Marshal,
        1700. 12$^{\rm o}$. AC.

O G2187C   A guide to scattered flocks. Caleb Swinnock, 1684. SR.

O G2187D   A guide to true spelling. For W. Rogers, 1697. 8$^{\rm o}$. T.C.III 8.

O G2187E   Guide to young communicants. Sold by G. Conyers, 1691. 12$^{\rm o}$. T.C.II
        366.

O G2187F   A guide to young communicants. For G. Conyers, 1695. 8$^{\rm o}$.
        T.C.II 552.

O G2187G   A guide to the young gager. For J. Conyers, 1669/70. 12$^{\rm o}$.
        T.C.I 26.

O G2237A   Gunning, Peter. A view and correction of the common prayer. 1662. DNB, WAT.

O G2252B   Gurnall, William. The Christian in compleat armour. First part, fourth edition. For Ralph Smith, 1664. 4°. SALE.

O G2264A   Guthrie, James. Some considerations relating to the dangers of religion. Edinburgh, 1660. 12°. ALL, DNB, LOW, WAT.

O G2272A   Guthrie, William. The Christians great interest. 1679. 8°. AUC.

O G2275A   Guthrie, William. The heads of some sermons. 1680. DNB, SALE.

H

O H182A   Hadworth, John. A copy of a letter written. 1651. 4°. * GOU.

O H190A   Haggar, Henry. The spirit of promise. 1656. WHI.

O H195A   Haines, Joseph. The reason of. 1690. 4°. * HARL, AUC.

O H205A   Haines, Richard. A protestation against usurpation. 1674. WHI.

O H206A   Hainlin, John James. Synopsis mathematica universalis; or. For Dan. Brown, Bra. Aylmer, William Hensman, & Thomas Shelmerdine, 1700. AC.

O H207A   The hairy comet, a prognostick. 1674. AUC.

O H247A   Hale, Sir Mathew. The knowledge of Christ. William Shrewsbury, 1694. SR.

O H283A   Haley, William. A sermon preached January 30th, 1696. For S. Smith, 1687. 4°. T.C.II 192, ALL, WAT.

O H283B   Haley, William. A sermon preach'd . . . Feb. 16, 1700. For J. Tonson, 1700. AC.

O H288B   [Halifax, Charles Montagu.] Ode on the marriage of Her Royal Highness . . . Anne. 1683. * CBEL.

O H288C   [Halifax, Charles Montagu, earl.] On the death of His Most Sacred Majesty King Charles II. 1685. * CBEL.

O H306A   [Halifax, George Savile.] The lady's new-year's gift. Fourth edition. For M. G. and J. P. to be sold by Thomas Chapman, 1692. 8°. CBEL.

O H307A   [Halifax, George Savile.] The lady's new-year's gift. 1700. CBEL.

O H332A   Hall, Francis. Refutation of the attempt to square the circle. 1660. 8°. DNB.

O H343A   [Hall, John.] An answer to some queries proposed by W. C. Oxford, sold by T. Bennet, 1699. T.C.II 519.

O H350A   Hall, John. Jacob's ladder. For Nath. Crouch, 1672. 12°. T.C.I 109.

O H351A   Hall, John. Jacob's ladder. Sixth edition. Sold by Thomas Grey, 1688. 16°. T.C.II 221.

O H355A   Hall, John. A satire against presbytery. 1648. DNB.

O H369A   Hall, Joseph. The art of patience. 1693. 8°. N&Q.

O H374A   Hall, Joseph. A Christian's journal. For the author and sold by R. Bentley, 1684. 16°. SALE.

O H384A   Hall, Joseph. The hard measure. 1647. DNB.

O H425A   Hall, Roger. An astrological discourse. Dublin, by Jos. Ray, for Elipha Dobson, 1682. 4°. * DIX 194, HAZ.

O H427A   Hall, Thomas. Centurra sacra . . . rules. 1654. 8°. DNB.

O H439A   Hall, Thomas. Rhetorica sacra . . . tropes. 1654. 8°. DNB.

O H449A   Hallett, Joseph. Twenty-seven queries to the Quakers. 1692. 4°. DNB, SMI.

O H453A   Halley, Edmond. Theory of the variation of the magnetical compass. 1683. WAT.

O H453B   Halley, George. Sermon on Ps. cxxii.6. 1695. 4°. WAT.

O H463A   Hallywell, Henry. An improvement of the way of teaching the Latin tongue. 1690. N&Q.

O H467A   Halsy, James. Duty of amendment of life. 1676. 8°. WAT.

O H483A   Hamilton, James. The Marquis of Hamiltons speech before the King . . . Nov. 6. Edinburgh, J. Bryson, 1641. 4°. * ALDIS 1007.

O H491A   Hammond, Charles. The cruell uncle. 1658. brs. SR, ROL.

O H496A   H[ammond], C[harles]. A new yeares gift, or, a good penny worth of householdstuffe. Rob. Wood, 1658. brs. SR, ROL.

O H497A   Hammond, Charles. Times darling. Fran. Grove, 1658. brs. SR, ROL.

O H497B   Hamond, Charles. A true prophecy. Fra. Grove, 1658. brs. SR.

O H532A   H[ammond], H[enry]. The daily practice of devotion. For L. Meredith, 1700. 12°. T.C.III 189.

O H542A   Hammond, Henry. Five learned treatises. Rich. Rolston, 1645. SR.

O H562*   [Hammond, Henry.] Of scandal. For Benjamin Alsop, 1680. 8°. T.C.I 402, SR.

O H574A   Hammond, Henry. A paraphrase and annotations . . . New Testament. Third edition. By J. F. & E. T. for Richard Davis in Oxford, 1671. fol. SALE.

O H622A   Hammond, Samuel. A false Jew. Newcastle, 1653. 4°. DNB.

O H631A   The Hamshire-frigget's fight with six Spanish ships. brs. AUC.

O H631B   Hampton, Barnaby. Prosodia construed. Norton, 1654. SR.

O H646A   Handley, James. The Egyptian fortune teller. Joshua Conyers, 1691. SR.

O H647A   Hang sorrow, cast away care. Peter Lillicrap, 1668. brs. SR, ROL, ROX.

O H672A   The happie proceeding of this hopefull Parliament. Rich. Harper, 1641. brs. SR, ROL.

O H676A   A happy victory obtained by the Lord Fairfax. 1642. 4°. * AUC.

O H677A   The happy virgin, a faithfull narrative of one Maria Anna Mollier. [London], for T. Pyke, [1694]. 8°. * HAZ.

O H687A   Harby, Thomas. What is truth? Revised by the author, and reprinted for him, 1675. 4°. SALE.

O H700*   Harding, Thomas. A historie of the church affaires. William Dugara, 1653. SR, DNB.

O H700B   Hardon, Gideon. A sermon preached at the society of Kingston, for the reformation of manners. For T. Parkhurst, 1700. 8°. T.C.III 194, AC, MORG.

O H705A   Hardwick, John. Praecursor or a forerunner to a Welsh ministers case. Thomas Ratcliffe, 1653. SR.

O H755A   Hardy, Samuel. The second guide to heaven. 1687. 8°. DNB.

O H766A   [Hartlete, Henry.] The hunting of the fox. For Andrew Pennycuick, 1657. 12°. DNB, HAZ.

O H780A   Harme watch, harme catch, being & relation. Hen. Herringman, 1667. SR.

O H803A   Harington, Sir James. To the Rt. Hon. . . . the knights citizen . . . the humble petition of. [London, 1661.] brs. SALE.

O H831A   Harris, Barth. Lusus serius in Petronii. 1665. 12°. ALL, LOW,
WAT.

O H842A   Harris, Edward. Essay on the new money as now coined. 1696.
AUC.

O H852A   Harris, John. The practice of religion. For R. Wilkin, 1700.
AC.

O H861A   Harris, John. Short but yet plain elements of geometry. For
R. Knaplock, and D. Midwinter and T. Leigh, 1700. AC.

O H867*   Harris, Paul. An admonition to the fryars of Ireland. 1684.
AUC.

O H893A   Harrison, John. An allarum to the Jews. John Playford, 1656.
SR.

O H905A   Harrison, Michael. Substance of several sermons. 1691. 8°.
WAT.

O H911A   Harrison, Thomas. A sermon on the decease of Mr. Henserd
Knollys. For W. Marshall, & J. Marshall, 1696. 8°. T.C.II 585.
T.C.

O H922A   Harsnet, Samuel. Sermon. 1656. 12°. ALL, WAT.

O H925A   [Hart, John.] The charitable Christian. John Andrews, 1656.
8°. SR.

O H943A   Hart, John. The dreadful character of a drunkard. For Eliz.
Andrews, [c. 1650]. 16°. SALE.

O H943B   Hart, John. The dreadful character of a drunkard. Fourth
edition. For John Andrews, 1660. 8°. HAZ.

O H953*   [Hart, John.] A godly sermon. Glasgow, Sanders, 1669. 12°.
ALDIS 1860.

O H956A   [Hart, John.] The plain man's plain pathway. John Andrews,
1656. 8°. SR.

O H958A   [Hart, John.] The plain man's plain path-way. For W. Thackeray,
1674. 8°. HAZ.

O H985A   Hartlib, Samuel. Epistola gratulatoria perscripta ad amicum.
[London, 1655.] 12°. SALE.

O H1002A   Hartlib, Samuel. Universal husbandry improved. By R. H.,
[c. 1655]. 4°. SALE.

O H1060A   Harvey, Gideon. Little Venus. Fourth edition. For Tho.
Rooks, 1676. T.C.I 231.

O H1080A   Harvey, Gideon. Various new observations. For James Partridge,
1685. 12°. T.C.II 116, HARL.

O H1080B   Harvey, Gideon. Venus unmasked. By J. Grismond, for Nath. Brooke, 1665. 8°. HAZ.

O H1096B   Harwood, James. Discourses. 1662. 4°. ALL, WAT.

O H1124A   Haslerig, Sir Arthur. Letter to the Parliament of Derby-house. 1646. 4°. * GOU.

O H1134A   The hasty bridegroom. Francis Grove, 1656. brs. SR, ROL.

O H1141A   Hatton, Sir Christopher. Certaine prayers grounded on the Psalms. Rich. Rolston, 1646. SR, WAT.

O H1146A   Hatton, Edward. An index to interest. 1700. 8°. MORG.

O H1167A   Hawes, Robert. Bread from heaven. John Garfield, 1657. SR.

O H1176A   Hawkins, John. The English school-master. For the Company of Stationers, 1700. 8°. T.C.III 204, MORG.

O H1189A   Hawood, Nat. Christ displayed. For T. Parkhurst, 1680. 8°. T.C.I 415.

O H1201A   Hay, Paul. The compleat statesman. For R. Bentley, J. Phillips, & J. Taylor, 1695. T.C.II 560.

O H1208A   Hayes, John. The bankers exchange. 1671. fol. HARL, WAT.

O H1208B   Hayes, John. The bankers exchange. William Leybourne and Thomas James, 1676. fol. AUC.

O H1208C   Hayes, John. The bankers exchange. Sold by the author, and Robert Morden, 1676. fol. T.C.I 237, WAT.

O H1222A   Haynes, Hopton. Brief memoirs relating to the silver and gold coins of England. 1700. MORG.

O H1242A   Hee thats borne to be hang'd. Francis Grove, 1656. brs. SR, ROL.

O H1242B   [Head, Richard.] The art of wheedling. 1679. 8°. AUC.

O H1242C   Head, Richard. Cabinet of Venus unlocked. 1658. 8°. LIV, AUC.

O H1245A   Head, Richard. The English rogue. Third edition. For J. Back, 1693. 12°. T.C.II 484, CBEL.

O H1245B   [Head, Richard.] The English rogue. Fourth edition. For J. Back, 1697. T.C.II 46, CBEL.

O H1250*   Head, Richard. The English rogue continued. Third part. For Francis Kirkman, 1680. 8°. HAZ, AUC.

O H1256A   [Head, Richard.] The life and death of Mother Shipton. Ann Maxwell, 1667. SR, CBEL, N&Q.

O H 1263A Head, Richard. Madam Wheedle. 1678. 8°. DNB, LOW.

O H1265A [Head, Richard.] Nugae venales, or the complaisant companion. Tho. Drant and Rich. Head, 1675. SR, TEM.

O H1267A Head, Richard. Nugae venales. Fourth edition. For E. Poole, 1687. 12°. T.C.II 189, LOW.

O H1267B [Head, Richard.] Nugae venales, sive. Anno 1689. 12°. SALE.

O H1304A An health to Caledonia. [London, 1699.] brs. HAZ, SAB.

O H1304B [Healy, John.] The discovery of a New World. [1644.] 8°. WAT.

O H1306A Hearne, John. A confirmation and discovery of witchcraft. 1648. 4°. HAZ, N&Q.

O H1308A Hearne, Samuel. A sermon called Arons bells. 1641. SR.

O H1315A Heath, Henry. Soliloquies. Doway, 1647. AUC.

O H1320A Entry cancelled.

O H1324A Heath, James. Elegy (with epitaph) on the much lamented death of Dr. Sanderson. 1663. brs. DNB, WAT.

O H1345A The heavenly trade is the best trade. Daniel Major, 1679. SR.

O H1345B Heaven's angry, Lord send peace. Fran. Coles, 1643. brs. SR, ROL.

O H1346* Heavens revenge against wilfull murder. Francis Grove, 1656. brs. SR, ROL.

O H1361A Heereboord, Adrian. Meletemata philosophia. For Abel Swalle, 1680. 4°. T.C.I 422.

O H1385A The hellish plot methodically illustrated. Thomas Dawks, 1680. SR.

O H1386A Hell's master-piece discovered. For Francis Grove, [1623-61]. brs. HAZ, AUC.

O H1394A Helmont, Franciscus Mercurius Van. Some premeditate and considerate thoughts. Printed at Amsterdam, 1697, for T. Clark, 1700. AC.

O H1405A A help to prayer. For H. Brome, 1678. 8°. T.C.I 309.

O H1405B A help to prayer. For H. Brome, 1681. 8°. T.C.I 433.

O H1415A Heming, Edmund. The new lights. 1689. 4°. ALL.

O H1427A Henchman, John. A sermon on the magistrates dignity. James Astwood, 1683. SR.

O H1429A   Henden, Sir Edward. Certaine select & choice presidents. Walbanck, 1649. SR.

O H1476B   Henry the Minstral. The life of Sir William Wallace. Glasgow, Sanders, 1690. 12°. ALDIS 3046.

O H1477A   Henshaw, Joseph. Dayly thoughts. Third edition. 1651. ALL, DNB, WAT, AUC.

O H1477B   Henshaw, Joseph. Horde soccisivae; or, spare hours. Seventh edition. 1661. 12°. ALL, DNB, WAT.

O H1480A   Henshaw, Joseph. Miscellania, or a mixture. Second edition. For T. Helder, 1682. 12°. T.C.I 488.

O H1480B   H[enshaw], J[oseph]. Miscellanea. Second edition. 1688. 12°. AUC.

O H1482A   [Henshaw, Thomas.] On the most triumphant ceremony . . . coronation, Charles II. [London, 1661.] cap. fol. * SALE.

O H1528A   Herbert, Thomas. A guide to salvation. Francis Coles, 1641. SR.

O H1549A   Here is some comfort for poor cavaleeres. For Francis Grove, [1625-61]. brs. HAZ, AUC.

O H1549B   Here's Jack in a box. 1656. CBEL.

O H1549C   Here's your man, Sir. Fran. Grove, 1656. brs. SR, ROL.

O H1549D   Heriot, Alexander. A book containing tables for finding out the exchange. Edinburgh, by the heirs and successors of Andrew Anderson, sold by J. Vallance, 1647. 4°. ALDIS 3670.

O H1564A   Herle, Charles. Worldly policy. For S. Gellibrand, 1669/70. 12°. T.C.I 28.

O H1571A   Herne, John. The law of conveyances. Third edition. 1688. 8°. ALL, SWE, WAT.

O H1576A   Herne, R. The history of Genesis. Sold by N. Boddington, 1694. 8°. T.C.II 529, AUC.

O H1606A   Hesiod. Hesiodi Ascraei quae extant. Sold by Robert Boulter, 1673. 8°. T.C.I 157.

O H1621A   [Hesketh, Roger.] A treatise of transubstantiation. 1688. 4°. DNB.

O H1630A   Hewes, John. A perfect survey of the English tongue. William Garrett, 1658. SR.

O H1630B   Hewes, John. Priscianus nascens, or, a key. William Garrett, 1659. SR.

O H1651A   Hexham, Henry. Dutch and English dictionary. 1678. 4°. HARL, WAT.

O H1654*   Hey! for a pipe of tobacco. Francis Coles, John Wright, Thomas Vere and William Gilbertson, 1656. brs. SR, ROL.

O H1658**   Hey for holidays. Fran[cis] Grove, 1657. brs. SR, ROL.

O H1658B   Hey for the chirurgion in the chequered apron. Fran[cis] Grove, 1657. brs. SR, ROL.

O H1658C   Hey for the chirurgion in the chequered apron. Charles Tyas, 1657. brs. SR, ROL.

O H1659A   Hey ho for a husband. Fran[cis] Grove, 1657. brs. SR, ROL.

O H1665A   Heydon, John. Astrologie idonea, or. For H. Newman, 1694. 8°. T.C.II 526.

O H1731C   Heylyn, Peter. The rectifying of mistakes. Henry Seyle and Richard Royston, 1658. SR.

O H1755A   Heyrick, Thomas. A true character of popery. Sold by R. Taylor, 1689. T.C.II 288.

O H1771A   H[eywood], O[liver]. Meetness of heaven. For T. Parkhurst, 1690. 12°. T.C.II 311.

O H1777A   [Heywood, Thomas.] A chronographicall history. By J. Okes, 1641. 4°. SR, SALE.

O H1794A   Hibernia Anglicana, or, the history of Ireland. Jos. Watts, 1689. SR.

O H1795A   Hickeringill, Edmund. An apology for distressed innocence. 1662. DNB.

O H1841A   [Hickes, George.] Apology for the new separation. Edinburgh, 1691. 4°. * ALDIS 3131.

O H1874A   [Hickes, George.] Three short treatises. 1700. AUC.

O H1900A   Hickman, Charles. A sermon preached . . . December 22, 1680. Sold by M. Pitt, 1681. 4°. T.C.I 434.

O H1918A   Hickocks, William. Strength made perfect. For Tho. Passenger, 1674. 8°. T.C.I 162.

O H1922A   Hicks, Thomas. Last legacy to the Quakers. 1690. WHI.

O H1924A   Hicks, Thomas. A rebuke to Thomas Rudyard. 1677. WHI.

O H1929A   [Hicks, William.] Coffee-house jests. Third edition. For H. Rodes, 1684. 8°. T.C.II 78, ALL, DNB, HAZ.

O H1929B   [Hicks, William.] Coffee-house jests. Sixth edition. For H. Rodes, 1696. T.C.II 593.

O H1929C   Hickes, William. Oxford jests. Second edition. For S. Miller, 1669. 12°. T.C.I 21, MADAN 2815, ALL, LOW.

O H1929D   Hickes, William. Oxford jests. Fourth edition. For S. Miller, 1675. 12°. MADAN 2815, T.C.I 200.

O H1929E   Hickes, William. Oxford jests. Sixth edition. For J. Everingham, 1690. 12°. T.C.II 316, HAZ.

O H1929F   Hickes, William. Oxford jests. Seventh edition. For J. Back, 1699. 12°. MADAN 2815, T.C.II 514.

O H1956A   Higgons, Sir Thomas. A funeral oration . . . Countess of Essex. 1656. ALL, DNB, LOW, WAT.

O H1960A   The high court of justice at Westminster arraigned. For F. Grove, [1623-61]. brs. HAZ.

O H1964A   The high-way woman, or a narrative. By Thomas Leach, 1665. 4°. * HAZ, LOW.

O H1969*   Highmore, Nathaniel. Microcosmi megalecosmia. Sam. Browne, 1665. SR.

O H1979A   [Hildesley, Mark.] The lawyer's advice to his son. 1685. 8°. AUC.

O H1983A   Entry cancelled.

O H1991B   Hill, John. The young secretary's guide. For H. Rodes, 1687. 12°. T.C.II 201.

O H1991C   Hill, John. The young secretaries guide. Third edition. For H. Rhodes, 1689, 12°. T.C.II 294.

O H1991D   Hill, John. The young secretary's guide. Fifth edition. For H. Rhodes, 1693. 12°. T.C.II 487.

O H2071A   Hippocrates. Hippocrates' aphorisms. 1694. 4°. WAT.

O H2075B   His Excellency the Lord Lieutenant of Ireland's speech. Printed at Dublin, and re-printed at London, for R. Taylor, 1692[3]. brs. SALE.

O H2095A   Historical account of Russia. For E. Bell, 1698. 8°. T.C.III 64, COX.

O H2095B   An historical account of the heresie. For R. Clavell, 1696. T.C.II 576.

O H2103B   An historicall explication of what is most remarkable in Versalls. Mathew Turner, 1683. SR.

O H2103C   Historical memoires of the life and actions of . . . James.
            For Thomas Malthus, 1683. 8°. T.C.II 4, SR.

O H2106A   The historical part of the Old Testament newly graved in 70
            copper-plates. To be sold at the Kings Printing-house, and
            at J. Starkey's, 1669. 12°. T.C.I 12.

O H2108A   An historicall relation of the millitary government of Glocester.
            Roberte Bostock, 1645. SR.

O H2109A   Historical travels and voyages over Europe. Volume 3. For H.
            Rhodes, 1694. 12°. T.C.II 492.

O H2109B   Historical travels over Europe. Volume 4. For H. Rhodes,
            1696. T.C.II 578.

O H2109C   An historicall vindication of the female sex. Francis Saunders,
            1691. SR.

O H2109D   History and description of the hospital for invalids at Paris.
            1695. 8°. * HARL.

O H2109E   The history and relation of a journey of . . . my Lord Henry
            Howard. For T. Collins and J. Ford, and S. Hickman, 1671.
            12°. T.C.I 72.

O H2110A   The history and vindication of the royal formulary. 1674.
            4°. * HARL.

O H2111A   History of Adam Bell. 1686. 8°. HARL.

O H2113A   The history of all the memorable transactions in England.
            For H. Rhodes, 1696. T.C.II 578.

O H2113B   The history of Amadis of Greece. 1694. 4°. LOW.

O H2113C   The history of archbishopricks. Daniel Browne, 1695. SR.

O H2116A   The history of Dr. Faustus. By W. H. for W. Whitwood, 1690.
            4°. LIV.

O H2118A   The history of England, during. For J. Taylor, 1693. fol.
            T.C.II 445.

O H2118B   The history of England faithfully extracted. For Isaac Cleare,
            A. Roper, A. Bosvile, and Rich. Basset, 1700. 2 vol. AC.

O H2122A   The history of illusory promises. William Crooke, 1684. SR.

O H2123A   The history of John Bourbon, prince of Carency. Samuel Crouch,
            1692. SR.

O H2123B   The history of living creatures. Andrew Crooke, 1659. SR.

O H2131A   The history of Pope Joan and the whores of Rome. 1686. 8°.
            * HARL.

123

O H2138A   The history of Scarborough Spaw. 1682. T.C.II 484.

O H2138B   The history of Scurvy-Grass. 1677. 8°. * HARL.

O H2140A   The history of Spain. William Cadman and Symon Neale, 1677. SR.

O H2141B   The history of that famous and renowned knight. By W. Thackeray, 1689. 4°. HAZ.

O H2146A   The history of the blind beggar of Bednal Green. For F. Coles, T. Vere, and J. Wright, [c. 1690]. HAZ.

O H2146B   The history of the blind beggar of Bednal Green. For F. Coles, T. Vere, J. Wright, and J. Clarke, [c. 1690]. HAZ.

O H2147A   The history of the church and state of Scotland. Fourth edition. For R. Royston, 1677. fol. T.C.I 277.

O H2150A   An history of the Court of Spain. For H. Rhodes, 1700. AC.

O H2152A   The history of the damnable life . . . of Dr. John Faustus. For T. Sawbridge, 1677. 4°. T.C.I 285.

O H2154A   The history of the damnable life . . . of Dr. John Faustus. By W. H. for William Whitwood, 1690. 4°. HAZ.

O H2156A   The history of the devills of London. Abell Swall, 1693. SR.

O H2158A   The history of the earls and earldoms of Flanders. For D. Brown, S. Crouch, J. Taylor, and A. Bell, 1700. 8°. AC.

O H2160A   The history of the famous and renowned knight, Sir Bevis. By A. Ibbitson, for Andrew Crook, 1667. 4°. SALE.

O H2160B   The history of the French rogue. For Samuel Lowndes, 1671/2. 8°. T.C.I 96.

O H2160C   The history of the golden eagle. John Stafford, 1656. 4°. * SR.

O H2165A   History of the knights of the Blade, commonly called Hectors. 1652. AUC.

O H2166*   The history of the late revolution of the empire of the great Mogull. Symon Miller, 1670. SR.

O H2167A   The history of the life and death of Wil Summers. 1676. HAZ.

O H2167B   The history of the life and victorious reign, and death, of King Henry the 8th. For H. Rodes, 1682. 12°. T.C.I 472.

O H2168*   The history of the life, bloody reign . . . Mary. Third edition. For D. Brown, & T. Benskin, 1682. 12°. T.C.I 514.

O H2173B   The history of the Palais Royal. For R. Bentley, and W. Cademan, 1680. 12°. T.C.I 393.

O H2176A   The history of the reformation of the Church of England. [Paris],
            printed 1685. 8°. SALE.

O H2187A   The history of the third monarch of Gt. Britain. 1660 AUC.

O H2189A   The history of the warr of the Cosacks. Hobart Kemp, 1672. SR.

O H2189B   The history of the wars in Hungary. For W. Whitwood, 1688.
            T.C.II 235.

O H2190A   History of the whores and whoredom of the Popes. 1679. 8°.
            HARL.

O H2190B   The history of the wise philosopher. For E. Tracy, 1696. 12°.
            T.C.II 582.

O H2190C   The history of Tytus Andronicus. 1656. brs. SR, ROL, ROX.

O H2191A   The history of Valentine and Orson. Sold by T. Passenger,
            1680. 4°. T.C.I 388.

O H2192A   Hitcham, Sir Robert. An ordinance for settling and confirming
            the manors of Framlingham. 1654. fol. GOU.

O H2195B   Hoadly, Samuel. A natural method of teaching. Fourth edition.
            For B. Aylmer, 1698. 8°. T.C.III 83.

O H2209A   Hobart, Sir Henry. The reports. Sold by H. Twyford, T. Basset,
            S. Heyrick, T. Dring, C. Harper, W. Crook, R. Tonson, 1681.
            fol. T.C.I 467.

O H2209B   Hobart, Sir Henry. Reports. 1683. ALL, SWE, WAT.

O H2236A   Hobbes, Thomas. A garden of geometrical roses. 1685. SALE.

O H2271A   Hobson, Paul. The discovery of truth. Second edition. 1647.
            WHI.

O H2283A   Hodden, Samuel. The pastor's charge. For J. Robinson, 1694.
            T.C.II 491.

O H2284A   Hodder, James. Arithmetick. Third edition. 1664. 12°. DNB.

O H2286A   Hodder, James. Arithmetick. Twelfth edition. For R. Chiswell,
            & T. Sawbridge, 1678. 12°. T.C.I 314, SALE.

O H2288A   Hodder, James. Hodder's arithmetick. Sixteenth edition. For
            Ric. Chiswell, 1687. 12°. ALL, HARL, WAT, SALE.

O H2288B   Hodder, James. Arithmetick. Seventeenth edition. For Tho.
            Taylor, 1691. 12°. T.C.I 90.

O H2289A   Hodder, James. Hodder's arithmetick. Nineteenth edition.
            For Ric. Chiswell, 1694. 12°. SALE.

O H2292*   Hodder, James. Hodder's decimal arithmetick. For T. R. and
              sold by Tho. Taylor, 1672. 8°. HAZ.

O H2309A   Hodges, Richard. Enchiridion arithmeticon, or, a manual.
              Second edition. By J. Flesher, and are sold by Nicholas
              Bourn, 1653. 8°. SR, SALE.

O H2309B   Hodges, Richard. Enchiridion arithmeticon. Henry Eversden,
              1655. SR.

O H2347A   Hoffman, John. The principles of Christian religion. 1645.
              SR.

O H2374A   Hold buckle & thong togeather. 1675. brs. SR, ROL.

O H2393A   Holdsworth, Richard. A cordial for the love sick soul. John
              Stafford, 1655. SR.

O H2395A   Holdsworth, Richard. Heaven upon earth. John Stafford, 1655.
              SR.

O H2421A   Holland, Henry. A true and elaborate relation and exact pedigree.
              1645. fol. * HARL.

O H2445A   Holland turn'd to tinder. By E. Crouch for F. Coles, T. Vere,
              and J. Wright, [1666]. brs. HAZ.

O H2446A   Hollar, Wenceslaus. Animalium ferarvm & bestarvm. Printed and
              are to be sould, by Peter Stent, 1663. obl. 4°. HAZ.

O H2446B   Hollar, Wenceslaus. Animalivm ferarvm. Printed and are to be
              sould by Iohn Overton, 1674. obl. 4°. HAZ, WAT.

O H2446C   Hollar, Wenceslaus. Divers prospects in and about Tangier. To
              be sold by Iohn Overton, [1670]. obl. 4°. * HAZ.

O H2450A   Hollar, Wenceslaus. Theatrum mulierum. Sold by R. Sayer, 1643.
              8°. AUC.

O H2451A   [Holles, Denzil Holles], baron. The bishops are not to be
              judges. 1679. 8°. SWE.

O H2513A   Holme, Randle. The academy of armory. For the author, sold by
              R. Chiswell, 1693. fol. T.C.II 454.

O H2514A   Holme, Thomas. A portraiture of the city of Philadelphia.
              1683. brs. COX.

O H2514B   Holmes, John. The fighting Quakers expedition in Pensilvania.
              [1693.] WHI.

O H2523A   The holy cheat, proving. 1661. 4°. HARL.

O H2523B   The holy days. For S. Keble, sold by T. Leigh, 1698. 12°.
              T.C.III 75, N&Q.

O H2526A   The holy life and Christian death of Mrs. Katherine Breltergh. For William Whitwood, 1676. 4°. * HAZ.

O H2536A   Home, John. The cause of infants. For Ben. Southwood, 1675. 4°. T.C.I 220.

O H2561A   Homes, Nathaniel. The character of the crying evills of the present tymes. Tho. Roycroft, 1650. 8°. SR.

O H2561B   Homes, Nathaniel. Church admissions on scripture foundations. Robert Ibbitson, 1656. SR.

O H2578A   Homston, John. The London spelling book. For H. Walwyn, 1700. AC.

O H2587A   An honest man will stand to it. Rich. Harper, 1641. brs. SR, ROL.

O H2593A   The honour of an apprentice of London. For F. Coles, T. Vere, W. Gilbertson, and J. Wright, [1660-80]. brs. SR, HAZ, ROL, ROX.

O H2593B   The honour of Bristol. For T. Vere, [1646-80]. brs. HAZ.

O H2599A   The honour of the taylers. Jonah Deacon, and John Wilde, 1698. SR.

O H2601A   The honourableness of marriage adjusted. J. Roberts, 1700. 8°. MORG.

O H2613A   Hooke, Robert. Description of an universall small pocket quadrant. 1670? TAY.

O H2615B   Hooke, Robert. Instructions to seamen. 1667. TAY.

O H2651C   Hooker, Thomas. The poor doubting Christian. By John Macock, for Luke Fawne, 1659. 12°. SAB.

O H2657A   Hooker, Thomas. The soul's preparation. Eighth edition. For W. Miller, 1692. 4°. T.C.II 397.

O H2681A   Hoole, Charles. An easie entrance. Second edition. By Thomas Newcomb for Joshuah Kirton, 1651. 12°. SALE.

O H2682A   Hoole, Charles. Grammatica latina. William Dugard and Slater, 1649. SR.

O H2687A   Hoole, Charles. Hooles little vocabulary for the use of little children. 1657. 8°. HAZ.

O H2690A   Hoole, Charles. Pueriles confabulation culae. Children's talk. Geo. Sawbridge, 1652. SR, DNB.

O H2690B   Hoole, Charles. Sentences for children. 1658. 8°. HAZ.

O H2690C   Hoole, Charles. Sententiae pueriles. <u>Sawbridge</u>, <u>for the</u> <u>Company</u> <u>of Stationers</u>, 1656. SR.

O H2694B   Hoole, Charles. Vocabularium parvum. <u>Kirton</u>, 1651. 12°. SR.

O H2710B   Hop the brewer and Kilcalfe the butcher's lamentable complaints. 1641. * AUC.

O H2717A   The hope of the faithfull. 1679. 12°. LOW.

O H2727A   Hopkins, Ezekial. The works. <u>For J. Robinson</u>, <u>A. & J. Churchill</u>, <u>J. Taylor</u>, <u>T. Newborough</u>, <u>& J. Wyatt</u>, 1700. fol. T.C.III 207, AC.

O H2756A   Hopton, <u>Sir</u> Ralph. Copie of a letter from . . . to C. Clarke, Mayor of Exeter. 1642. * AUC.

O H2761A   [Hopton, Susannah.] Daily devotions. Third edition. <u>For</u> <u>M. Gillyflower and W. Hensman</u>, 1682. 8°. T.C.I 490.

O H2784A   Horace. The poems of. <u>For C. Brome</u>, 1697. 8°. T.C.III 9.

O H2788A   Horne faire. 1675. brs. SR, ROL, ROX.

O H2789A   Horne, Andrew. Book called the mirrour of justices. 1649. ALL, DNB, SWE, WAT.

O H2795A   Horne, John. Brief instructions for children. <u>Printed at</u> <u>London</u> <u>by R. I.</u> <u>for L. C.</u>, 1654. 8°. HAZ.

O H2812A   Horne, Thomas. Manuductio in AEdem Palledis. <u>Sold by R. Wild</u>, 1690. 8°. T.C.II 302.

O H2814B   Horneck, Anthony. The works of. 1683. LOW.

O H2818A   Horneck, Anthony. Advice to parents. 1690. DNB.

O H2818B   Horneck, Anthony. An answer to a soldier's question. DNB.

O H2825A   Horneck, Anthony. The exercise of prayer. <u>For H. Rhodes</u>, 1685. 12°. T.C.II 215.

O H2825B   Horneck, Anthony. The exercise of prayer. <u>For H. Mortlock</u>, 1697. 12°. T.C.III 3.

O H2827B   Horneck, Anthony. The fire of the altar. Third edition. <u>For</u> <u>H. Rhodes</u>, 1687. 12°. T.C.II 211.

O H2829A   Horneck, Anthony. The first fruits of reason. 1685. CBEL, DNB, WAT.

O H2831A   Horneck, Anthony. Four tracts. <u>For T. Leigh</u>, 1698. T.C.III 82.

O H2854A   The horologie or dyall of prayer. Bourne, 1641. SR.

O H2865A   Horrid news, or a true account of a person's commitment for
       villany with two mares. 1677. 4°. * AUC.

O H2870A   The horsemanship of England. For Thomas Parkhurst, 1682. 4°.
       * HAZ, LIV, LOW, SALE.

O H2874A   Horst, Johan Daniel. The universall galenicall and chimicall
       dispensatorie. Robert Clavell, 1668. SR.

O H2874B   Horticus anglicanus, a new garden of English words. Freeman
       Collins, 1653. SR.

O H2887A   Hortus anglicanus, a new garden of English words. For T.
       Malthus, 1683. 12°. T.C.II 33.

O H2889A   The hospital surgeon. For T. Cockerill, 1700. 12°. T.C.III 214,
       AC.

O H2903A   Hotham, Sir John. The confession, speeches & prayers of. Peter
       Cole, 1644[5]. SR.

O H2910A   [Hough, Edmund.] A country minister's serious advice. Printed
       for Nevil Simmons, in Sheffield, 1700. 12°. * AUC.

O H2922A   Houghton, John. A proposal for improvement of husbandry.
       [London], 1691. fol. * DNB, SALE.

O H2935A   Houghton, Thos. Royal institutions. Second edition. For J.
       Marshall, 1699. 12°. T.C.III 146.

O H2947A   The housewifes companion. [London], for Tho. Passenger, [1674].
       T.C.I 197.

O H2950A   How, Hugh. A charge given. For J. Newton, 1692. 4°. T.C.II 413.

O H2952A   How, Samuel. The sufficiency of the spirits teaching. Reprinted
       and sold by George Larkin, 1681. AUC.

O H3107A   [Howe, John.] An answer to Dr. Stilling Heet's mischief of
       separation. Second edition. For S. Tidmarsh, 1680. 4°.
       T.C.I 413.

O H3120A   Howe, John. De causa Dei, or, a vindication. Robert Roberts,
       1677. SR.

O H3032A   Howe, John. Man's duty in magnifying God's work. 1659. N&Q.

O H3034A   Howe, John. On man's creation. 1660. 4°. DNB.

O H3052A   Howe, William. Phytologia Britannica. 1650. 8°. GOU, TAY.

O H3052B   Howell, George, A sermon preached . . . July the first, 1683.
       For H. Bonwicke, 1683. 4°. T.C.II 40.

O H3058A   [Howell, James.] A defence of the treaty of Newport. 1648. CBEL.

O H3067A   Howell, James. Dissertatio de precedentia regum. 1664. fol. HARL.

O H3096B   Howell, James. A nocturnal progress. 1645. fol. WAT.

O H3112A   Howell, James. Ζωγμα ψυχεα, a discours betwixt the soul and the body. For W. Hope, 1657. 8°. HAZ.

O H3133A   Howell, William. The common prayer, the best. For Mr. Howell in Oxon; sold by L. Meredith, 1699. 12°. T.C.III 133.

O H3133B   [Howell, William.] The common-prayer book, the best companion. By J. H. for Henry Mortlock, 1700. 12°. T.C.III 133, SALE.

O H3151B   H[owet], H[enock]. The doctrine of the light within. [1658.] 4°. WHI.

O H3212A   Hubberd, Sir Henry. The reports of. Lee and Paveman, 1646. SR.

O H3227*   Hubberthorn, Richard. The Quaker's folly. 1659. AUC.

O H3242A   Hubby, William. A touch of the tymes. Nich. Gamage, 1645. SR.

O H3281*   A hue and cry after Mercurius Democritus. 1662. * CBEL.

O H3281**   The hue and crie after Mercurius Elencticus. 1651. * TIMP.

O H3289A   A hue and cry after the eclipse. Dublin, John Harding, [c. 1700]. brs. MORG.

O H3295B   Hue and cry after treason and blood. 1678. * AUC.

O H3296A   Hue and cry against errors. New York, by William Bradford, 1700. EVANS 913, MORG.

O H3299A   Hues, Robert. Tractatus de globis. Oxford, H. H. impensis Ed. Forrest, 1668. 8°. SALE.

O H3318A   H[ughes], S[tephen]. Adroddiad eywir o'r pethau pennat. T. S., 1681. ROW.

O H3318B   Hughes, Stephen. Dar Gwmre yn taring yn bell. 1681. ROW.

O H3327B   Hughes, William. Parson's law. 1682. AUC.

O H3348A   Hugo, Hermann. Pia desideria. Robert Pawley, 1659. SR.

O H3350A   Hugo, Herman. Pia desiderata. By H. H. for G. Pawlet, 1685. 12°. SALE.

O H3354A   [Huish, Anthony.] Priscienus nascens or a key. William Garret, and are to be sold by Timothy Garthwait, 1660. 8°. SALE.

O H3355A   Huish, Anthony. Priscianus nascens, or a key. William Garret, and are to be sold by Timothy Garthwait, 1664. 8°. SALE.

O H3369A   An humble acknowledgement of his Majesties incomparable grace. Printed in the year, 1660. 4°, SALE.

O H3380AB   Humble address of the heirs, executors . . . of Sir William Courten. [London, 1679.] cap., fol. * SALE.

O H3454A   The humble petition of divers hundreds of the Kings poore subjects. For John Wilkinson, Feb. 20, 1643. 4°. * MADAN 1215.

O H3461A   Humble petition of divers recusants . . . Lancaster. 1642. 4°. * AUC.

O H3524A   The humble petition of the inhabitants of the county of Surrey. Printed, 1678. 4°. * SALE.

O H3524B   The humble petition of the inhabitants of the Soake of Peterborow. [London, 1650.] 4°. * HAZ.

O H3600A   An humble proposition for the more regular, speedy, and easy payment. 1681. fol. HARL.

O H3641A   The humble representation of the ministers . . . Edinburgh, May 30. Edinburgh, 1695. 4°. ALDIS 3466.

O H3641B   Humble representation of the Protestant purchasers of forfeited lands in Ireland. [London], 1700. brs. SALE.

O H3653A   [Hume, Alexander.] The flyting betwixt Montgomerie and Polwert. Glasgow, [Sanders], 1663. 8°. ALDIS 1790.

O H3662A   Hume, John. The steadfast Christian. Second edition. For Will. Miller, 1690. 8°. T.C.II 316.

O H3702A   Humfrey, John. Peaceable disquisitions. For T. Parkhurst, 1697. 4°. T.C.III 23.

O H3716A   [Humfrey, John.] A vindication of the Right Rev. Dr. Stillingfleet. 1700. 4°. MORG.

O H3719A   Humours and conversations of the country. 1673. 12°. LOW, AUC.

O H3721A   Humphreys, John. Celeusma: or truth and her companions triumph. For the author, 1680. 4°. SALE.

O H3726A   A hundred godly lessons. For F. Coles, T. Vere, J. Wright, and J. Clarke, [1680-90]. brs. HAZ.

O H3739B   Hunt, Nicholas. New recreation, or a rare and exquisite invention. By J. M. for Luke Fawne, 1651. 12°. SALE.

O H3757A   Hunt, Thomas. New recreations or the minds solacing. Nath. Brookes, 1655. SR.

O H3764A   Hunter, A. Weights, metts and measures of Scotland. <u>Edinburgh</u>,
           1690. AUC.

O H3769A   The hunting of the foxes, from New-Marret. <u>Printed in a Covver
           of Freedom</u>, 1649. N&Q.

O H3796A   [Hurtado, Luis.] The famous history of the life of the renowned
           Prince Palmerin. <u>For W. Thackeray</u> & <u>J. Back</u>, 1691. 4°.
           T.C.II 387.

O H3806A   The husbandman's manual. <u>For R. Chiswell</u>, <u>sold by R. Chiswell</u>,
           & <u>W. Thorp of Banbury</u>, 1694. 8°. T.C.II 517.

O H3847B   Hutton, <u>Sir</u> Richard. Young clerks guide. 1649. 24°. SWE.

O H3871A   Hyde, <u>Sir</u> Nicholas. The whole practice of a justice of peace.
           <u>Walbanke</u>, 1652. SR.

O H3880A   Hydrological essays. 1670. T.C.I 55.

O H3882A   Hylton, Walter. The scale of perfection. 1672. 24°. AUC.

O H3885A   Hymns for morning, evening, & midnight. <u>For C. Brome</u>, 1699.
           T.C.III 129.

<u>I</u>

O I23A   I sing the praise of a worthy wight. [<u>London</u>? 1680.] brs.
           SALE.

O I25A   I will goe with my love all the world o'er. 1675. brs. SR, ROL.

O I32A   An idea of happiness. <u>For J. Norris</u>, 1683. 4°. T.C.II 19.

O I36A   If you love mee, tell mee so. <u>Fran. Grove</u>, 1656. brs. SR, ROL.

O I49A   Ill news from New England. 1652. 4°. * HAZ.

O I49B   I'll pay you for peeping. <u>Tho. Lambert</u>, 1640[1]. brs. SR, ROL.

O I50A   The illustrious exiles of the Court of Augustus, banish't.
           <u>Henry Herringman</u>, 1678. SR.

O I51A   The illustrious Parisian maid. <u>For J. Amery</u>, 1680. 12°.
           T.C.I 393.

O I55A   The imminent danger of idolatry. <u>Sold by the Booksellers</u>,
           1700. AC.

O I73B   An impartial account of the Portsmouth disputation. 1699. WHI.

O I87A   An impartial query for Protestants. 1688. 4°. N&Q.

O I87B   An impartial relation of the seizing . . . several High-Way-Men. E. Golding, 1694. brs. SALE.

O I104A   The imposter exposed. For D. Brown, & J. Walthoe, 1683. 8°. T.C.II 56.

O I128A   The incestuous innocent. Hum. Moseley, 1659. SR.

O I128B   Incestuous marriages, or relations of consanguinity. For Robert Pawlet, 1677/8. brs. HAZ.

O I143B   [Indagine, Joannes ab.] The book of palmistry. Eighth edition. For J. Back, 1691. 8°. T.C.II 372, AUC.

O I143C   Indagine, Joannes ab. The book of palmestry. Ninth edition. For J. Back, 1697. 8°. T.C.III 45, SALE.

O I146A   The independent millitary entertainment. Overton, 1645. SR.

O I149A   Index mercatorius, or an index of merchants. Daniel Major, 1677. SR.

O I150A   Index vectigalium, or. 1670. fol. SWE.

O I150B   The Indian weaver's lamentation. Thomas Mills, 1683. brs. SR, ROL.

O I157A   Inett, John. A guide to the devout Christian. For M. Wotton, & J. Lawson, in Lincoln, 1687. 8°. T.C.II 205.

O I158A   Inett, John. A guide to the devout Christian. Fourth edition. For M. Wotton, 1700. T.C.III 204, AC.

O I164A   Information for my Lord Saltoun. Edinburgh, 1684. fol. ALDIS 2458.

O I169A   An information of the beginnings and cause of all our present troubles. 1648. 4°. HAZ, N&Q.

O I171A   Informations concerning the burning . . . London. 1667. 8°. GOU.

O I187A   An ingenious contention, by way of letter, between Mr. Windy. Printed in the year, 1668. brs. HAZ.

O I187B   Ingle, Richard. A certain way or rule for proving of ye way of Easting. George Hurlock, 1656. TAY.

O I188B   The inhumanity of the prison keeper at Oxford. 1643. 4°. GOU.

O I205A   The innocent country girle. Joshua Conyers, 1686. brs. SR, ROL.

O I207A   Innocent diversion for the ladies. For J. Sprint, 1698. 8°. T.C.III 56.

O I207B   The innocent lady. <u>For</u> <u>Will</u>. <u>Lee</u>, 1674. 8°. T.C.I 165.

O I208A   The innocent maide betrayed. <u>John</u> <u>Wallis</u>, 1685. brs. SR, ROL.

O I209C   The inquiries touching peace. <u>Tho</u>. <u>Underhill</u>, 1644[5]. SR.

O I211A   Enquiry, by way of essay, into the origin of feudal tenures. 1674. 4°. * SWE.

O I216A   An enquiry into the inconveniences of publick . . . elections. <u>Sold</u> <u>by</u> <u>A</u>. <u>Baldwin</u>, 1700. AC.

O I225*   Insignia Bataviae; or, the Dutch trophies displayed. 1688. 4°. HARL.

O I227A   The inspiration of the New Testament. <u>For</u> <u>T</u>. <u>Bennet</u>, 1694. T.C.II 500.

O I232A   Instructio clericalis; directing clerks. <u>For</u> <u>C</u>. <u>Bever</u>, 1693. T.C.II 454, SWE.

O I252A   Instructions how to play at billiards. 1687. CBEL.

O I254A   Instructions to a son. <u>John</u> <u>Taylor</u> <u>and</u> <u>Samuel</u> <u>Holford</u>, 1689. SR.

O I255A   Instructions to be observed by H. M. officers imploied for collecting duty on chimneys. 1670. * AUC.

O I265A   The interest of England in relation to the woollen manufacture. <u>Sold</u> <u>by</u> <u>J</u>. <u>Nutt</u>, 1700. AC.

O I271A   The internal observator. 1684. 8°. DNB.

O I276A   The intrigues of love, a novel. <u>Sold</u> <u>by</u> [<u>F</u>. <u>Gardiner</u>], 1682. 8°. T.C.I 476.

O I283A   An introduction to the art of logick. <u>For</u> <u>T</u>. <u>Ballard</u>, 1700. 8°, AC.

O I283B   An introduction to the Latine tongue. <u>Sold</u> <u>by</u> <u>W</u>. <u>Redmayne</u>, 1676. 8°. T.C.I 242.

O I292A   The inward testimony of the spirit of Christ. <u>For</u> <u>W</u>. <u>Marshall</u>, 1700. AC.

O I293A   Ireland, Richard. None fit to preach. 1661. * WHI.

O I1018A   Irelands complaint against Sir George Ratcliffe. <u>For</u> <u>John</u> <u>Thomas</u>, 1641. 4°. * HAZ, AUC.

O I1027A   Irenaeus. Opera. <u>For</u> <u>Rob</u>. <u>Scot</u>, 1675. fol. T.C.I 221.

O I1047A   An ironical expostulation with death. <u>Printed</u>, 1648. 4°. * HAZ, AUC.

O I1052A   Irvine, Christopher. Index locorum Scotorum. <u>Edinburgh</u>, 1664. 8°. ALDIS 1771, ALL, DNB, LOW.

O I1073A   Isocrates. Advice to a young gentleman. <u>For T. Hodgkins</u>, 1696. 8°. T.C.II 581, CBEL.

O I1077A   Isocrates. Arationes tres. 1670. 12°. AUC.

O I1089A   Iter ad astra, or. <u>For J. Salusbury</u>, 1685. 8°. T.C.II 142.

O I1092B   Iter Britannicum, or England's sad journall. <u>By Peter Lillicrap</u>, 1660. 4°. * HAZ.

O I1095A   Ives, Jeremiah. A contention for truth. 1672. 4°. DNB.

O I1103B   Ives, Jeremiah. Rome is no rule. Second edition. <u>For Francis Smith</u>, 1679. 12°. T.C.I 364, WHI.

O I1106A   Ives, Jeremiah. Weakness above wickedness. 1656. 4°. DNB.

O I1106B   Ives, Jeremiah. William Penns confutation of a Quaker. 1674. WHI.

O I1107A   Ivie, John. A declaration written by. <u>For the author</u>, 1661. 4°. * HAZ, GOU, AUC.

O I1107B   Ivie, Thomas. The declaration of. [<u>London</u>, 1660.] brs. SALE.

J

O J61A   Jack Pudding's late lamentation. <u>Fran[cis] Grove</u>, 1656. brs. SR, ROL.

O J92A   Jackson, Thomas. The whole art of arithmetic. <u>Symon Miller</u>, 1669. SR.

O J92B   Jackson, Tr. The schollers practicall cards. <u>Printed</u>, 1656. 8°. HAZ.

O J95A   Jackson, William. The young scholar's pocket-book. <u>For F. Smith</u>, 1669. 24°. T.C.I 16.

O J100A   The Jacobite robber. 1693. 4°. LOW.

O J113A   Jacombe, Thomas. The covenant of redemption methodized. 1676. 8°. DNB.

O J123A   Jag[g]er, Robert. Edward Wright revived. 1660. TAY.

O J415A   James, <u>Mrs</u>. Eleanor. An appeal to the Honourable House of Commons to respect the heavy tax on paper. [1700.] brs. MORG, SALE.

O J441A   James Naylors tryall. <u>Fran. Grove</u>, 1656. brs. SR, ROL.

O J458A   Jane Shore. 1675. brs. SR, ROL, ROX.

O J471A   Janeway, James. Invisibles. <u>For T. Parkhurst</u>, 1684. 12°.
            T.C.I 77.

O J472A   Janeway, James. Invisibles, realities. <u>For Tho. Parkhurst</u>,
            1699. T.C.III 136.

O J474A   Janeway, James. Legacy. <u>Sold by D. Newman</u>, 1680. 8°.
            T.C.I 409.

O J476A   Janeway, James. Saints' memorials. 1674. 8°. DNB.

O J477A   Janeway, James. A token for children. <u>For Dorman Newman</u>,
            1671. 12°. T.C.I 71, CBEL, DNB.

O J477B   Janeway, James. A token for children. <u>Sold by Benjamin Foster</u>,
            1672. T.C.I 122, DNB.

O J479A   Janeway, James. A token. <u>For D. Newman</u>, 1689. T.C.II 266.

O J479B   Janeway, James. A token for children. <u>For H. Newman</u>, 1694.
            12°. T.C.II 532.

O J495A   Jasz-Berenyi, Pál. Promptuarium linguae Latinae . . . a store-
            house. <u>By J. W. for Nath. Brooke</u>, 1668. 8°. HAZ, N&Q.

O J514A   The jeering young man. 1675. brs. SR, ROL.

O J523A   J[effery], W[illiam]. The lawfulness of tithes. <u>By J. R. for</u>
            <u>John Whitlocke</u>, 1676. 4°. * T.C.I 228, SMI, SALE.

O J531A   Jekyll, Thomas. A brief and plain exposition of the church
            catechism. <u>For J. Watts</u>, 1672. 8°. T.C.II 407, DNB.

O J550A   Jemmat, William. Now and ever. 1666. 4°. DNB.

O J584A   Jenkins, David. The armies indempnity. <u>Printed in the year</u>,
            1681. ROW.

O J629A   [Jenks, Sylvester.] A contrite and humble heart. <u>Paris</u>, 1692.
            12°. DNB, GIL.

O J630A   [Jenks, Sylvester.] A letter concerning the Council of Trent.
            1686. 12°. DNB, GIL.

O J630B   [Jenks, Sylvester.] The security of an humble penitent. 1700.
            12°.

O J661A   [Jenner, Thomas.] A book of drawing, limning, washing. <u>By</u>
            <u>James and Joseph Moxon, for Thomas Jenner</u>, 1647. fol. SALE.

O J667A   Jenner, Thomas. A new booke of mapps . . . Europe. [London], Tho. Jenner, [c. 1646-50]. small fol. SALE.

O J677A   Jenny's lamentation with her berne at her back. Francis Grove, 1657. brs. SR, ROL.

O J678A   Jephson, Robert. A treatise of love. Simon Miller, 1655. SR.

O J681*   Jermin, Michael. Youth's improvement in the round hand. For P. Barret, 1700. AC.

.O J681B   Hierusalem, or the pilgrim. Sold by J. Southby, 1686. 12°. T.C.II 175.

O J686B   Jessey, Henry. An English-Greek lexicon. 1661. 8°. ALL, HARL, LOW, WHI.

O J692A   Jessey, Henry. The glory & salvation of Jehovah. 1650. WHI.

O J697A   Jessey, Henry. Scripture motives for kalendar reformation. 1650. 8°. DNB.

O J703A   Jesuit in his colours. 1679. 4°. AUC.

O J714A   Jesuites fireworks: the burning of London. 1667. 8°. GOU.

O J717A   The Jesuits intrigues. Second edition. For Ric. Chiswell, 1679. 4°. HAZ.

O J727A   The Jesuits' undermining of Parliaments and Protestants. 1661. AUC.

O J728A   The Jesuits upon the scaffold. Richard Royston, 1658. SR.

O J738A   Jewel, John. Bishop Jewels prophecie against popery revived. Tho. Mills, 1683. SR.

O J750A   Jane's answer to the northerne ladd. 1675. brs. SR, ROL.

O J759A   Jockies lamentation. Francis Grove, 1657. brs. SR, ROL.

O J761A   John, of Colignac. A sermon preached by Fryer John. Printed in the year, 1680. 4°. * HARL, HAZ, WAT.

O J762A   John, Theodore. His confession. 1698. 8°. WAT.

O J762B   John Armstrongs last good night. Francis Grove, 1658. brs. SR, ROL, ROX.

O J770*   Johnson, Christopher. Three sermons. Samuel Buckley, 1698. 4°. AUC, SALE.

O J775A   Johnson, J. A new coppie booke. Printed and sould by P. Stent, 1667. obl. 8°. HAZ.

O J778B   Johnson, John. Johnsons Arithmetick. Sixth edition. By T. N. for J. Sweeting, 1655. 16°. SALE.

O J779A   Johnson, John. Arithmetick, vulgar and decimal. 1667. AUC.

O J786A   Johnson, Ralph. The scholars guide. 1667. 4°. HARL.

O J790A   Johnson, Ralph. Short rules for orthography. 1663. 8°. WAT.

O J804*   [Johnson, Richard.] Famous history of the Seaven champions. 1673. 4°. LIV.

O J828A   Johnson, Samuel. An humble and hearty address to all the English Protestants. 1686. CBEL, DNB.

O J849A   [Johnson, Thomas.] A general proposal for the building of granaries. [London, 1696.] 4°. * SALE.

O J849B   Johnson, Thomas. Thermae bathonicae. 1674. 8°. WAT.

O J855A   Johnson, William. Lexicon chimicum. August Mathewes, 1653. SR.

O J858A   Johnson, William. Deus nobiscum, or a sermon. Octav. Pelleyn, 1659. SR.

O J875A   Johnston, Nathaniel. Ecclesiastical jurisdiction of the kings. 1689. 8°. SWE.

O J882A   Joiner, John. The cook's delight. For T. Dawkes, and R. Jones, 1679. 12°. T.C.I 375.

O J887A   Jole, William. The father's blessing. For N. Simmons, 1674. 24°. T.C.I 185, CBEL.

O J891A   A jolly company of jurial blades. For F. Coles, T. Vere, and J. Wright, [1660-80]. brs. HAZ, AUC.

O J910A   Entry cancelled.

O J911A   Jones, Andrew. Doomsday at hand. For E. Andrews, 1665. 8°. AUC.

O J913A   Jones, Andrew. Dooms-day. Nineth edition. Boston, by Samuel Green, 1684. 8°. * EVANS 363.

O J920A   Jones, Andrew. Morbus Satanicus, the devil's disease. Fifth edition. For John Andrews, [c. 1656]. 12°. * SALE.

O J940A   J[ones], D[avid]. The wars and causes of them. 1698. 4°. DNB, LOW, N&Q.

O J942A   Jones, George. Those famous friendly pills. [London, c. 1680.] brs. WAT, SALE.

O J959A   Jones, James. Sober considerations. Geo. Larkin, 1685. SR.

O J978A   Jones, John. Speciatim vere de dysenteria hibernica. Dublin,
            1686. DIX 287.

O J980A   [Jones, John.] The great duty of conformity. Sold by L. Meredith,
            1692. 8°. T.C.II 421.

O J991B   Jones, Theophilus. The antiquity of the Christian religion.
            1684. 8°. AUC.

O J996A   Jones, Thomas. Y gwir or gwaethed iw. 1683. ROW.

O J997A   Jones, Thomas. Llyfr Gweddi Guffredin. Argraphwyd yng Haerlûdd
            dos Thomas Jones, 1687. Gan Mr. Charles Beard & Mr. John
            Marsh. ROW.

O J997B   Jones, Thomas. Lftyr plygain. Llundain, 1683. ROW.

O J997C   Jones, Thomas. Taith y pererin. Argraphwyd yn y Mwythis,
            1699. ROW.

O J1073A   Jordan, William. A copy book, intituled, A composed number of
            copies. Sold by J. Back, W. Becket, C. Holman, & S. Sharp,
            1692. T.C.II 404.

O J1079A   Josephus, Flavius. The works. 1692. fol. LOW.

O J1080B   Josephus, Flavius. The works epitomiz'd. 1694. CBEL.

O J1080BA   Josephus. The works of. For W. Battersby, R. Chiswell,
            J. Robinson, A. and J. Churchill, M. Wotton, G. Conyers,
            A. Roper, and J. Wyat, 1700. fol. AC.

O J1113A   A journal, or historical account of the life, travels . . . of
            . . . George Fox. For Thomas Northcott, 1694. fol. SMI.

O J1114A   The jovial companion or merry club. [c. 1700.] fol. * SALE.

O J1115A   The joviall crew, or beggers bush. For William Gilbertson,
            [1640-65]. brs. HAZ.

O J1116A   The joviall gallant. Tho. Lambert, 1641. SR, ROL.

O J1116**   The jovial garland. Eighth edition. For J. Back, 1691. 8°.
            T.C.II 387.

O J1116*** The joviall lasse or Doll and Roger. 1675. brs. SR, ROL.

O J1120A   Joy and happiness to youth. 1700. 8°. HAZ.

O J1127A   The joyfull meeting betwixt John and Betty. 1675. brs. SR, ROL.

O J1138A   Joyfull newes from Namptwich. Jan. 15. For Andrew Coe, 1644.
            4°. * HAZ.

O J1151A   Joyful newes from Warwick, shewing. I. Web, 1642. 4°. * SALE.

O J1180A   The judgment of Hercules. 1641. AUC.

O J1180B   The judgment of several learned men. For J. Robinson, 1696.
            T.C.II 587.

O J1205A   Jurieu, Pierre. Legal exceptions. For J. Robinson, 1689.
            4°. T.C.II 272.

O J1212A   Jurieu, Pierre. Remarks upon the dream. For T. Salusbury,
            1690. 4°. T.C.II 324.

O J1218A   A just account of the horrid contrivance of John Copper . . .
            poysoning his wife. For Edward Robinson, 1684. 4°. * HAZ.

O J1250A   The justice of peace, or a vindication of peace. 1697. 4°.
            SALE.

O J1265A   Justinus, Marcus. Justin: Ex Trogo Pompeii historiis externis.
            Per Robertum White, 1659. 8°. SALE.

O J1265B   Justinus. Justini ex Trogi Pompeii historiis externis.
            Excusum pro Guliuimo Gilbertson, 1664. 8°. SALE.

O J1266A   Justinus. Justini ex Trogi Pompeii Historiis. For Thomas
            Sawbridge, 1671. 8°. T.C.I 92.

O J1284*   Juvenal. Satyrae. For Rob. Scot, Tho. Basset, Jo. Wright,
            & Ric. Chiswell, sold by Rob. Clavell, 1675.

O J1284**   Juvenal. Juvenalis satyrae. John Redmayne, 1677. 12°. SALE.

O J1284*** Juvenal. . . . Satyrae. Sold by H. Mortlock, 1686. 12°.
            T.C.II 173.

O J1284**** Juvenal. . . . Satirae. Thomas Dring, 1687. SR.

O J1285A   Juvenal. Satyrae. For T. Basset, R. Chiswell, M. Wotton,
            & G. Conyers, 1691. 12°. T.C.II 363.

                              K

O K44A   Keach, Benjamin. Antichrist stormed. For Nath. Crouch, 1695.
            12°. T.C.II 537.

O K52A   Keach, Benjamin. The childs instructor. 1664. WHI.

O K52B   K[each], B[enjamin]. The child's instructor. Fifth edition.
            For Francis Smith, 1679. 12°. T.C.I 363, DNB, WHI.

O K55A   Keach, Benjamin. The counterfeit Christian. For J. Marshall,
            1692. 4°. T.C.III 163.

O K62A   Keach, Benjamin. The everlasting covenant. Sold by W. Marshall, 1699. T.C.III 122.

O K62B   Keach, Benjamin. A feast of fat things. Spiritual songs. 1692. 12⁰. CBEL, DNB.

O K66A   Keach, Benjamin. The glory of a true church. Sold by W. Marshall, 1700. T.C.III 184, AC, WHI.

O K72*   Keach, Benjamin. Instructions for youth. Second edition. For J. Harris, 1693. 12⁰. T.C.II 444, WHI.

O K77A   Keach, Benjamin. Mr. Baxter's arguments for believers baptism. 1679. WHI.

O K79A   Keach, Benjamin. The phoenix of the world. Christopher Hussey, 1678. SR.

O K79B   Keach, Benjamin. A pillar set up. 1670. brs. WHI.

O K95A   Keach, Benjamin. The times of true godliness. Fourth edition. For N. Boddington, 1700. 12⁰. AC.

O K101A   Keach, Benjamin. Troposchematologia rhetorica. For W. Freeman, 1696. 8⁰. T.C.II 580.

O K102A   Keach, Benjamin. The victorious Christian. 1685. WHI.

O K106A   [Keach, Benjamin.] Warre with the devil. Seventh edition. Sarah Harris, 1690. SR.

O K120A   Keble, Joseph. A table of the principal matters. Sold by T. Dring, C. Harper, S. Keble, & W. Freeman, 1690. fol. T.C.II 301, SWE.

O K130A   Keffee, John. Ros Florentinus Johannis Keffei . . . or the dew of Florens. [London, c. 1700.] brs. SALE.

O K137A   Keith, George. An answer to a Jesuit's challenge. [1680.] 4⁰. SMI.

O K149A   Keith, George. George Keith's challenge to William Pen. 1696. 16⁰. * SAB.

O K163A   Keith, George. The false judgment of a yearly meeting. [Philadelphia, William Bradford, 1692.] 4⁰. * SAB.

O K181A   Keith, George. A modest account of the principal differences in doctrine, betwixt. [1696.] 4⁰. SAB.

O K260A   Kempster of Holyrood Parish in Southampton. For Bevis of Southampton and Asparacade the Gyant, 1680. AUC.

O K260B   Ken, J. An account given by. 1674. 8⁰. LOW.

O K263A   Ken, Thomas. An exposition on the church catechism. For W. Kettilby, 1688. 8°. T.C.II 237.

O K263B   Ken, Thomas. An exposition of the church catechism. Sold by Tho. Jones, S. Lowndes, & B. Tooke, 1690. 8°. T.C.II 298.

O K275A   Ken, Thomas. A manual of prayers. For Charles Brome, 1700. 12°. HAZ, N&Q.

O K275B   Ken, Thomas. A morning, evening and midnight hymn. Charles Brome, 1694. SR.

O K283A   Kendall, George. Collyrium, or an ointment. 1644. DNB.

O K288A   Kendall, Nicholas. Sermon preached . . . 18 March, 1685. For R. Royston; Exeter, Geo. May, 1686. 4°. T.C.II 165, AUC.

O K290A   Kennedy, Herbert. Theses. Edinburgi, 1664. brs. ALDIS 3410.

O K291A   Kennedy, Hubert. Illustrissimo Senatori Edinburgensi . . . Theses philosophidae. Edinburgi, excudebant haeredes Andreae Anderson, 1698. brs. ALDIS 3807, HAZ.

O K313B   Kent, Elizabeth, countess of. A choice manuall. Thirteenth edition. By Gartrude Dawson, and are to be sold by William Sheares, 1661. 12°. HAZ, SALE.

O K315B   Kent, Elizabeth, countess of. A choice manual. Sixteenth edition. 1670. DNB.

O K315C   Kent, Elizabeth, countess of. A choice manuall. Edward Brewster, 1674. SR.

O K315D   Kent, Elizabeth, countess of. A choice manual. Seventeenth edition. Sold by Hen. Mortlock, 1675. T.C.I 223.

O K317A   Kent, Elizabeth, countess of. A choice manual. Eleventh edition. For W. Mitler, 1691. 12°. T.C.II 353.

O K328A   The Kentish Sampson. [London], for B. Deacon, [1699]. 8°. * HAZ, AUC.

O K338A   Ker, Patrick. Grammatista, or. For T. Northcott, 1686. 12°. T.C.II 180.

O K345A   Ker, William. Remarks on the government of Germany. Amsterdam, 1688. CBEL.

O K346A   Kerhul, Jean de. Grammaire Francoise . . . A French grammar. For J. Wickins, 1689. 8°. T.C.II 100.

O K355A   Ketch, John. Jack Ketch's new song. [London], reprinted by Nat. Thompson, 1684. brs. ROX.

O K357A   [Kettlewell, John.] Christian prudence. Sold by G. Conyers, 1698. T.C.III 91.

O K361A   Kettlewell, John. A companion for the penitent. For Robert Kettlewell, and sold by Benj. Bragg, 1700. 12⁰. SALE.

O K384A   Key of prophecie showing the killing of the king. 1660. 4⁰. AUC.

O K395A   Kidder, E. E. Kidder's receipts of pastry and cookery. [London? 1700.] 8⁰. HAZ, SALE.

O K408A   Kidder, Richard. A plain and familiar discourse. For T. Parkhurst, 1689. 8⁰. T.C.II 108.

O K419A   Kidder, Richard. The young mans duty. George Calvert, 1663. SR, DNB.

O K421*   Kidder, Richard. The young man's duty. Fifth edition. For R. Simpson, 1685. T.C.II 140.

O K421**   Kidder, Richard. The young man's duty. Sixth edition. For R. Simpson, 1690. T.C.II 318.

O K441A   Killeray, Matthew. The sinner's solace. W. Thackeray, 1667. AUC.

O K473*   The killing doctrine of the Jesuits. For W. Crook, & T. Dring, 1670. 4⁰. T.C.I 343.

O K479A   The kind hearted maids resolution. 1675. brs. SR, ROL, ROX.

O K493A   King, Gregory. An account to the investiture of His Electoral Highness of Brandenburg . . . Garter. 1690. 4⁰. * DNB.

O K495A   King, Gregory. A pack of cards. 1684. fol. ALL, WAT.

O K514A   [King, Sir Peter.] The second part of the enquiry into the constitution. For Jonathan Robinson & John Wyat, 1692. 8⁰. SALE.

O K534A   King, William. A sermon preached . . . 23rd of October, 1685. Dublin, 1685. 4⁰. DIX p.216.

O K549A   King and Miller. 1675. brs. SR, ROL, ROX.

O K549B   The King and Parliament, or. [London? 1685.] brs. ROX.

O K560*   King Jesus is the beleevers prince priest. John Dawson, 1645. SR.

O K570A   The King of Poland's letter to his queene. Richard Baldwin, 1683. SR.

O K579A   King Williams royall pastime. Phillip Brooksby, Jonah Deacon, John Backe and Josiah Blare, 1690. brs. SR, ROL.

O K580A   Kingdom of God in the soul, or within you. <u>Antwerp</u>, 1657. HARL.

O K588A   The King's army in the west routed. <u>Walbanck</u>, 1646. SR.

O K591A   Kings County in the Province of New-Yorke, these are to certify.
     [<u>Philadelphia</u>, <u>William</u> <u>Bradford</u>], 1687. brs. AUC.

O K597A   The Kings last farewell to the world. <u>Fran.</u> <u>Grove</u>, 1649. SR,
     ROL.

O K603A   The Kings medicines for the plague. <u>For</u> <u>F. Coles</u>, <u>and</u> <u>T. Vere</u>,
     1665. 8°. * HAZ.

O K607A   The King's royal and triumphant coming to London. <u>For</u> <u>I. Andrews</u>.
     brs. AUC.

O K607B   The King's tryal at Westminster. <u>For</u> <u>R. I.</u>, [1649]. brs. AUC.

O K608A   Kingsnorth, Richard. Gospel certainty of everlasting felicity.
     DNB.

O K608B   Kingsnorth, Richard. The pearl of truth. 1670.

O K610A   Kingston, Richard. A discourse on God's providence. 1700.
     8°. N&Q.

O K624A   Kirie. A coppy of a letter writ from Serjeant Major Kirie.
     [<u>London</u>, 1642.] 4°. * HAZ.

O K632A   Kirkman, Francis. History of Erastus and the seaven wise
     masters. 1674. 8°. LIV, AUC.

O K633B   Kirkman, Francis. The honour of chivalry. <u>For</u> <u>T. Passenger</u>,
     1678. 4°. T.C.I 316.

O K642A   Kirkwood, James. All the examples, both words and sentences.
     <u>Edinburgh</u>, 1676. DNB, N&Q.

O K642B   [Kirkwood, James.] An answer to the objection against printing
     the Bible in Irish. [1700?] 8°. MORG.

O K642C   [Kirkwood, James.] A copy of a letter anent a project for
     erecting a library. [1699-1710.] DNB.

O K650*   Kirkwood, James. Sewnda pars grammaticae. <u>Edinburgh</u>, 1676.
     DNB, N&Q.

O K650**   Kirkwood, James. Tertia et quarta pars grammaticae.
     <u>Edinburgh</u>, 1676. DNB, N&Q.

O K663A   Knaggs, Thomas. A help to prayer. Second edition. 1700.
     4°. AC, AUC.

O K633B   Knaggs, Thomas. A sermon against other sin. <u>For</u> <u>Francis</u> <u>Fawcet</u>,
     1700. AC, MORG, WAT.

O K707A   Knollys, Hansard. An essay of sacred rhetoric. 1675. 8°.
           DNB, WHI.

O K728B   The knowledge of things unknown. By T. B. for John Hafford,
           1649. 8°. HAZ.

O K728C   The knowledge of things unknown. By G. P. for Nath. Brooke,
           1651. 12°. SALE.

O K728D   The knowledge of things unknown. Sold by Josiah Blare, 1683.
           8°. T.C.II 52.

O K728E   The knowledge of things unknown. By J. M. for W. Thackeray,
           1688. N&Q.

O K737A   Knox, John. An answer to a great number of blasphemous
           cavillations. By J. Crespin, 1660. DNB.

                              L

O L126A   LaChaise, François. The answer of Father La Chase. [1688?]
           4°. MORG.

O L157A   Ladie's petition for husbands. 1693. AUC.

O L158A   The ladies preparation to the monthly sacrament. For G. Conyers,
           & T. Ballard, 1700. 12°. T.C.III 181.

O L167A   The Lady Prettyman's vindication from the attacks. 1666. 4°.
           AUC.

O L168A   Laetitae Caledonicae, or, Scotland's raptures upon . . . Charles
           the Second. [London, 1660.] brs. HAZ.

O L174A   La Fin. Sermo mirabilis: or . . . Second edition. For T.
           Salusbury, 1693. 8°. T.C.II 443, HAZ.

O L177A   La Fite, Daniel. A friendly discourse. For W. Whitwood, 1696.
           T.C.II 573.

O L179A   La Framboisière, Nicholas. Schola medica, or institutions.
           Nath. Brookes, 1656. SR.

O L189A   [Lake, Edward.] Officium Eucharisticum. A preparatory. Second
           edition. For Christopher Wilkinson, 1674. 8°. T.C.I 181, AUC.

O L189B   [Lake, Edward.] Officium Eucharisticum. A preparatory. Fifth
           edition. For C. Wilkinson, 1679. 12°. T.C.I 376.

O L191A   [Lake, Edward.] Officium Eucharisticum. A preparatory. Tenth
           edition. For C. Wilkinson, 1685. 12°. T.C.III 150.

O L191B   [Lake, Edward.] Officium Eucharisticum. A preparatory. Eleventh edition. For C. Wilkinson, 1687. 12°. T.C.II 213.

O L192A   [Lake, Edward.] Officium Eucharisticum; a preparatory service. Thirteenth edition. For C. Wilkinson, 1689. 8°. AUC.

O L192B   [Lake, Edward.] Officium Eucharisticum. Fifteenth edition. For C. Wilkinson, 1692. 12°. T.C.II 379.

O L192C   [Lake, Edward.] Officium Eucharisticum. For C. Wilkinson; sold by R. Clavell, 1693. 12°. T.C.II 458.

O L192D   [Lake, Edward.] Officium Eucharisticum. Eighteenth edition. Sold by R. Basset, 1699. 12°. T.C.III 113.

O L195A   Lake, John. The character of a true Christian. For O. Blagrave, 1690. T.C.II 298, WAT.

O L205A   The Lama-sabachthani. Second edition. For S. Lowndes, 1691. 12°. T.C.II 352.

O L205B   Lamb, Francis. Two large planispheres of the heavens. Sold at the author's house, 1679. TAY.

O L207*   Lamb, Philip. A new year's gift, or a true portraiture. For T. Parkhurst, 1681. 8°. T.C.I 449.

O L207**   Lamb, Philip. A religious family. For Tho. Parkhurst, 1679. 8°. T.C.I 185.

O L208*   Lamb, Thomas. The Anabaptists groundwork. 1644. 4°. DNB.

O L208**   [Lamb, Thomas.] An appeal to the Parliament. Printed, 1660. * WHI.

O L209A   Lamb, Thomas. The fountain of free grace opened. [Before 1642?] 8°. DNB.

O L213A   Lamb, Thomas. The unlawfulness of infant baptism. 1644. DNB, WHI.

O L213B   The lamb calling his followers. Printed, 1662. 8°. SMI, AUC.

O L215A   Lambard, William. The duty and office of high constables. Sold by Robert Clavell, and Thomas Sawbridge, 1671/2. 12°. T.C.I 100, HARL, WAT, AUC.

O L232A   Lambert, James. The country-man's treasure. For G. Conyers, 1695. 8°. T.C.II 540.

O L245A   Lambeth Ale. colop: For Abel Roper, 1693. 4°. * HAZ.

O L251A   Lamentable and bloody news from St. Albans. 1677. 4°. * HAZ, LOW, AUC.

O L255A   A lamentable ballad of a combate lately performed. 1675. brs.
SR, ROL, ROX.

O L255B   A lamentable ballad of a combate. For F. Coles, T. Vere, and
J. Wright, [1690?] brs. HAZ.

O L255C   A lamentable ballad of a combate . . . between Sir James Steward
and Sir George Wharton. Printed for F. C., [1687-81]. brs.
HAZ.

O L255D   A lamentable ballad of fair Rosamond. By and for W. O. only,
[1697?]. brs. HAZ.

O L269A   A lamentable ditty made on the death of Robert Devereux, Earl
of Essex. For A. M., W. O., and T. Thackeray, [1680?]. brs.
SR, ROL, ROX.

O L271A   The lamentable fall of Queen Elenor. For F. Coles, [1670?].
brs. SR, ROL, AUC.

O L271B   The lamentable fall of Queen Elenor. For F. Coles, T. Vere,
and W. Gilbertson, [1686?]. brs. SR, HAZ, ROL, ROX.

O L271C   The lamentable ladies last farewell to ye world. 1656. brs.
SR, ROL, ROX.

O L276A   Lamentable news from sea . . . being a true relation of . . .
the Cherry. 1677. 4°. * HAZ, AUC.

O L299A   La Mothe, N. G. de. The French alphabet. By A. Miller, and are
to be sold by Tho. Vnderhill, 1647. 8°. HAZ, N&Q.

O L302A   Lamotte, Charles. Essay upon poetry and painting. 1699. 8°.
ALL.

O L321A   The landing of His Sacred Majesty King Charles at Dover. [London],
for H. Seamen, 1660. 4°. * HAZ, SALE.

O L350A   Laney, Benjamin. A sermon preached before the King. Second
edition. For H. Brome, 1680. 4°. * T.C.I 424.

O L404A   Langley, John. Totius rhetoricae adumbratio. Cambridge, 1644.
8°. DNB.

O L404B   Langley, John. Totius rhetoricae adumbratio. Cambridge, 1650.
8°. DNB.

O L409   Langston, John. Apology of. 1688. 4°. AUC.

O L441A   L[arkham], T[homas]. A discourse of paying of titles. 1656.
8°. DNB.

O L451*   [La Rochefoucauld, Francois, duc de.] An historical account of
the late troubles. For Henry Chapman, 1685. 8°. SALE.

O L458A   La Serre, Jean Puget de. The mirrour which flatters not. By E. Tyler for R. Thrale, 1664. 12°. HAZ, AUC, SALE.

O L461A   La Serre, Jean Puget de. The secretary in fashion. Fourth edition. For J. M. and are to be sold by Rowland Reynolds, 1668. 8°. SALE.

O L466A   Lassels, Richard. The voyage of Italy. For Robert Clavel, and Jonathon Robinson, and Awnsham Churchill, 1686. 8°. COX, HAZ, SALE.

O L470A   The last and dyinge advice of an affectionate mother. James Collyns, 1668. SR.

O L480A   Last devotions and protestations of several Roman Catholics. 1683. AUC.

O L500A   The last plot smelt. 1698. T.C.III 50.

O L501B   The last Romish conclave of the election of . . . Vrbane the 8th. Seiler, 1641. SR.

O L505*   The last speech, confession, and execution of the two prisoners at Tyburn. [London], by E. M., 1684. fol. * HAZ.

O L513A   The last will & confession of Martin Luther's faith. Tho. Bates, 1641. SR.

O L513B   The last will and testament of a Jacobite. W. Penn, 1692. brs. SALE.

O L514A   The last will and testament of Capt. James Hind. 1651. 4°. HAZ.

O L532A   Last will and testament of the pretended Hump. Wickham. 1692. 4°. AUC.

O L542A   The late calamity of a parcel of land. 1657. 12°. HAZ.

O L548A   The late horrid fannatick conspiracie . . . in a pack of cards. Daniel Browne and Arthur Jones, 1683. SR.

O L554A   The late Lord Russell's speech vindicated. William Crooke, 1683. SR.

O L557A   The late rebellions of Monmouth & Argyle . . . in a pack of cards. Arthur Jones and Daniell Browne, 1685. SR.

O L561A   A late voyage to Constantinople. For H. Bonwicke, 1683. 8°. T.C.II 43.

O L578A   A latter discovery of Ireland. 1646. 4°. HARL.

O L603A   Lauder, George. His dog for a new year's gift to James Erskine. Breda, 1647. DNB.

O L604A   [Lauder, George.] On the most horrid and terrible treason. colop: <u>Printed at Delff by Michael Stael</u>, 1649. HAZ.

O L604B   Lauder, George. The Scottish souldier. 1645. ALL.

O L625A   La Varenne. The French cook. <u>For John Leigh</u>, 1673. 8°. T.C.I 156.

O L626A   The laver of regeneration. <u>For R. Clavell</u>, 1684. 8°. T.C.II 82.

O L626B   Lavernae, or the Spanish gipsy. <u>By E. Coles for T. Williams</u>, 1664. 4°. HAZ.

O L631A   Law, Thomas. Natural experiments; or, physic for the poor. 1657. 12°. ALL, WAT.

O L631B   Law, William. Theses. <u>Edinburgi</u>, 1697. brs. ALDIS 3713.

O L635A   Law principles reduced to practice. <u>Thomas Dring</u>, 1658. SR.

O L653A   Lawrence, Edward. Christ's power. <u>For D. Brown</u>, 1696. 8°. T.C.II 608.

O L696B   Laws and ordinances, touching military discipline. <u>Edinburgh, reprinted by the heirs of Andrew Anderson</u>, 1691. 4°. * SALE.

O L698A   The laws of civility. <u>Martyn and Starkey</u>, 1671. SR.

O L709A   Lawson, George. A modell of civill and ecclesiasticall government. <u>Walbanck</u>, 1647. SR.

O L739A   The lawyers answer to the country persons good advice. <u>Printed in the year</u>, 1700. brs. HAZ.

O L739B   The lawyers clarke treppan'd. <u>For J. Johnson</u>, 1663. 4°. * HAZ, LOW.

O L761A   Lazarillo: or the excellent history. <u>By R. Hodgkinsonne</u>, 1655. 8°. HAZ, LOW, SALE.

O L763A   Lazarille de Tormes pleasant adventures. 1688. 12°. HAZ.

O L784A   Lead, Jane. Glory of Sharon. 1700. MORG.

O L789A   Lead, Jane. The revelation of the everlasting gospel message. 1697. DNB.

O L791A   Lead, Jane. The wars of King David. 1700. DNB, N&Q.

O L801A   Le Blanc, Vincent. The world surveyed. 1675. 12°. SAB.

O L803A   Le Bon. The art of thinking. <u>Joseph Nevill</u>, 1674. SR.

O L804A   Le Brun. The conference of. <u>For D. Mortier, J. Smith, and E. Cooper</u>, 1700. AC.

O L814A   Le Clerc, Jean. A description of bandages. For <u>W. Freeman</u>, <u>J. Walthoe</u>, <u>T. Newborough</u>, <u>J. Nicholson</u>, and <u>R. Parker</u>, 1700. 12⁰. AC.

O L815A   Le Clerc, Jean. The harmony of the gospels. <u>James Bonwick</u>, 1699. SR.

O L820A   Le Clerc, Jean. The lives of the primitive fathers. For <u>T. Ballard</u>, 1700. AC.

O L822   Le Clerc, Jean. Naturall philosophy. <u>Timothy Childe</u>, 1699. SR.

O L830A   [Le Clerc, Sebastien.] Magnum in parvo, or. For <u>R. Pricke</u>, 1679. 8⁰. SALE.

O L830B   Le Clerc, Sebastien. Magnum in parvo, or the practice of geometry. For <u>S. & J. Sprint</u>, 1698. 8⁰. T.C.III 98.

O L834AB   Lecture to the people, with a satyre. 1675. 4⁰. AUC.

O L882A   Lee, Nathaniel. To the Prince and Princess of Orange upon their marriage. 1677. CBEL.

O L891A   Lee, Samuel. The joy of faith. For <u>J. Dunton</u>, 1689. 8⁰. T.C.II 246, DNB.

O L892A   Lee, Samuel. Contemplations on mortality. <u>Boston: reprinted</u> <u>by B. Green</u> <u>and J. Allen for Samuel Phillips</u>, 1690. EVANS 517.

O L896A   Lee, Samuel. The great day of judgment. For <u>T. Parkhurst</u>, 1695. T.C.II 548, DNB.

O L903A   Lee, Samuel. Orbis miraculum, or the temple. By <u>John Streater</u>, <u>for Thomas Basset</u>, 1659. fol. SALE.

O L908A   [Leedes, Edward.] English examples. Second edition. For <u>Nevil Simmons</u>, <u>and Thomas Simmons</u>, 1677. 12⁰. T.C.I 269, SALE.

O L908B   [Leedes, Edward.] English examples. Third edition. For <u>T. Simmons</u>, 1679. 12⁰. T.C.I 364.

O L908C   [Leedes, Edward.] English examples. Fourth edition. For <u>T. Simmons</u>, 1681. 12⁰. T.C.I 433.

O L908D   [Leedes, Edward.] English examples to be turn'd. Seventh edition. <u>Sold by B. Cox</u>, 1685. 12⁰. T.C.II 152.

O L908E   [Leedes, Edward.] English examples to be turned. Tenth edition. <u>For Richard Chiswell</u> <u>and B. Griffin</u>, 1693. 12⁰. T.C.II 459.

O L908F   [Leedes, Edward.] English examples to be turned. Twelfth edition. For <u>R. Chiswell</u>, <u>and B. Griffin</u>, 1697. 12⁰. T.C.III 9.

O L909A   Leeds, Edward. Methodus Graecam linguam docendi. <u>Sold by P.</u> <u>Parker</u>, 1694. 8°. T.C.II 512.

O L910A   [Leedes, Edward.] More English examples. <u>Henry Clarke</u>, 1688. SR.

O L910B   [Leedes, Edward.] More English examples. Fourth edition. <u>For</u> <u>P. Parker</u>, 1696. 12°. T.C.II 594.

O L923*   Leeds, Thomas Osborn. The grounds of reading. <u>For J. Deacon</u>, 1694. 8°. T.C.II 513.

O L924A   Le Febure, Nicolas. A compendious body of chymistry. <u>Tho.</u> <u>Davis</u> <u>and Theodo. Sadler</u>, 1661. 4°. SR.

O L943*   A legal resolution of two important quaeres. <u>By F. L.</u>, 1656. 4°. * HAZ.

O L953A   Le Grand, Antoine. A history of nature. <u>Samuell Smith and Ben.</u> <u>Walford</u>, 1693. SR.

O L996A   L[eigh], E[dward]. A philological commentary. 1651. ALL, SWE, WAT.

O L1002A   Leigh, Edward. Select and choice observations. <u>Walbanck</u>, 1646. SR.

O L1028A   Leighton, Robert. A practical commentary upon the first epistle general of St. Peter. <u>For S. Keble</u>, 1700. 4°. T.C.III 211.

O L1035A   Leland, John. Opera varia. <u>Awnsham and John Churchill</u>, 1692. SR.

O L1036B   Le Mayre, Martin. The Dutch schoolemaster. <u>For John Williams</u>, 1652. 8°. HAZ.

O L1038A   Lemery, Nicolas. A course of chymistry. <u>Walter Kettilby</u>, 1680. 8°. SALE.

O L1042A   Lemery, Nicolas. An universall dispensatory. <u>Jacob Tonson,</u> <u>and Rob. Knaplock</u>, 1698. SR, WAT.

O L1043A   Lemnius, Levinus. Discourse touching generation. <u>For J.</u> <u>Streater</u>, 1664. AUC.

O L1050A   Le Noble. The schoole of the world. <u>Timothy Childe</u>, 1700. SR.

O L1050B   Le Noble. The secret history of the most famous plots. <u>John</u> <u>Darby</u>, <u>Jr.</u>, 1698. SR.

O L1051A   Le Noble, Eustache. Abra-mulè, or the secret history. <u>For</u> <u>T. Leigh</u>, 1698. T.C.III 78.

O L1064A   Lenthall. Mr. Lenthall's Answer to a paper intituled Remarks. [<u>London</u>, c. 1699.] brs. SALE.

O L1095A   Lenton, John. The gentleman's diversion, or the violin explained.
             James Blackwell, 1694. SR, DNB.

O L1095B   Lenton, John. A new sett of tunes. For John Walsh, and J. Hare,
             1700. AC.

O L1095C   Lenton, John. A three part consort. 1694. DNB.

O L1095D   Lenton, John. A three-part consort. Second edition. For H.
             Playford, 1698. T.C.III 78.

O L1100*   Leonard, Sampson. The history of the Kingdome of Naples.
             Mosely, 1653. SR.

O L1159A   [Leslie, Charles.] Some seasonable reflections upon the Quakers
             solemn protestation. By W. R. for Charles Brome, 1700. SMI.

O L1170A   Leslie, John. De origine. For R. Boulter, 1677. 4°. T.C.I 284. COX.

O L1178A   Lesly, George. The universal medicine. For C. Smith, 1680.
             T.C.I 309.

O L1182A   L'Estrange, Hamon. The affinity of sacred liturgies. Edward
             Dod, 1657. SR.

O L1329A   [Leti, Gregorio.] The amours of Charles, Duke of Mantoe.
             Hen. Herringman, 1668. SR, CBEL.

O L1339A   [Leti, Gregorio.] The present state of Geneva. For Will.
             Whitwood, 1689. 8°. HAZ.

O L1341A   [Leti, Gregorio.] Il putanismo di Roma; or . . . For B.
             Needham, 1678. 8°. T.C.I 332.

O L1341B   [Leti, Gregorio.] El teatro Britannico. Rob. Scott, 1683.
             4°. AUC.

O L1346A   Letter and relation of the victory at York. Edinburgh, Tyler,
             1644. 4°. ALDIS 1144.

O L1353A   Letter concerning the necessity of frequent Parliaments.
             1689. 4°. HARL.

O L1370A   A letter from a councellor at law to his client . . . in
             Shadwell. 1685. 4°. GOU.

O L1372*   A letter from a divine to a member of Parliament. 1689. MORG.

O L1379A   A letter from a gentleman at London to his friend at Edinburgh.
             Oct. 13, 1700. brs. SALE.

O L1382A   A letter from a gentleman in Exeter. Bern. Alsop, 1643. SR.

O L1388A   Letter from a gentleman in the city . . . about the odiousness.
             Edinburgh, J. Reid, 1688. 8°. * ALDIS 2766.

O L1395A   A letter from a gentleman in town to his friend. 1696. 4°. HARL.

O L1396A   A letter from a gentleman of Bristoll. Overton, 1643. SR.

O L1442A   A letter from an eminent divine of a great miracle. Printed in the year, 1649. 4°. * HAZ.

O L1477A   A letter from Hull, concerning the present state of that towne. Gregory Dexter, 1643. SR.

O L1492A   A letter from Northampton. 1677. 4°. HAZ.

O L1494*   A letter from one in the armie sent from . . . Gloster. Bernard Alsop, 1643. SR.

O L1504A   A letter from several ministers in . . . Edinburgh. Edinburgh, for Christopher Higgins, 1659. ALDIS 1602.

O L1521A   A letter from the governor of Algier to Admiral Russell. By Tho. Hodgkin for J. Whitlock, 1695. brs. SALE.

O L1529B   A letter from the Lord Deputy General of Ireland unto . . . Lenthall. 1651. 4°. GOU.

O L1536A   A letter from the Parliament forces at Newport. Jo. Wright, Junr., 1643. SR.

O L1549A   A letter giving a particular account of the proceedings of the Scots Parliament. colop: Printed n[sic.] the year, 1695. 4°. * SALE.

O L1584C   A letter out of Staffordshire concerning the taking of Burton. Gregory Dexter, 1643. SR.

O L1585A   A letter out of the country to a person of quality in the city who took offence . . . Stillingfleet. Sold by S. Tidmarsh, 1680. AUC.

O L1609D   A letter sent from the Maior of Bristow. Tho. Warren, 1643. SR.

O L1610A   Letter sent from the roaring boyes in Elizium. 1641. 4°. AUC.

O L1621A   A letter sent to the Right Honourable Edward, Earle of Manchester. [London], printed in the yeare, 1643. 4°. * HAZ.

O L1658A   Letter to a gentleman concerning the cities insuring houses. [London? 1680.] brs. SALE.

O L1663A   A letter to a lady concerning the due improvement . . . celibacie. Benj. Tooke, 1696. SR.

O L1666A   A letter to a lord. Second edition. For Tho. Bennet, 1693. 4°. * T.C.II 445.

O L1666B   Letter to a malicious libeller. 1693. 4⁰. HARL.

O L1670A   A letter to a member of Parliament concerning the great growth
            of popery. For B. Aylmer, 1700. MORG.

O L1679A   A letter to a member of Parliament relating to the Irish
            forfeitures. Sold by the Booksellers, 1700. 4⁰. AC.

O L1688A   Letter to a minister of state, concerning the pretended Prince
            of Wales. 1689. fol. MORG.

O L1692A   A letter to a peer, concerning the power. For A. Baldwin,
            1700. AC.

O L1699A   A letter to an honourable person in London, concerning . . .
            Gloster. Steven Bowtell, 1643. SR.

O L1704A   A letter to George Wither to prevent. 1646. 4⁰. * HAZ.

O L1704B   A letter to George Wither touching. 1646. 4⁰. * HAZ.

O L1706A   A letter to His Majesty King William, the 3d shewing. Sold by
            A. Baldwin, 1700. AC.

O L1713C   A letter to Mr. How by way of reply. Sold by A. Baldwin, 1700.
            AC.

O L1716A   A letter to Mr. Richard Baxter. Oxford, for Jo. Wilmont,
            1676. 4⁰. T.C.I 234.

O L1723A   Entry cancelled.

O L1735   A letter to the honorable Robert Boyle. Thomas Malthus, 1683.
            SR.

O L1743A   A letter to the non-juring clergy of England. Sold by J. Nutt,
            1700. AC.

O L1745A   A letter to the pretended Baptist. 1688. WHI.

O L1745B   A letter to the reverend and merry answerer of Vox Cleri. Sold
            by R. Taylor, 1690. 4⁰. T.C.II 306.

O L1753A   A letter touching Dr. Cousins. Tho. Underhill, 1645. SR.

O L1755A   A letter touching the routing of Montrosse. Edw. Husbands,
            1645. SR.

O L1756A   Letter upon the modern argument of the lawfulness of simple
            fornication. 1696. 4⁰. HARL.

O L1772A   The letters and memorials concerning the offered alliance of
            England and France to the Hollanders. 1680. AUC.

O L 1777A   Letters concerning the surrender of Worster. <u>Fran. Coles</u>, 1646. SR.

O L1780A   Letters from several ministers in and about Edinburgh. <u>Edinburgh</u>, 1659. 4°. N&Q.

O L1782C   Letters of advice from two reverend divines. <u>For D. Newman</u>, 1687. 12°. T.C.II 205.

O L1791A   [Leurochon, Jean.] Mathematicall recreations. <u>For Richard Hankin</u>, 1677. N&Q.

O L1791B   Leusden, John. Compendium Biblicum. <u>For the author; sold by B. Tooke</u>, 1678. 8°. T.C.I 321.

O L1791C   Leusden, John. Compendium Biblicum. <u>Sold by J. Malthus</u>, 1686. 8°. T.C.II 169.

O L1822A   Leveson, Richard. A sermon on untimely repentance. 1688. 4°. GIL.

O L1838A   Lewis, John. The church catechism explained, by question and answer. 1700. 12°. DNB, MORG, WAT.

O L1843A   Lewis, Mark. Institutio grammaticae pueriles. Second edition. <u>Printed Anno Domini</u>, 1671. 8°. SALE.

O L1852A   L[ewkenor], J[ohn]. Metellus's three dialogues. <u>For F. Saunders</u>, 1694. 8°. T.C.II 502.

O L1894A   Leybourn, William. Arithmetick vulgar. Fifth edition. <u>For H. Sawbridge</u>, 1684. 8°. T.C.II 107.

O L1899A   Leybourn, William. The art of dialling. <u>B. Tooke</u> and <u>T. Sawbridge</u>, 1667. 4°. SALE.

O L1903A   Leybourn, William. The art of measuring. Third edition. <u>For R. Northcott</u>, 1682. T.C.I 490.

O L1906A   Leybourne, William. Astroscopium; two large celestial hemispheres. <u>Robert Morden</u>, 1673. TAY.

O L1917A   Leybourn, William. The line of proportion. <u>For Walter Hayes</u>, 1673. 12°. HAZ, WAT.

O L1921A   Leybourn, William. The line of proportion. Sixth edition. <u>A. & J. Churchill</u>, 1689. 24°. SALE.

O L1928B   Leybourn, William. Planometria, or the whole art of surveying. <u>William Leybourne</u>, 1652. SR.

O L1959A   A libertine overthrown. 1680. AUC.

O L1959B   The libertine school'd. 1657. AUC.

O L1966A   The liberty of the dean and chapter of St. Paul's, London. [London, 1685-90?] brs. SALE.

O L1969A   A library of humane learning. Abel Swalle, 1695. SR.

O L1974A   Liddell, George. Good company. 1698. N&Q, AUC.

O L1978A   Lye is no scandal, or a vindication of Mr. Mungo Craig. [Edinburgh, 1697.] 12°. ALDIS 3676

O L1987B   The life and acts of . . . Sir William Wallace. Glasgow, by Robert Sanders, 1699. ALDIS 3854, AUC.

O L1989A   Life and character of Mary Dungan. 1651. 4°. HARL.

O L1990A   The life and conversation of Temperance Floyd. By J. W., 1687. 8°. * HAZ.

O L1992A   The life and death of fair Rosamond. For M. Deacon, [c. 1700]. 8°. HAZ.

O L1996   The life and death of Jabez-Eliezer Russel. Printed in the year, 1672. 4°. * HAZ.

O L1996A   Life and death of Jack Straw and Wat Tyler. 1642. AUC.

O L2009A   The life and death of Sheffery Morgan. 1690. AUC.

O L2011A   The life and death of that deservedly famous man of God, Mr. John Cotton. 1658. 4°. SAB, AUC.

O L2017A   Life and death of the late unhappy William Lord Russel. For Caleb Swinock, 1684. LOW.

O L2017B   Life and death of the Rev. Thomas Cawton. 1662. 8°. LOW.

O L2020A   The life and meditations of William Hinton. 1665. 4°. LOW.

O L2021A   The life and triall of Sir Walter Raleigh. Ben. Shirley, 1676. SR.

O L2021B   The life of Adam. 1696. SR.

O L2032A   The life of Jasper Coligni. John Browne, 1652. SR.

O L2034A   Life of Martha Taylor, who lived one year without . . . meat or drink. 1669. fol. HARL.

O L2035A   The life of Mrs. Ellen Asty. By J. R., 1681. 8°. * SALE.

O L2035B   Entry cancelled.

O L2036*   Entry cancelled.

O L2036B   The life of the right honourable and righteous lady, Christian, late Countess Dowager of Devonshire. For C. Brome, 1684. 8°. T.C.II 97, SR.

O L2039A   The life of William Fuller, alias Fullee. 1700. 8°. MORG.

O L2044   The light & life of a man in Christ. William Wethered, 1646. SR.

O L2044A   Light for them that sit. For Francis Smith, 1675. 8°. T.C.I 209.

O L2047A   Light unvailed. For the author, 1658. 4°. * SALE.

O L2047B   Lightbody, George. Quaestiones grammaticae. Edinburgi, 1660. ALDIS 1647.

O L2051A   Lightfoot, John. Collatio Pentateuchi Hebraicae. 1660. 4°. DNB.

O L2060A   Lightfoot, John. Horae Hebraicae Talmudicae . . . in Acta Apistolorum. Henry Cruttenden, 1678. SR, DNB.

O L2077B   Lilburne, George. To the supream authority of England, the Commons . . . the humble petition of. [London? 1649.] brs. SALE.

O L2107A   Lilburne, John. An epistle written by. Thomas Paine, 1645. SR.

O L2114A   Lilburne, John. His humble remonstrance to every member. 1648. 4°. SMI, WAT.

O L2134A   [Lilburne, John.] Letters to the Speaker. 1651. 4°. SMI, WAT.

O L2221A   Lilly, William. The English Merlin revived. 1644. DNB.

O L2224A   Lilly, William. Joyful news for England: or, Mr. Lillie's astrological predictions for . . . 1677/8. [London], for T. Passenger, [1678]. 4°. * HAZ.

O L2255A   Lily, William. Brevissima institutio. H. Hall et A. Lichfield, 1657. 8°. AUC.

O L2255B   [Lily, William.] Brevissima instituto. 1661. 8°. WAT.

O L2258B   Lily, William. Brevissima instituto. Cambridge, 1686. CBEL.

O L2265A   Lily, William. Monita pedagogica. Glasgow, Sanders, 1693. 8°. ALDIS 3305, WAT.

O L2280*   Lily, William. A short introduction. By Roger Norton, 1658. 8°. HAZ.

O L2290A   Lily, William. A short introduction. By Roger Norton, 1672. 8°. SALE.

O L2294A   Lily, William. A short introduction of grammar. By Roger Norton,
             1677. 8°. HAZ.

O L2297A   Lily, William. A short introduction. Cambridge, 1683. 12°.
             AUC.

O L2304A   Limborch, Phillipp. Historia inquisitionii. For S. Smith,
             1692. fol. T.C.II 426.

O L2305A   Limitations for the next foreign successor. Sold by the
             Booksellers, 1700. AC.

O L2308A   Linch, Sir Thomas. The history, or description, of . . .
             Jamaica. For Jo. Williams Junior, 1671/2. 8°. T.C.I 96.

O L2312A   Lindsay, Sir David. The works. [Edinburgh? 1675.] 8°.
             ALDIS 1190.

O L2321A   Lindsay, Sir David. The history of the noble. Edinburgh, by
             the heir of Andrew Anderson, 1683. 4°. ALDIS 2390, AUC.

O L2323A   Lindsay, David. Scotlandis halleluiah. Aberdene, by Edward
             Raban, 1642. ALDIS 1045.

O L2323B   Lindsay, Sir David. Squire William Meldrum. Glasgow, by
             Robert Sanders, 1696. 18°. ALDIS 3579.

O L2323C   Lindsay, Sir David. A supplication. Edinburgh, [c. 1690].
             brs. ALDIS 3052, WAT.

O L2330A   Lineall, John. A Godly discourse between . . . and death.
             1655. AUC.

O L2331A   Lineall, John. To his Highness Richard. For the author,
             1658. 4°. * HAZ, LOW, AUC.

O L2334*   Lines upon the death of John Alden. 1687. brs. SAB.

O L2346A   Ling, Nicholas. Politeuphia. For R. Taylor, 1687. 12°.
             T.C.II 213.

O L2353A   Lingis, a Tartarian history. Francis Saunders, 1692. SR.

O L2363A   Lips, Joest. A serious though breife discourse touching . . .
             elephants. Robert Pawlett, 1675. SR.

O L2366*   Lird, Mareschalck. A brief relation of several remarkable
             passages of the Jewes. [London], printed, 1666. 4°. *
             HAZ.

O L2380B   A list of all the knights, citizens. Thomas Newcombe, senior,
             John Starkey and Robert Pawlett, 1679. SR.

O L2380C   A list of all the land-forces now in England. Edward Jones in
             the Savoy, 1698. brs. SALE.

O L2380D   A list of all the monasterys. 1700. * MORG.

O L2380E   A list of all the offices and places within . . . London.
1697. 12°. GOU.

O L2398A   A list of King James's Irish and Popish forces. By Ed. Jones,
and reprinted in Edinburgh by Jo. Reid, 1698. brs. SALE.

O L2405A   A list of ships taken since July 1677 . . . Algier. For
Richard Janeway, 1682. brs. SALE.

O L2420A   A list of the English and Dutch men of war. R. Bentley, 1691.
brs. SALE.

O L2443A   A list of the French fleet. For B. G., 1690. brs. SALE.

O L2444A   A list of the French men of war riding in Dunkirk harbour.
J. Smith, 1691. brs. SALE.

O L2452A   A list of the knights, citizens and burgesses of the new
Parliament. Printed, and are to be sold by Eliz. Whitlock,
1698. brs. SALE.

O L2452B   A list of the Lent preachers. 1680. AUC.

O L2452C   List of the lieutenancy of London. 1690. fol. * GOU.

O L2452D   A list of the liveries of 56 companies of London. 1700. 4°.
AC, GOU.

O L2465A   A list of the names of the brokers. 1697. 8°. GOU.

O L2466A   A list of the names of the court of alderman. For R. Baldwin,
1690. T.C.II 324.

O L2475A   A list of the names of the mine-adventurers. By Freeman Collins,
1700. GOU.

O L2475B   A list of the names of the nobility. For R. Clavell, & J. Watts,
1690. 4°. T.C.II 315, SALE.

O L2493A   List of the prebendaries of St. Paul's. For William Abington,
1684. brs. HAZ.

O L2495A   A list of the prisoners, men and women. Printed in the year,
1697. fol. * HAZ.

O L2529A   Lister, Martin. Martini Lister Octo exercitationes. Apud
Sam. Smith and Benj. Walford, 1688. 8°. HAZ, WAT.

O L2545A   Lithotomy, or. Sold by W. Whitwood, 1690. 8°. T.C.II 300.

O L2548A   A little forraine newes: out of divers letters written in
Brazeil. 1641. TAY.

O L2548B   The little historian. <u>Thomas</u> <u>Broad</u> <u>of</u> <u>York</u>, 1656. SR.

O L2560A   Littleton, Adam. Dissertatio epistolaris de juramento.
          1693. 4°. WAT.

O L2594B   Lives and actions of several notorious counterfeits. 1686.
          12°. LOW.

O L2594C   The lives of the most famous English poets. <u>For</u> <u>S.</u> <u>Manship</u>,
          1686. 8°. T.C.II 177.

O L2594D   Livesey, James. The efficacy and usefulness. <u>For</u> <u>R.</u> <u>Clavell</u>,
          1674. 8°. T.C.I 162.

O L2598*   Living loves betwixt Christ. 1654. 4°. HAZ.

O L2598**   The living practice of misticall divinity. <u>Fra.</u> <u>Clarke</u>, 1683.
          SR.

O L2610A   Livingstone, William. Conflict in conscience. <u>Glasgow</u>, 1681.
          8°. LIV.

O L2610B   [Livingstone, Will.] The conflict in conscience of . . .
          Bessie Clerkson. <u>Glasgow</u>, <u>by</u> <u>Robert</u> <u>Sanders</u>, 1685. 8°. *
          HAZ.

O L2633A   [Lloyd, David.] Legend of Capt. Jones. 1675. AUC.

O L2636A   Lloyd, David. The countess of Bridgewater's ghost. 1663.
          LOW, WAT.

O L2655A   L[loyd], J[ohn]. A good help for weak memories. Second edition.
          <u>For</u> <u>Thomas</u> <u>Helder</u>, 1682. 8°. T.C.I 488, HAZ.

O L2657   Lloyd, John. The six day's works; a Pindaric poem. 1681. 8°.
          ALL, WAT.

O L2664B   Lloyd, Nicolas. Parenti parentatio, or funeral obsequies.
          1658. 12°. DNB.

O L2687A   [Lloyd, William.] Lord Castlemain's and Robert Pugh's apology.
          1667. 4°. DNB, LOW, AUC.

O L2720A   Lloyd, William. The last speech of. [<u>London</u>, 1679.] brs.
          SALE.

O L2720B   Llwyd, Morgan. Gair o'r Gair. 1656. 24°. DNB, ROW.

O L2720C   Llwyd, Morgan. Gwaedd Yughymru. [c. 1655.] DNB, ROW.

O L2720D   Llwyd, Morgan. Leytr y Tri aderyn. 1653. CBEL, DNB.

O L2730A   Lobb, Stephen. A vindication of the doctor, and myself.
          1695. DNB.

O L2731A   [Lobeira, Vasco.] The sixth book of the history of Amadis de Gaule. 1652. 4°. HAZ, LOW, AUC.

O L2731B   [Lobeira, Vasco.] Amadis of Gaule. The seventh book. 1694. 4°. HAZ.

O L2731C   [Lobeira, Vasco.] Amadis of Greece. 1694. 4°. AUC.

O L2737A   Locke, John. A common-place book to the Holy Bible. For A. & J. Churchill, 1700. 4°. T.C.III 168.

O L2749A   Locke, John. New method of making commonplace books. 1686. N&Q, WAT.

O L2789A   Lockyer, Nicholas. Christ's communion. 1657. AUC.

O L2816A   Loe, Thomas. The doctrine of justification truly stated. Second edition. For John Marshall, 1700. 12°. AC.

O L2825A   Loftus, Dudley. Praxis cultus divini. Dublin, 1693. 4°. DNB, LOW, WAT.

O L2842A   Lomax, N. On the admirable effects of Delaun's pill. 1675. AUC.

O L2895A   The London frolick, or deceit discovered. Jonah Deacon, 1683. brs. SR, ROL.

O L2896A   London jester, or Doctor Merriman. S. Crowder, 1686. 12°. HAZ, LOW.

O L2897A   London jests, or a collection. For D. Newman, 1687. 12°. T.C.II 202.

O L2897B   London jests. Third edition. For D. Newman, 1690. 12°. T.C.II 326.

O L2912A   The Londoner's lamentation. For John Clark, [1666]. brs. HAZ.

O L2919A   London's armory. Robert Clavell, 1677. SR.

O L2919B   London's blame, if not its shame. [London], for T.J., 1651. 4°. * HAZ.

O L2949A   London's pride and the countrey's humility. John Wright, Fran. Coles, Thomas Vere and William Gilbertson, 1656. brs. SR, ROL.

O L2957A   London's wonders; or, London's warning. By A. P., 1673. 4°. * HAZ.

O L2987B   The long and tedious decree in the Exchequer. 1657. fol. GOU.

O L2995A   Longhurst, John. Tystrelaeth o Garied ac Ewyllys. 1683. 12°. ROW.

O L2996A   The longing virgin's lamentation. John Conyers, 1683. SR, ROL.

O L3001A   The longitude not found. Robert Harford, 1678. SR.

O L3010A   Looke to the man that hath never a nose. Fran. Coles, John Wright, Tho. Vere, and William Gilbertson, 1656. brs. SR, ROL.

O L3014A   A looking glasse for a scoulding woman. John Clark, 1668. brs. SR, ROL.

O L3016A   A looking glasse for atheists. Richard Janeway by John Sutton, 1696. SR.

O L3016B   A looking-glasse for brewers. 1641. 4°. HAZ.

O L3018A   A looking glass for good women. Sold by William Miller, 1677[8]. 12°. T.C.I 292.

O L3022A   A looking-glasse for malignants. Rothwell, 1644. SR.

O L3027*   A looking glasse for swearers. Geo. Larkin, 1683. brs. SR, ROL.

O L3027** A looking-glasse for the Anabaptists. Peter Cole, 1645. SR.

O L3028A   A looking glasse for the people of this age. 1675. brs. SR, ROL.

O L3032A   A looking-glass for the times in the tryal. Printed in the year, 1689. 4°. * HARL, HAZ.

O L3043A   The Lord Craven's case . . . April the 25, 1660. [London, 1660.] fol. * SALE.

O L3063A   Loredano, Giovanni Francesco. All the workes. William Hope, 1656. SR.

O L3075A   Lorrain, Paul. Sermon. 1652. ALL.

O L3081A   The lost maidenhead restor'd. [London? 1700.] 4°. * SALE.

O L3083A   Lothian, Robert Kerr. The Earl of Lothian's speech. Robert Roberts, 1690. SR.

O L3093A   Lougher, John. Sermons on several subjects. For E. Giles, in Norwich, 1685. T.C.II 134.

O L3096A   Louis XIII. Declaration of . . . declaring his reasons. 1649. AUC.

O L3105A   Louis XIV. The French King's declaration, enjoining the execution. [London], by John Nutt, 1698. 4°. * SALE.

O L3123A   Louis XIV. The French King's lamentation for the death . . .
generals. T. Tillier, 1691. brs. SALE.

O L3123B   Louis XIV. The French King's lamentation for the loss of his
fleet. R. Stafford, 1697. brs. SALE.

O L3125A   Louis XIV. A letter from the French King to the great Turk.
1692. brs. SALE.

O L3142A   Love, Mrs. Mary. Petitions to Parliament. 1663. AUC.

O L3167A   Love, Christopher. The ministry of angels. 1657. 4°. DNB.

O L3170A   Love, Christopher. Of God's omnipresence. 1657. DNB.

O L3177A   Love, Christopher. The sum or substance of practical divinity.
1654. fol. DNB.

O L3187A   Love, James. The mariner's jewel. 1690? TAY.

O L3187B   Love, James. The marriner's jewel. Second edition. For E.
Tracy, 1700. T.C.III 203, COX, MORG.

O L3191A   Love, Richard. Christ England's distemper. 1645. 4°. AUC.

O L3194A   Love and eloquence. 1685. 8°. LOW.

O L3208A   Love in a maze. F. C., T. V., J. W., J. C., 1678. SR, ROL, ROX.

O L3211A   Love lies a bleeding. For Francis Grove, [1623-61]. brs. HAZ,
ROX.

O L3211B   The love-sick damsell's deepe desire. Francis Grove, 1656.
brs. SR, ROL.

O L3212A   The love-sicke maid. Rob. Ibbitson, 1656. SR, ROL, ROX.

O L3229A   Loveday, Robert. Letters. Sixth edition. For O. Blagrave,
1677. 8°. T.C.I 284, HAZ, LOW.

O L3247A   Lovell, William. The Duke's desk newly broken vp. For John
Garway, 1661. 8°. SR.

O L3247BA   The lovely London lasse long lamenting for a husband. Fran.
Grove, 1647. brs. SR, ROL.

O L3254A   Lovers hospital. John Grismond, 1655. SR.

O L3257A   The lovers quarrel. By A. P. for F. Coles, T. Vere, and J.
Wright, [1680?]. 12°. * HAZ.

O L3258A   The lover's tragedy, or parents cruelty. For Philip Brooksby,
[1672-96]. brs. HAZ.

O L3260A   Loves and intrigues of Father Rock with the nuns. 1683. 12°.
LOW.

O L3263A   Love's delightfull academy. Phillip Brooksby, Jonah Deacon,
John Back, and Josiah Blare, 1690. brs. SR.

O L3264*   Love's downfall, being a sad and true relation. F. C., T. V.,
J. C., 1678. SR, ROL, ROX.

O L3282A   Love's reward. For R. Basset, 1698. 4°. T.C.III 54.

O L3283A   Loves school: or, a new merry book of complements. [London],
for W. Thackeray, T. Passenger, P. Brooksby, and J. Clarke,
1682. 8°. * HAZ, N&Q.

O L3294A   A loveing love letter sent from sea. William Gilbertson, 1656.
brs. SR, ROL.

O L3302A   Lowe. Sermon preached at the funerall of Dr. Featley. Robert
Austen, 1645. SR.

O L3308A   Lower, Richard. Dissertatio de origine Catarrhi. Sold by
John Martyn, 1672. 8°. T.C.I 98, DNB, WAT.

O L3336A   A loyale anagrame on the Duke of Albany. [London, 1688.] brs.
SALE.

O L3337A   The loyal apprentices of London. By Nat. Thompson, 1682. brs.
HAZ.

O L3338A   The loyall Baptist, or. Thomas Fabian, 1685. SR.

O L3338B   The loyal blacksmith, and no Jesuits. 1677. AUC.

O L3346A   A loyal garland of mirth and pastime. By J. M., for J. Deacon,
1685. 8°. CBEL, HAZ, AUC.

O L3365A   The loyal satirists or Hudibras in prose. 1682. 4°. AUC.

O L3371A   A loyal subject's admonition. For Francis Grove, [1623-61].
brs. HAZ, AUC.

O L3371B   The loyal subjects exultation for the coronation. For F. Grove,
[1660]. brs. HAZ, AUC.

O L3373A   The loyal subject('s) resolution. By Thos. Mabb for Richard
Burton, [1650-65]. brs. HAZ, AUC.

O L3374A   The loyall subjects well wishing. For Richard Burton, 1647.
brs. HAZ.

O L3378A   Loyalties severe summons. For J. Vade, 1681. fol. T.C.I 464.

O L3379B   Loyalty asserted, in vindication of the oath of allegiance.
1681. 8°. HARL, N&Q.

O L3386A   Lubin, Eilard. Clavis Graecae linguae. Sold by T. Sawbridge,
            1680. 8°. T.C.I 423.

O L3405A   Lucas, Richard. The plain man's guide to heaven. For C.
            Brome, 1687. 24°. T.C.I 186.

O L3426A   Lucian. Lucian's Charon: or, a survey. [1700?] CBEL.

O L3462A   Ludlow, Edmund. The memoirs. Second edition. For R. Knaplock,
            1700. T.C.III 179.

O L3467A   Ludolf, Job. Lexicon Æthiop. Sold by Benj. Tooke, 1675. 4°.
            T.C.I 222.

O L3472A   Luke, Sir Samuel. A coffin for the good old cause. Printed
            in the year, 1660. N&Q.

O L3472B   Luke, Sir Samuel. The demenor of the Kinges souldiers in
            Leicester-shire. Tho. Underhill, 1644[5]. SR.

O L3474A   Lukin, Henry. The good and faithful servant. For T. Parkhurst,
            1697. 8°. T.C.III 24.

O L3511A   Luther, Martin. Lutheri loci communes. William Wells, 1648.
            SR.

O L3521*   Luxemburg, François, duc de. A letter from. Daniel Lyford,
            1693. brs. SALE.

O L3525A   Lydiat, John. Sacred poems. [1675.] 8°. SALE.

O L3530A   [Lye, Thomas.] The child's delight. John How, 1685. SR.

O L3530B   Lye, Thomas. The child's delight. For Tho. Parkhurst, 1684.
            8°. HAZ.

O L3539A   Lye, Thomas. A new spelling-book. Third edition. For
            T. Parkhurst, 1682. 8°. T.C.I 515.

M

O M121A   Macedo, Francisco. Domus sadica. Typis W. Do-Giard, 1653.
            fol. SALE.

O M126A   MacGiolla-Cuddy, Richard. Essay on miracles . . . Xavier.
            Louvain, 1667. 8°. N&Q.

O M127A   [Machell, Thomas.] That the northern counties which abound in
            antiquities. [Oxford, by H. Hall, 1677?] fol. * MADAN 3145.

O M149A   Mackay, Hugh. Rules offered to be observed by the body of
            infantry. John Whitlock, 1692. SR.

O M156A   Mackenzie, Sir George. A discourse upon the laws. Edinburgh, 1677. DNB.

O M217A   Mackqueen, John. The magistrate's dignity. Edinburgh, 1693. 4°. ALDIS 3306.

O M237A   A mad essay on Mr. Creech's hanging himself . . . for love. 1700. AUC.

O M238A   The mad-man's morrice. For Francis Coles, [1626-81]. brs. AUC.

O M242A   The mad merry pranks of Robin Goodfellow. For F. Coles, T. Vere, J. Wright, J. Clark, W. Thackeray, and T. Passinger, [1680?]. brs. HAZ.

O M242A   The mad merry pranks of Robin Good-fellow. For F. Coles, T. Vere, and J. Wright, [1683?]. brs. HAZ.

O M242B   Mad Tom, a Bedlam's desires of peace. Printed: Anno Domini, 1648. brs. ROX.

O M246A   Maddox, James. [Advertisement . . . preservation of corpses.] [London? 1682.] brs. HAZ, SALE.

O M248A   Mager, Elizabeth. A comfortable contemplation. Thomas Maxey, 1656. SR.

O M249A   The magick of Kirani. For W. Cooper, 1687. 8°. T.C.II 202.

O M251A   The magistrate's duty. For F. Hilyard; sold by R. Clavell, 1686. 4°. T.C.II 155.

O M253A   Magna Charta, made. Second edition. Sold by T. Simmons, 1682. 8°. T.C.I 479.

O M267B   The maiden's complaint against young man's unkindness. F. C., T. V., J. W., J. C., 1678. brs. SR, ROL.

O M268A   The maiden's delight, or a dainty new dialogue. Fran. Grove, 1656. brs. SR, ROL.

O M268B   The maiden's delight. brs. 1675. ROL.

O M268C   The maiden's free choice. Francis Grove, 1656. brs. SR, ROL.

O M272A   The maiden's salute, or a compendious dialogue between Nanny and Betty. Francis Grove, 1657. brs. SR.

O M283A   Maids, wives and widdows take heed. Fran. Grove, 1656. brs. SR, ROL.

O M288A   [Maimbourg, Louis.] A discourse concerning the foundation . . of the Church of Rome. For Jos. Hindmarsh, 1688. 8°. SALE.

O M335A   [Mall, Thomas.] A true account of what was done by a church
              of Christ in Exon. 1658. 8°. SALE.

O M338A   M[allet, John Gregory.] The wise Christian's study. Douay,
              Mairesse, 1680. 12°. GIL.

O M352A   Mault is a gentleman. For F. Coles, T. Vere, J. Wright, and
              J. Clarke, and W. G. Gilbertson, [1680?]. brs. HAZ.

O M352B   Mault is a gentleman. For F. Coles, T. Vere, and W. Gilbertson,
              [1685?]. brs. HAZ.

O M365A   Man, John. A calculation . . . eclipse of the sun . . .
              Sept. 13. Edinburgh, 1699. fol. ALDIS 3867.

O M371A   The man in the moon drinks claret. For F. Coles, T. Vere, and
              W. Gilbertson, [1680?]. brs. HAZ.

O M372A   Man transformed, or the artificial changeling. 1653. 4°.
              HARL.

O M386A   Manby, Peter. A letter to a nonconformist minister. 1677.
              4°. DNB, WAT.

O M386B   Manby, Peter. Of confession to a lawful priest. 1686. 24°.
              DNB, WAT.

O M407A   Manchester, Henry Montagu, earl. Manchester al mondo. W.
              Godbid, 1666. 12°. N&Q, AUC.

O M409A   Manchester, Henry Montagu, earl. Manchester al mondo. For
              Richard Thrale, 1676. 12°. SALE.

O M410A   Manchester, Henry Montagu, earl. Manchester al mondo.
              Fifteenth edition. 1690. 12°. ALL, LOW, N&Q.

O M419A   Mandey, Venterus. Mechanick powers. For T. Leigh, 1698. 4°.
              T.C.III 82.

O M420A   Mandey, Venterus. Mellificium mensionis, or. Second edition.
              For Thomas Hawkins, 1685. 8°. T.C.II 152, SALE.

O M422A   A manifest or declaration of the kingdome of Portugall.
              Butter & Bourne, 1640[1]. SR.

O M453A   Manlove, R. Letters to a sick friend. 1652. 8°. ALL, WAT.

O M455B   The manner and forme of combats anciently observed before the
              Kings of England. 1651. 4°. HAZ.

O M455C   The manner and forme of proceeding to the funerall of Robert
              Earle of Essex. 1646. 4°. HAZ.

O M475*   The manner of the King's comming from Holinby. Oxford, L.
              Lichfield, 1647. MADAN 1937.

O M475B   The manner of the King's tryal. [London], for W. Thackeray and T. Passinger, [1669]. brs. O, CM.

O M475C   The manner of the King's tryal. [London], for F. Coles, [1680?]. brs. ROX.

O M481A   Manner, John. The unwearied searcher. 1670. 8°. GIL.

O M488*   Manning, Francis. Poems upon several occasions. For R. Tuckyr, 1700. AC.

O M490A   Manning, Samuel. A discovery of sincerity. For Chr. Wilkinson, 1675. 8°. T.C.I 209.

O M511A   Man's cruelty, or the highway to destruction. Hen. Brugis, 1684. SR.

O M516A   Manton, John. Forms of prayer. For B. Aylmer, 1692. 8°. T.C.II 416.

O M532A   Manton, Thomas. Practical exposition on the 119 Psalm. 1681. fol. LOW.

O M539B   Manton, Thomas. Twenty select sermons. For Brabazon Aylmer, 1679. 4°. T.C.I 346.

O M541A   A manual for parents. For Tho. Parkhurst, 1671. 12°. T.C.I 82.

O M541B   Manual of devotions. For J. Nutt, 1698. 12°. SALE.

O M544A   Entry cancelled.

O M544B   A manuall of godly prayers. S. Omers, 1652. 12°. HAZ, N&Q.

O M544C   Manual of godly prayers. Antwerp, 1671. HARL.

O M544D   A manual of prayers, and other Christian devotions. [London], printed in the year, 1698. 8°. HAZ.

O M545A   A manuall: or, Analecta, being a compendious collection. By M. Floster for R. Young, 1642. 12°. SALE.

O M545B   A manual, or Analecta formerly stiled the complete justice. Flesher, 1644[5]. SR.

O M547A   A manual, or the practical part of a Christian religion. For Henry Brome, 1670. T.C.I 54.

O M551A   Manwaring, Sir Henry. The sea-man's dictionary. 1666. 4°. HARL, WAT.

O M552A   Manwaring, Roger. Religion and allegiance. 1667. 4°. LOW.

O M558A   Map of merrie conceits. 1650. * LOW.

O M558B   A mapp of ye great levell of ye Fenns. <u>Printed</u> <u>and</u> <u>sold</u> <u>by</u> <u>Christop.</u> <u>Browne</u>, 1685. fol. * HAZ.

O M578A   March, John. Some new cases of the years. 1651. 12°. ALL, DNB, LOW, WAT.

O M586A   Marchmont, Patrick, <u>earl</u>. The speech of . . . 1st of Sept. 1698. SALE.

O M588A   Marcus Tullius Cicero, that famous Roman orator his tragedy. 1651. 4°. CBEL, HAZ.

O M596AB   Marguerite de Valois. Memorials: the grand. 1656. 8°. LIV, AUC.

O M596AC   Margeurite de Valois. The memorials of. 1663. AUC.

O M601A   The mariner's divine mate. <u>For</u> <u>E.</u> <u>Crouch</u>, <u>T.</u> <u>Passenger</u>, <u>and</u> <u>T.</u> <u>Sawbridge</u>, 1670. 12°. <u>T.C.I</u> 48.

O M628A   Markham, Gervase. Country-man's recreation. 1653. HAZ.

O M628B   Markham, Gervase. The country-man's recreation. <u>By</u> <u>T.</u> <u>Mabb</u>, <u>for</u> <u>William</u> <u>Shears</u>, 1654. 4°. HAZ, LOW.

O M645A   Markham, Gervase. Faithful farrier. 1649. 4°. ALL, WAT.

O M647A   Markham, Gervase. Markham's faithfull farrier. <u>Printed</u> <u>by</u> <u>R.</u> <u>Cotes</u> <u>for</u> <u>Fulke</u> <u>Clifton</u>, 1687. 8°. SALE.

O M657A   Markham, Gervase. Hungers prevention. Second edition. <u>For</u> <u>Francis</u> <u>Grove</u>, 1655. 8°. AUC.

O M693A   Marlow, Isaac. Prelimited forms of praising God. <u>For</u> <u>the</u> <u>author</u>, 1691. 8°. HAZ, WHI.

O M696A   Marlow, Isaac. A treatise of the Holy Trinity. <u>Sold</u> <u>by</u> <u>W.</u> <u>Marshall</u>; <u>&</u> <u>J.</u> <u>Marshall</u>, 1698. 12°. T.C.III 92, WHI.

O M706A   Marnette. The perfect cook. <u>For</u> <u>Obadiah</u> <u>Blagrave</u>, 1686. 12°. T.C.II 202, HAZ.

O M707A   The Marquesse of Ormonds proceedings proclayming King Charles the Second. <u>Fran.</u> <u>Titon</u>, 1649. SR.

O M707B   Marquez, John. The Christian governour. <u>Richard</u> <u>Marriott</u>, 1675. SR.

O M707C   Marquoto. Ad prima rudimenta Graecae linguao discenda. <u>Sold</u> <u>by</u> <u>P.</u> <u>Parker</u>, 1694. T.C.II 512.

O M711A   The married man's items. <u>Tho.</u> <u>Vere</u>, 1656. brs. SR, ROL.

O M711B   The married man's joy. <u>Fran.</u> <u>Grove</u>, 1657. brs. SR, ROL.

O M718A   The marrow of astrology. John Bishop, 1686. SR.

O M718B   The marrow of astrology. Second edition. For J. Southby,
           1688. 4°. T.C.II 226.

O M724A   Marsden, Robert. Fides justificans qualis, in concione ad
           clerum . . . Cantab. R. Clavel, 1700. AC.

O M812B   M[arsin], M. A clear explanation upon all the chief points
           in the New Testament. Sold by J. Taylor; J. Gwillim; Mrs.
           Mitchel, J. Bradford, 1687. 8°. T.C.III 36.

O M813EA   [Marsin, M.] The women's advocate. Second edition. For
           Benjamin Alsop, and Thomas Malthus, 1683. 12°. T.C.II 20.
           HAZ, LOW.

O M817A   Martel, Margaret. A true copy of the paper delivered by.
           Mary Edwards, 1697. brs. SALE.

O M817B   Martell, Margaret. A true translation of a paper. E. Mallet,
           1697. brs. SALE.

O M825A   Martial. Epigrammata. 1655. 8°. WAT.

O M825B   Martial. Epigrammata. R. Daniel, 1661. 12°. CBEL, WAT.

O M829A   Martial. Epigrammata. For H. Mortlock, 1696. 12°. T.C.II 593.

O M832   Martial. Fourteen books of epigrams. 1663. 4°. AUC.

O M836A   Martin, David. De acri acido. 1676. 8°. WAT.

O M836B   Martin, Edward. Five letters. 1662. 8°. WAT.

O M836C   M[artin], E[dward]. E. M., a long imprisoned malignant, his
           humble submission. [London], printed in the yeare, 1647.
           4°. * DNB, HAZ.

O M837A   Martin, Henry. A reply in behalfe of the Parliament. Peter
           Cole and Sweeting, 1648. SR.

O M856A   Martindale, Adam. Truth and peace promoted. For B. Simmons,
           1682. 12°. T.C.I 492, DNB.

O M858A   Martini, Raymundi. Pugio fidei. Apud Richardum Chiswell,
           1693. fol. T.C.II 455.

O M858B   Martinius, Petrus. [Hebrew] That is the key to the holy
           tongue. Amsterdam, to be sold by Laurence Sadler and
           Gabriell Bedell, 1656. 8°. SALE.

O M859A   Martyrs in flames, or popery. For N. Crouch, 1692. T.C.II 409.

O M907A   Mason, Dr. Dr. Mason's wonderful vision, a further . . .
           relation. For S. Black, [1694]. HAZ.

O M915B   Mason, John. A little catechism. <u>Sold</u> <u>by</u> <u>J</u>. <u>Lawrence</u>, 1696.
8°. T.C.II 606.

O M915C   Mason, John. Mason's love and goodwill. 1665. brs. HAZ.

O M917A   M[ason], J[ohn]. The midnight cry, a sermon. Third edition.
<u>For</u> <u>N</u>. <u>Ranew</u>, 1691. 4°. T.C.II 363.

O M920A   Mason, John. The remains of. <u>For</u> <u>T</u>. <u>Parkhurst</u>, 1698. 8°.
DNB, HAZ, LOW.

O M920B   Mason, John. The school moderator. 1648. 4°. ALL, WAT.

O M921A   Mason, John. Spiritual songs. Second edition. <u>For</u> <u>Richard</u>
<u>Northcott</u>, 1685. 8°. CBEL, DNB, HAZ, LOW.

O M921B   Mason, John. Spiritual songs. Third edition. <u>T</u>. <u>Parkhurst</u>,
1692. 12°. CBEL, DNB, LOW.

O M921C   Mason, John. Spiritual songs. Fourth edition. <u>For</u> <u>T</u>.
<u>Parkhurst</u>, 1694. T.C.II 521.

O M939A   Entry cancelled.

O M940A   Mason, Robert. Israel's redemption redeemed. <u>Math</u>. <u>Symons</u>,
1646. SR.

O M1029A   Massey, Charles. Funeral sermon. 1650. 4°. ALL.

O M1042A   Massie, Andrew. Theses. <u>Edinburgh</u>, 1695. brs. ALDIS 3511.

O M1042B   Massie, Andrew. Theses philosophicae. <u>Edinburgh</u>, 1698. brs.
AUC.

O M1054A   Master, Martin. Surveyours perambulation. 1661. 12°. ALL,
LOW.

O M1072A   Masterson, George. Milke for babes. <u>Daniell</u> <u>Moggs</u>, 1657. SR.

O M1077A   A match or nothing. <u>William</u> <u>Gilbertson</u>, 1656. brs. SR, ROL.

O M1079*   A matchless treason plott discovered. <u>Fran[cis]</u> <u>Grove</u>, 1657.
brs. SR, ROL.

O M1079**   Materials for a bill of discovery against Sir Robert King.
<u>Dublin</u>, 1698. 8°. DIX 301, LOW.

O M1079B   A mathematicall discourse of the now eminent consumption of
Jupiter and Mars. <u>Tho</u>. <u>Underhill</u>, 1644. SR.

O M1097A   Mather, Cotton. Early piety. <u>Boston</u>: <u>reprinted</u>, 1690.
EVANS 536, SAB.

O M1112A   Mather, Cotton. Gospel for the poor. Boston: by B. Green and
               J. Allen, 1697. EVANS 792, SAB.

O M1113A   Mather, Cotton. Great examples of judgment. Printed [by
               Bartholomew Green and John Allen], for and sold by Joseph
               Wheeler, 1697. EVANS 793.

O M1133A   Mather, Cotton. The order of the churches in New England
               vindicated. [Boston? 1700.] 12°. SAB.

O M1155A   Mather, Cotton. The songs of the redeemed. [Boston: by
               B. Green and J. Allen, 1697.] 8°. EVANS 794, SAB.

O M1158A   Mather, Cotton. Things that young people should think upon.
               Boston in N. E., by B. Green and J. Allen, 1700. 8°. *
               EVANS 934, MORG, SAB.

O M1184A   Mather, Increase. Brief animadversions on the narrative of
               the New England Anabaptists. Boston, by John Foster, 1681.
               4°. SAB.

O M1237A   Mather, Increase. Practical truths. Second edition. Boston:
               by Samuel Green, 1682. 12°. EVANS 323.

O M1262A   Mather, Increase. The wonders of free grace. For J. Dunton,
               1693. 12°. T.C.II 472, WAT.

O M1262B   Mather, Increase. Word to the present and succeeding
               generations. Printed at Cambridge by Samuel Green, and are
               to be sold by John Tappan of Boston, 1672. 4°. * SAB.

O M1268A   Mather, Richard. A catechism. [Cambridge, by Samuel Green,
               1650?] 8°. EVANS 31.

O M1276A   Mather, Richard. A treatise of justification. 1652. 4°. DNB.

O M1283A   Mather, Samuel. A wholesome caveat for a time of liberty.
               1652. 4°. DNB.

O M1286A   Mather, William. The young man's companion. 1681. DNB.

O M1286B   Mather, William. The young man's companion. 1684. TAY.

O M1287B   Mather, William. The young man's companion. Fourth edition.
               For Sarah Howkins, 1695. 12°. DNB, SMI, SALE.

O M1292AB   Matlock, John. Fax nova artis scribendi, or. Second edition.
               Sold by H. Sawbridge, & L. Meredith, 1686. 4°. T.C.II 160.

O M1324   Mathews, John. Sermon on Luke xxiii.34. Oxon, 1666. 4°.
               ALL, WAT.

O M1337A   Mauger, Claude. Claudius Mauger's French grammar. Fourth
               edition. For John Martin, 1662. 8°. HAZ.

O M1340*   Mauger, Claude. French grammar. Tenth edition. For R.
                   Bentley, 1682. 8º. T.C.I 516.

O M1340**   Mauger, Claude. French grammar. Fourteenth edition. Sold by
                   T. Guy, 1690. 8º. T.C.II 308.

O M1341A   Mauger, Claude. French grammar. Eighteenth edition. For T.
                   Guy, 1699. 8º. T.C.III 99.

O M1341B   Mauger, Claude. Grammaire Angloise. For R. Bentley, 1688.
                   8º. T.C.II 239.

O M1346A   Mauger, Claude. Mauger's Letters. For the author; to be sold
                   by James Magnes, 1670/1. 8º. T.C.I 67.

O M1351A   Mauger, Claude. Le tableau du jugement universal. For
                   Matthew Turner, 1675. 8º. T.C.I 206.

O M1371B   Mauriceau, François. The deseases of women with child. By
                   John Darby; to be sold by R. Clavel, and W. Cooper by Benj.
                   Billingsly, and W. Cadman. 1672. 8º. T.C.I 103, SALE.

O M1373A   Mauriceau, François. Observations upon women. Richard Baldwin,
                   1694. SR.

O M1393B   May, Robert. The accomplisht cook. Fourth edition. For
                   Obadiah Blagrave, 1678. 8º. SALE.

O M1409A   [May, Thomas.] Historiae Parliamenti. Second edition. 1655.
                   12º. SWE.

O M1425A   Mayer, John. Short catechism. 1646. 12º. LOW.

O M1437A   Mayhew, Richard. Blood of Christ. 1672. ALL.

O M1445A   Mayhew, Thomas. Upon the death of his late Highness, an elegie.
                   For E. Husbands, 1658. brs. AUC.

O M1483A   Mayne, John. The practical gauger. Fourth edition. For
                   O. Blagrave, 1691. 12º. T.C.II 351, HARL.

O M1483B   Mayne, John. The practical gauger. Fifth edition. For
                   J. Phillips; H. Rhodes; & J. Taylor, 1699. T.C.III 114.

O M1484A   Mayne, John. Tables of excise for strong & small beer. Sold
                   by T. Passenger, 1680. 12º. T.C.I 423.

O M1512A   Maynwaring, Everard. A serious debate. 1689. T.C.II 287.

O M1537A   The May-pole dancers. For J. Deacon, [1690?]. brs. AUC.

O M1552*   Meade, Matthew. Ἐν ὀλίγῳ Χριστιανός . The almost Christian
                   discovered. Sixth edition. For Thomas Parkhurst, 1679. 12º.
                   T.C.I 357, SALE.

O M1566A   Meadows, Sir Philip. A narrative of the principal actions.
The wars. For H. Brome, 1680. 12°. T.C.I 410, ALL, HARL.

O M1567A   Meager, Leonard. The English gardener. Tho. Pierrepoint,
1665. 4°. SR.

O M1589A   Mede, Joseph. The works of. 1686. fol. ALL.

O M1608A   Mede, Joseph. The purport of the Soure kingdomes in Daniell.
Clarke, Senr., 1651. SR.

O M1608B   Medicina animi. Sold by M. Pardoe, 1685. 12°. T.C.II 27, LOW.

O M1609A   Medico medicoramen, or. For T. Howkins, 1690. T.C.II 334.

O M1610A   Meditations collected. 1649. DNB, GIL.

O M1616A   The meers, meets, limits, and bounds of the forrest of Windsor.
1646. SWE, TAY.

O M1633A   Meggott, Richard. Two sermons. For T. Bennet, 1691. 4°.
T.C.II 378.

O M1633B   Meibom, Johann Heinrich. De flagiorum usu in re veneria.
1665. 16°. AUC.

O M1649A   Melville, Elizabeth. A godly dream. Edinburgh, Heirs of
A. Anderson, 1680. 8°. ALDIS 2206.

O M1649B   Melville, Elizabeth. A godly dream. Edinburgh, printed in the
year, 1692. 8°. ALDIS 3760, CBEL, HAZ.

O M1656A   Melvinus, Jac. Ad Jacobum I. ecclesiáe Scotianáe, libellus.
1645. 4°. WAT.

O M1669A   Memoirs of the affairs of France. For Tho. Dring, 1675.
T.C.I 217.

O M1678A   Memorable things noted in the description of the world.
Francis Smith, 1670. SR.

O M1691A   A memorial of God's last 29 years' wonders. Second edition.
For R. Janeway, 1690. 4°. T.C.II 318.

O M1692A   A memorial of the late and present Popish plots. [London?
1680.] fol. * SALE.

O M1698A   Memorials of the most remarkable enterprizes. Sold by R.
Janeway, 1681. fol. T.C.I 450.

O M1699A   Memories of the life of Anthony, Earle of Shattsbury. Walter
Davis, 1683. SR.

O M1702B   Mence, Francis. Deceit and falshood detected. 1695. * WHI.

O M1722   Mentis humanae metamorphosis . . . history of the young
converted gallant. Ben. Harris, 1675. SR.

O M1728*   Merault, Pierre. The last famous siege of the city of Rochel.
1680. 8°. HARL, WAT.

O M1748A   Mercuries muzle or an antidote. Meredith and Tho. Underhill,
1643. SR.

O M1765A   Mercurius internalis or orderlesse orders. 1644. AUC.

O M1768A   Mercurius politicus: a private conference between Scot &
Needham. Printed in the year, 1660. 4°. SALE.

O M1780A   Mercy triumphant! The kingdom of Christ. For W. Crook,
1680. 4°. T.C.I 392.

O M1786A   Meriton, Arthur. The touchstone of conversion. Tho. Underhill,
1647. SR.

O M1802A   Meriton, George. Land-lords law. For T. D. and J. P., 1668.
8°. SALE.

O M1810A   Meriton, George. A schoole of vertue. York, Joseph Walker,
1686. SR.

O M1853A   The merry companion. Henry Playford, 1686. SR.

O M1863A   The merry exploits of Robin Hood. For W. Thackery, 1685. 4°.
HAZ, N&Q.

O M1864A   The merry jests of Smugge the smythe. Sold by F. Coles,
[c. 1673]. 4°. LOW.

O M1865A   The merry maid of Middlesex. Fran. Grove, 1656. brs. SR,
ROL, ROX.

O M1866A   The merry maid of York's resolution. Fran. Grove, 1656. brs.
SR, ROL.

O M1866B   The merry maid's resolution. Fran. Grove, 1656. brs. SR, ROL.

O M1866C   The merry man of Middlesex. Fran. Grove, 1656. brs. SR, ROL.

O M1868A   The merry milke maid and the bonny shephard. Thomas Jenkins,
15 May, 1656. brs. SR, ROL.

O M1873A   A merry reddle, or a tryall of witt. John Conyers, 1683.
brs. SR, ROL.

O M1873B   The merry scuffle. Tho. Vere, 1656. brs. SR, ROL.

O M1873C   A merry song in praise of the black jack. 1675. brs. SR,
ROL.

O M1875A   A merry wedding kept in Northamptonshire. Will. Gilbertson,
            1656. brs. SR, ROL.

O M1875B   A merry wedding, or, Oh! brave Arthur of Bradley. Fran. Grove,
            1656. brs. SR, ROL, ROX.

O M1877*   The merry young man's invitation to all maids. 1675. brs. SR,
            ROL.

O M1898A   A message from heaven on the sin of witchcraft. 1648. 4°.
            HAZ.

O M1904A   A message sent from the committee at Yorke. J. H. and T. Ryder,
            1692. 4°. * SALE.

O M1914A   The messias of the Christians and the Jewes. By William Hunt,
            1655. 8°. SALE.

O M1932A   Metcalfe, Theophilus. Short-writing. Sold by J. Hancock,
            1677. 8°. T.C.I 270.

O M1946   The methode of saying the rosary. 1669. 8°. LOW.

O M1949A   Methodical history of the Popish plot . . . pack of cards.
            Thomas Dainks elder & younger, 1680. T.C.I 384.

O M1949B   Mevis, John. A rationall practice of chirurgery. Samuel
            Crouch, 1685. SR.

O M1954A   Mews, Peter, bp. The ex-ale-tation of ale. For F. Coles,
            1671. brs. HAZ.

O M1965A   Micklethwaite. Two & forty sermons. Sparkes, Milborne,
            Cotes, and Crooke, 1642. SR.

O M1970A   Middleton, Alexander. [Theses.] Aberdeen, Raban, 1649.
            ALDIS 1391.

O M2010A   Miège, Guy. L'etat present de l'Europe. 1682. DNB, N&Q.

O M2013A   Miège, Guy. An hundred and fifteen dialogues. For T. Basset,
            1682. 8°. T.C.I 477.

O M2013B   Miège, Guy. A large vocabulary. For Tho. Basset, 1682. 8°.
            T.C.I 477.

O M2013C   Miège, Guy. Miège's last and best French grammar. For W.
            Freeman, & A. Roper, 1698. 8°. T.C.III 67, HARL, SALE.

O M2013D   Miège, Guy. Mieg's master piece. William Freeman, 1648. SR.

O M2014A   Miège, Guy. The monarchs of England. Thomas Basset, 1691. SR.

O M2017A   Miège, Guy. A new English grammar. For R. Wild, 1690. 8°.
            T.C.II 305.

O M2020A   Miège, Guy. The new state of England. Third edition. <u>For</u>
      <u>R. Clavel</u>, <u>H. Mortlock</u>, <u>and J. Robinson</u>, 1693. 8°. HAZ.

O M2038A   Milburne, William. The many uses of the spirall or serpentine.
      line. <u>John Macocks</u>, 1659. SR, TAY.

O M2050B   Military musick. <u>For Thomas Crosse</u>, 1697. T.C.III 25.

O M2059A   Mill'd lead demonstrated to be a better . . . covering for
      buildings. colop: <u>Printed November</u> 20, 1695. fol. * SALE.

O M2063*   Miller, Thomas. The compleate modialest. <u>George Hurlocke</u>,
      1659. SR.

O M2063B   Miller, Thomas. The compleat modalist. 1674. 4°. ALL, WAT.

O M2067A   The miller and the King's daughter. <u>For Francis Grove</u>, 1656.
      brs. N&Q.

O M2067B   Millerd, James. An exact map, or delineation, of the city of
      Bristol. <u>Sold by John Overton</u>; <u>and Thomas Wall in Bristol</u>,
      1673. T.C.I 135, COX.

O M2080A   Milner, John. A discourse of conscience. 1697 or 1699. DNB,
      WAT.

O M2214   Miraculous cure of the Prusian swallow-knife. 1672. 4°. HARL.

O M2214A   A miraculous discovery of three horrible murders. <u>For P. B.</u>,
      [1674.] 4°. * HAZ.

O M2214B   The miraculous extasies of Isabel Vincent. 1689. 4°. HAZ.

O M2216A   A miraculous proof of the resurrection. [<u>London</u>, 1680.] brs.
      SALE.

O M2217A   Miraculous revenge against murder. 1677. 4°. HAZ, LOW.

O M2218A   Miraculum signum coeleste: a discourse of those miraculous
      prodigies. [<u>London</u>], <u>printed in the year</u>, 1658. 8°. SALE.

O M2220A   Mirmah, maromah, maroum. A discourse. <u>For B. Billingsley</u>,
      1682. 4°. T.C.I 477.

O M2246A   Misery and cruelty striving for victory. <u>Jonah Deacon</u>, 1684.
      SR, ROL.

O M2248A   The misfortunes of St. Paul's cathedral. [<u>London</u>, 168-?.]
      4°. * SALE.

O M2256A   Mistaken justice, or innocence condemned in the person of
      Fran. Newland, executed. 1695. 4°. HARL.

O M2257A   The mistakes of matrimony. 1641. 4°. HAZ, LOW.

O M2257B   Mr. Allen's vindication or remarks upon a late scandalous
           pamphlet. 1700. brs. SALE.

O M2280A   Mrs. Cellier reviv'd. For L. Curtis, 1680. fol. T.C.I 422.

O M2287A   Mitchell, John. The way to true honour. 1697. 8°. HAZ.

O M2301A   Mocket, Richard. Doctrina et politia Ecclesiae. 1677. 4°.
           ALL, WAT.

O M2320A   A moderate & cleare vindication of the serious representation.
           Bowtell, 1649. ·SR.

O M2323A   A moderate aunswer to the speech of the Holland embassadors.
           Robert Bostock, 1645. SR.

O M2323B   A moderate computation of the expenses . . . London. John
           Darby, 1691. SR.

O M2347A   A modern view of such parts of Europe. Sold by J. Bird,
           1689. 8°. T.C.II 249, COX.

O M2367A   A modest enquiry into the opinion concerning a guardian angel.
           Printed and sold by John Nutt, 1700. 4°. * HAZ.

O M2367B   A modest inquiry whether it be lawfull . . . to take up armes.
           John Kidgell, 1683. SR.

O M2368A   Modest plea for the reformation of the lawes. 1659. 4°. SWE.

O M2375A   A modest vindication of the hermite of the Sounding Island.
           Tho. Snodham, 1685. SR.

O M2378A   Modesty and faithfulnesse in opposition to envy and rashness.
           Tho. Malthus, 1683. SR.

O M2380A   Modus transferendi status: being ample . . . instructions.
           For R. Walker, 1676. T.C.I 258, SWE.

O M2382A   Moggie's jelousie, or Jockie's vindication. Jonah Deacon,
           1684. SR, ROL, ROX.

O M2383*   Moliere, Jean. All the comedies of.   Abel Swall, 1693.
           SR.

O M2386A   Molinos, Miguel de. The spiritual guide. 1675. LOW, WAT.

O M2387A   Molinos, Miguel de. The spiritual guide. Printed in the year,
           1689. 12°. SALE.

O M2388A   Mollins, William. Anatomia, or the anatomical administration
           of all the muscles. 1670. 8°. HARL, WAT.

O M2399A   Molloy, Charles. De jure maritimo. Fifth edition. For
           R. Vincent; & J. Walthoe, 1700. 8°. T.C.III 220, AC.

O M2410A   Monck's welcome to Whitehall. 1660. brs. HAZ.

O M2410B   Moncreif, D. A letter from Scotland giving. Tim. Goodwin,
            1692. brs. SALE.

O M2446A   Monro, Andrew. Compendium rhetoricae. Sold by Benj. Crayle;
            & S. Crouch, 1688. 8⁰. T.C.II 232.

O M2464A   Monson, Sir William. A discovery of the Hollanders trade of
            fishing. Humph. Moseley, 1655. SR.

O M2468A   Montagu, Richard, bp. Assize sermon. 1652. 12⁰. ALL, WAT.

O M2492B   [Montelion.] Don Juan Lamberto. Third edition. For Henry
            Marsh, 1665. 4⁰. HAZ, LOW, N&Q.

O M2502A   Montgomery, Alexander. The cherrie and the slae. Edinburgh
            [by the heirs of Andrew Anderson], 1699. 8⁰. ALDIS 3874,
            AUC.

O M2522B   Moody, Joshua. The people of New England reasoned with.
            Boston, 1692. 8⁰. EVANS 625, SAB.

O M2540A   Moore, Sir Francis. The reports of. Henry Twiford, 1656.
            SR.

O M2566A   Moore, Jonas. Astronomie Britanica, or the theory of the
            planets. Nath. Brookes, 1649[50].

O M2567A   Moore, Sir Jonas. Contemplationes geometricae in two
            treatises. By J. G. for Nath. Brooke, 1660. 12⁰. SALE.

O M2573A   Moore, Sir Jonas. A mathematical compendium. Third edition.
            For Obadiah Blagrave, 1690. 12⁰. SALE.

O M2660A   Moore, Thomas. An easie & Plain meditation. For B. Southwood,
            1679. 12⁰. T.C.I 356.

O M2617A   Moral thoughts upon the mistery of our Lord. For J. Wyat,
            1700. AC.

O M2617B   Morden, Robert. Atlas terrestria. [c. 1690.] 12⁰. WAT.

O M2622B   Morden, Rob. A map of the seventeen provinces. 1672.
            T.C.I 104.

O M2631A   [More, Gertrude.] The holy ideots contemplations. Paris,
            1669. 12⁰. GIL.

O M2681A   More, John. The great mystery of the two little horns unfolded.
            1657. 4⁰. LOW, WAT.

O M2686A   More, S. J. England's interest. For J. How, 1700. 24⁰.
            T.C.III 174, MORG.

O M2694A   More bloody news from Essex. For D. M., 1677. 4°. * HAZ.

O M2696A   More devils, or the devil(s) at More-gate. 1674. 4°. * GOU, HARL, LOW.

O M2699A   A more exact and perfect relation of the treachery . . . of Francis Pitt. For John Field, October 18, 1644. 4°. * HAZ.

O M2700B   A more full and impartial account. Abel Roper & Tho. Jones, [1690]. brs. SALE.

O M2714A   More reasons for the Christian religion. For Nevil Simmons, 1672. 12°. T.C.I 102.

O M2718A   Morehead, William. Lachrymae, sive valedictio. 1660. 4°. * ALL, DNB, LOW.

O M2718B   Morel, Pierre. The apothecaries shop opened. John Garfield, 1656. SR.

O M2731A   Morgan, Einion. Hysbys rwydd a di hongled. 1693. 8°. ROW.

O M2731B   Morgan, F. A irle worth gold. Francis Coles, 1660. SR.

O M2731C   Morgan, J. The Welchman's ivbilee. 1641. 4°. HAZ.

O M2781B   Morland, Sir Samuel. The poor man's dyal. 1689. 4°. * DNB, HAZ, TAY.

O M2789A   Morley, George. A letter concerning the death of Lady Capel. 1654. CBEL, DNB.

O M2800A   Morley, Thomas. Usury at 6 per cent examined. 1669. 4°. ALL, HARL, WAT.

O M2800B   Mormonostodismos, sive Lamiarum vestitus, a poem on the King and Queen of Fairy. [London], printed in the year, 1691. 4°. * HAZ.

O M2817A   Morton, Ann. The Countess of Morton's daily exercise. Thirteenth edition. For Luke Meredith, 1688. 24°. T.C.II 212.

O M2818A   Morton, Anne Douglas, countess. Daily exercise. Fifteenth edition. For L. Meredith, 1692. 24°. T.C.II 453.

O M2819A   Morton, Ann. The Countess of Morton's Daily exercises. Fourteenth edition. Printed at London, and are to be sold by Patrick Campbel, in Dublin, 1698. 8°. HAZ.

O M2819B   Morton, Anne Douglas, countess. . . . Daily exercise. Sixteenth edition. For L. Meredith, 1693. 24°. T.C.II 484.

O M2819C Morton, Anne Douglas. A safe guide. Second edition. For J. Back, 1696. T.C.II 607.

O M2819D Morton, Anne Douglas. A safe guide. Third edition. For J. Back, 1699. T.C.III 161.

O M2826D Morton, John. A brief role of life. Ninth edition. For C. Brome, 1697. T.C.III 45.

O M2826E Morton, John. A brief rule of life. For C. Brome, 1700. T.C.III 221, AC.

O M2847A Morton, Thomas. A treatise of the nature of God. 1669. 8⁰. DNB.

O M2857* Moss, John. Lessons for the base-viol. For the author; sold by Jo. Playford, 1670/1. 4⁰. T.C.I 66.

O M2857** Moss, Robert. Transubstantio non est aeque credibilis. [Cambridge], Jul. 7, 1696. brs. SALE.

O M2868* Mossom, Robert. Variae colloquendi. 1659. 4⁰. DNB, WAT.

O M2876A A most exact description of the taking . . . of Buda. Sold by D. Newman, 1686. T.C.II 179, COX.

O M2881A A most excellent ballad of St. George. For F. Coles, T. Vere, and W. Gilbertson, [1685?]. brs. HAZ.

O M2881B A most excellent ballad of St. George. For F. Coles, T. Vere, and J. Wright, [1685?]. brs. HAZ.

O M2884A A most excellent song of the young Palmus. 1675. brs. SR, ROL, ROX.

O M2894 The most horrid and barbarous murder . . . upon . . . John Brasse. [1682.] brs. HAZ.

O M2901A The most lamentable and dreadfull thunder & lightning . . . Norwien. By R. J. for Francis Grove, 1656. 4⁰. SR, GOU, HAZ, TAY.

O M2911A A most notable example of an ungracious son. For F. Coles, T. Vere, and J. Wright, [1685?]. brs. HAZ.

O M2913A The most pleasant companion . . . recorder. For J. Clarke, 1682. T.C.I 485.

O M2919A The most strange and admirable discoverie of the three witches of Warboys. Printed, 1693. 4⁰. GOU.

O M2921* Most strange and wonderful news from . . . Leister. T. M., [1694]. brs. SALE.

O M2923C The most strangest and unparalleled account. By Thomas Hinton, [1670]. 4⁰. HAZ.

O M2924B   A most sweet song of an English merchant born in Chichester. For F. Coles, T. Vere, and J. Wright, [   ]. brs. HAZ.

O M2928A   A most true relation of the attachment, life, death . . . Will Waller, 1641. 4°. HAZ.

O M2936A   Mother Dammables ordinary. Francis Coles, John Wright, Thomas Vere, and William Gilbertson, 1656. brs. SR, ROL.

O M2941A   Motives for enlargement of freedom of trade. 1645. TAY.

O M2942A   Motives to godly mourning and rejoycing. For the author, 1698. 4°. * SALE.

O M2968A   Mount, Richard. Delights of Holland. 1696. 8°. WAT.

O M2984A   A mournfull cloud over vayling the face of England for . . . death of . . . Essex. [London? 1646.] 4°. SALE.

O M2984B   Mournfull complaint to the knights and burgesses of Suffolk. 1656. N&Q.

O M2986A   A mournfull elegie, in pious and perpetuall memory of . . . Robert, Earle of Essex. For Thomas Banks, 1646. * AUC.

O M2990A   The mournful widow, or, a full and true relation. 1690. * AUC.

O M2993A   The mouse-trap: or, the Welsh man's scuffle. 1700. AUC.

O M2997A   Moxon, Joseph. A book of Napier's bones. 1674. TAY.

O M3002   [Moxon, Joseph.] An epitome of the whole art of war. For T. Axe, P. Lea, and E. Poole, 1692. 8°. T.C.II 394.

O M3003   [Moxon, Joseph.] An epitome of the whole art of war. Second edition. For T. Leigh, 1698. 8°. T.C.III 82.

O M3009A   Moxon, Joseph. Mechanick dialling. 1679. 4°. T.C.I 341.

O M3017A   [Moxon, Joseph.] A new mathematical instrument called Seyton's rings. 1693. TAY.

O M3027*   Moxon, Joseph. The use of a mathematicall instrument called a quadrant. 1670. T.C.I 510, TAY, SALE.

O M3027B   Moxon, Joseph. The use of the mathematicall jewell. John Macocke, 1657. SR.

O M3058A   Mullinax, John. Symplegades antrum, or the rampant story. [1661?] 4°. HAZ.

O M3071A   Entry cancelled.

O M3095A   The murtherer justly condemned. For John Foster, and for M. O., [1697]. brs. HAZ.

O M3097A   The murderous midwife. [London], printed in the year, 1675. 4°. HAZ.

O M3097B   Mure, Andrew. Πηγιαμα, or the vertues and way how to use . . . water at Peterhead. Aberdeen, 1680. brs. COX.

O M3103A   The murmurrers, a poem. For T. Speed, 1694. 4°. T.C.II 511.

O M3158A   Musick solace on the cittern. Sold by J. Clarke, 1687. T.C.II 187.

O M3160A   The musical companions. For J. Playford, 1669. 4°. T.C.I 15.

O M3162A   My dogg and I. 1675. brs. SR, ROL.

O M3189A   The mystery of mysteryes revealed. For Will. Saywell, 1670. T.C.I 47.

N

O N88A   Naked truth, or a plain discovery. For Thomas Palmer, 1673. 8°. T.C.I 136.

O N98A   Nalson, John. The counter mine. 1681. AUC.

O N151A   Nanne's delight, or the maiden's fancy. Fran. Grove, 1656. brs. SR, ROL.

O N156   A narration of a maid burnt to death by a chymical spirit. 1678. 4°. HAZ.

O N161A   Narration of the providences of the living God. 1664. 4°. AUC.

O N174A   A narrative of the affairs lately received from . . . Jamaica. For E. Vize; & R. Taylor, 1683. fol. T.C.II 19.

O N178A   A narrative of the confession and execution of the prisoners at Tyburn, Jan. 21, 1679/80. 1680. brs. AUC.

O N183A   Narrative of the election of Dr. Hough . . . Magdalen. 1687. 4°. HARL.

O N185A   A narrative of the phanaticall plot. Nath. Thompson, 1685. SR.

O N189A   Narrative of the horrid and unexplained massacres . . . West-India. 1689. 4°. HARL.

O N189B   A narrative of the horrid, hellish, and damnable Popish-plot. [London], for C. Passinger, 1679. 12⁰. * HAZ.

O N194A   A narrative of the late proceedings of some justices . . . Lewes. Printed in the year, 1670. 4⁰. GOU, HAZ.

O N197A   Narrative of the life and death of . . . John Mackin. 1671. 12⁰. AUC.

O N199   Narrative of the manner how divers members of . . . Commons. 1660. 4⁰. AUC.

O N199A   Narrative of the most observable passages of the late seige. 1643. AUC.

O N204A   A narrative of the principal actions. For Hen. Brome, 1677. 12⁰. T.C.I 289.

O N215A   A narrative of the proceedings of the elders, messengers and ministring brethren . . . Bristol. Printed, 1694. * WHI.

O N222A   A narrative of the robbery and murther committed. William Godbid, 1669. SR.

O N225A   A narrative of the sorceries and witchcrafts exercised by the Devil . . . upon Christian Shaw. 1698. 8⁰. HARL, AUC.

O N228A   Narrative of the tryal and condemnation of John Twyn. T. Mabb, 1667. 4⁰. AUC.

O N229A   Narrative of what befell a Quaker . . . Panton. For Francis Smith, 1672. 4⁰. AUC.

O N232B   Nash, Thomas. A sermon preached . . . Nov. 22, 1700. For A. and J. Churchill, 1700. AC.

O N232C   Nasir al Din, Shah. Binae tabulae. 1648. 4⁰. SALE.

O N242A   Natural and artificial conclusions. For Edward Brewster, 1670. 8⁰. T.C.I 80.

O N242B   Natural and artificial conclusions. For E. Brewster, 1683. 8⁰. T.C.II 52.

O N242C   The natural, civil, and religious mischiefs arising from conjugal infidelity. 1700. 4⁰. HARL.

O N243A   The nature and qualitie of coffee. Roycroft, 1671. SR.

O N245A   Nature's paradox. By J. C. for Edw. Dod and Nath. Ekins, 1652. 4⁰. SALE.

O N276B   Nayler, James. A door opened. For Thomas Simmons, 1660. 8⁰. SMI.

O N333A   Neale, J. Good news from heaven. For W. Gilbertson, 1664.
AUC.

O N334A   Neale, Rid. Pocket companion for gentlemen and ladies . . .
Vol. 1. [c. 1670.] 8°. SALE.

O N362A   The nearest, and truest, and most impartial relation of . . .
Sherborne Castle. 1642. 4°. GOU.

O N363A   Entry cancelled.

O N366A   A necessary companion for a serious Christian. For John Dunton,
1683. 24°. T.C.II 24, SR.

O N366B   A necessary companion. For B. Crayle, 1684. 8°. T.C.II 100.

O N369A   The necessity of adhering. For E. Hall in Cambridge; and L.
Meredith, 1692. 4°. T.C.II 402.

O N384A   [Nedham, Marchamont.] Christianissimus christianandus, or
reasons. Second edition. Sold by most booksellers, 1700.
AC.

O N405A   Nedham, Marchamont. The trial of Mr. John Goodwin. 1657.
4°. DNB.

O N414A   N[egus], W[illiam]. Treatise of faith; wherein. 1657.
4°. AUC.

O N416A   [Nelson, Robert.] The practice of true devotion. 1698.
12°. DNB.

O N425A   Nepos, Cornelius. De vita excellentium imperatorum. For J.
Knapton, 1696. 8°. T.C.II 580.

O N433A   Nepos, Cornelius. . . . Vitae. Apud Richardum Chiswell,
1693. 12°. T.C.II 455.

O N451A   Nesse, Christopher. The crown & Glory of a Christian. Third
edition. For D. Newman, 1685. 24°. T.C.II 120.

O N458A   Nesse, Christopher. A new year's gift. For T. Malthus,
1684. 12°. T.C.II 68, SR.

O N495A   [Nethersole, Sir Francis.] A letter to Mr. John Goodwin.
1642. 4°. ALL, WAT.

O N501A   Neville, Alexander. Norfolke furies. 1650. 4°. COX.

O N529A   The new academy of complements. For Samuel Speed, 1670.
8°. HAZ.

O N530A   The new academy of complements. For Tho. Rooks, 1672. 8°. SALE.

O N531A   New academy of compliments. 1694. CBEL.

O N531B   The new academy of complements. <u>For</u> <u>A. & J. Churchill</u>, 1695.
12⁰. T.C.II 542.

O N531C   The new academy of complements. <u>For</u> <u>A. & J. Churchill</u>, 1699.
12⁰. T.C.III 113, AUC.

O N532A   A new account of North America. <u>For</u> <u>R. Knaplock</u>, 1699. 8⁰.
T.C.III 108, COX.

O N540A   A new and easy method to learn to sing by book. <u>For</u> <u>W. Rogers</u>,
1700. AC.

O N540B   A new and exact catalogue of the common and statute law books.
<u>For</u> <u>R. Basset</u>, 1700. brs. MORG.

O N557C   A new ballad declaring the excellent parable of the prodigal
child. <u>For</u> <u>F. Coles</u>, <u>T. Vere</u>, and <u>J. Wright</u>, [1680?]. brs.
HAZ.

O N558A   A new ballad in the comendacion of ale. <u>Fran. Coles</u>, 1671.
brs. SR, ROL.

O N561B   A new ballad intituled the stout cripple. <u>For</u> <u>F. Coles</u>, <u>T. Vere</u>,
and <u>W. Gilbertson</u>, [1680?]. brs. HAZ.

O N569B   A new ballad of the three merry butchers. <u>By</u> <u>T. Norris</u>,
[c. 1700]. brs. N&Q.

O N583B   A new book of flowers. <u>Sold</u> <u>by</u> <u>John Oliver</u>, 1687. T.C.II 208.

O N585B   A new book of pleasant landskips. <u>Sold</u> <u>by</u> <u>J. Garret</u>, 1686.
T.C.II 169.

O N585C   A new book of several curious flourishes. <u>Sold</u> <u>by</u> <u>J. Garret</u>,
1686. T.C.II 169.

O N585D   A new book of spelling with syllables. <u>For</u> <u>Tho. Cockerill</u>,
1677. T.C.I 274.

O N585E   A new book of variety of mantlings. <u>Sold</u> <u>by</u> <u>J. Oliver</u>, 1686.
T.C.II 158.

O N585F   A new book; wherein is given the whole, full, and clear, account
the scriptures gives of the Diety. <u>Sold</u> <u>by</u> <u>J. Bouges</u>; <u>& E.</u>
<u>Degraves</u>; <u>S. Darker</u>, 1700. T.C.III 211.

O N596A   A new collection of lessons for the Lyra viol. <u>For</u> <u>J. Playford</u>,
1669. 4⁰. T.C.I 15.

O N596B   A new collection of new songs and poems. <u>By</u> <u>J. C. for William</u>
<u>Crook</u>, 1674. 8⁰. AUC.

O N602A   The new created cuckold of Westminster. <u>Jonah Deacon</u>, 1684.
brs.   SR, ROL.

O N616A   A new description of the world. <u>For H. Rhodes</u>, 1689.   12°.
T.C.II 293, COX.

O N619A   A new dialogue between Squire Ketch and the Dutchess his wife.
<u>A. H.</u>, 1699.   brs.   SALE.

O N619B   A new dialogue, or, a brief discourse between two travellers.
<u>For Tho. Vere</u>, 1648.   8°.   *   HAZ.

O N631A   A new drawing book, teaching the grounds.   1700.   AC.

O N637A   New English examples. <u>For J. Chamberlain in Bury</u>, & <u>B. Aylmer</u>,
1685.   12°.   T.C.II 128.

O N638A   A new examination of the accidence.   Second edition.   <u>For J.</u>
<u>Salusbury</u>, 1692.   8°.   T.C.II 430.

O N638B   New exchange of ladies.   1650.   4°.   LOW.

O N638C   The new exchange, stored. <u>Fran[cis] Grove</u>, 1658.   brs.   SR,
ROL.

O N640A   The new flute-master. <u>Sold by J. Walsh</u>, <u>Mr. Salter</u> and <u>Mr.</u>
<u>Livingston</u>, [1699].   T.C.III 139.

O N640B   The new flute-master.   The second book.   <u>For J. Walsh</u>; <u>and</u>
<u>J. Hare</u>, 1700.   T.C.III 214, AC.

O N642A   A new game called, loath to depart.   1656.   brs.   SR, ROL.

O N644A   A new guide to constalites, headboroughs, tything men.   <u>For</u>
<u>T. Guy</u>, 1700.   AC.

O N645A   A new history of the empire of China. <u>For S. Holford</u>, 1689.
8°.   T.C.II 273, COX.

O N659A   The new London spy.   1700.   8°.   MORG.

O N660A   A new loyall song, made & composed. <u>John Playford</u> and <u>John</u>
<u>Carr</u>, 1683.   brs.   SR, ROL.

O N663   The new made gentlewoman's returne from ye country.   1675.
brs.   SR, ROL.

O N664   A new map of merriment. <u>Thomas Jenkins</u>, 1656.   brs.   SR, ROL.

O N664A   A new mapp of the kingdome of England. <u>Amsterdam, by Nicolas</u>
<u>Visscher</u>, <u>and are to be sold at London by John Overton</u>,
[c. 1690].   brs.   HAZ.

O N664B   A new map of the trading part of America. <u>Sold by Moses Pitt</u>,
1673.   T.C.I 135.

O N671A   A new method for the easie learning of the Latine tongue.
           Abel Swalle, 1696. SR.

O N671B   A new method of curing all sorts of feavers. For J. Knapton,
           1694. T.C.II 523.

O N672A   A new method of fortification. For Abell Swalle, 1691. 8°.
           T.C.II 360, SALE.

O N672B   A new methodized concordance. For W. Marshall, and J. Marshall,
           1697. 4°. T.C.III 20.

O N677A   The new motions, or a serious & breife discourse. Roberte
           Bostock, 1640[1]. SR.

O N679B   A new narrative of the old plot. For John Moxon, 1684. brs.
           HAZ.

O N686A   New news from Spaine. Francis Grove, 1657. SR.

O N753A   A new sett of ayres in 4 parts. For John Walsh, and J. Hare,
           1700. AC.

O N753B   New shining light; or, discovery. 1662. 4°. HARL.

O N753C   The new soho, or the lovers masque. Francis Grove, 1657.
           brs. SR, ROL.

O N761*   A new song in praise of old Anthony. [London], for J. Conyers,
           [1683]. brs. HAZ.

O N767*   A new song of the misfortunes of an old whore. [London, 1688.]
           brs. HAZ.

O N770A   A new song or ballad called Discovery of the fannaticks plott.
           John Mayor, 1683. brs. SR, ROL.

O N771A   A new song, or no life like the beggars. Fran. Coles, 1665.
           brs. SR, ROL.

O N774*   A new song to the tune of Joy to great Caesar. Dorman Newman,
           1689. brs. SR, ROL.

O N776D   A new sonnet, shewing how the goddess Diana transformed Acteon.
           For F. Coles, T. Vere, J. Wright, and J. Clarke, [1690?].
           brs. HAZ.

O N777A   The new state of Europe. 1700. MORG.

O N777B   A new summons for the Jacobites. For R. Griffin, and sold,
           1697. brs. SALE.

O N784A   A new theory of continued fevers. For H. Newman, 1700. AC.

O N791A   A new way of hunting. Fran. Grove, 1656. brs. SR, ROL.

O N795B   The new wedding. <u>Francis Grove</u>, 1657. brs. SR, ROL.

O N797B   The new year's gift compleat, in 6 parts. <u>For H. Mortlock</u>,
             1696. 24°. T.C.II 572.

O N797C   A new-year's gift compleat. <u>For H. Mortlock</u>, 1700. T.C.III 179.

O N797D   A new year's gift, composed of prayers. Fourth edition. <u>By</u>
             <u>W. Freeman</u>, 1685. 18°. AUC.

O N797E   A new year's gift; composed. Eighth edition. <u>For H. Mortlock</u>,
             1695. 24°. T.C.II 543.

O N797F   A new year's gift, composed of prayers. Second part. <u>For S.</u>
             <u>Neal</u>, 1681. 24°. T.C.I 427.

O N801A   A new yeares gift for Papists, on the legend of Loretto.
             <u>Jonathan Edwin</u>, 1677. SR.

O N802A   A new yeares gift for Protestants. <u>Benjamin Harris</u>, 1683.
             SR, AUC.

O N811A   New Years gift for the Welch itinerants. 1654. AUC.

O N835A   The new youth's behaviour. <u>For S. Keble</u>, 1684. 12°.
             T.C.II 91, SR.

O N847A   Newby, William. A letter to Dr. Fowler. 1685. fol. GOU.

O N874A   Newcastle, William Cavendish, <u>earl</u>. Answer of. <u>York, by</u>
             <u>Stephen Bulkley</u>, 1643. 4°. AUC.

O N887A   Newcastle, William Cavendish. A new method. <u>Sold by W. Cooper</u>,
             1685. fol. T.C.II 137.

O N892A   [Newcomb, Thomas.] The case of the poor people in Wales for
             want of Bibles. [<u>London</u>, 1691.] brs. HAZ.

O N914A   Newcourt, Richard. An exact delineation of the cities of
             London and Westminster. 1658. fol. COX, DNB.

O N938*   Newport. [Ewens, Maurice] <u>alias</u> Keynes, <u>alias</u> Newport. A
             golden censer full. <u>At Paris</u>, 1654. 8°. GIL, HAZ.

O N945A   News for the curious. <u>For R. Wild</u>, 1688. T.C.II 231.

O N946A   News from Bartholomew-Fair. 1678. 4°. HAZ, N&Q.

O N948A   News from Berkshire, being a relation. 1675. 4°. HAZ.

O N950A   News from Buckinghamshire. 1677. 4°. LOW, AUC.

O N951A   News from Chelmsford, a perfect account. <u>For D. M.</u>, 1678.
             4°. * SALE.

O N954A   News from Dullidy-Wells, of a barbarous father. 1678. 4°.
           HAZ, LOW.

O N955A   News from Edinburgh. 1641. 4°. LOW, AUC.

O N960A   News from Gravesend and Greenwich. By T. Milbourn for D.
           Newman, 1669. 4°. GOU, HAZ, SALE.

O N961A   News from Guild-hall, or an answer to the addresse answered.
           1680. brs. GOU, SALE.

O N975A   Newes from Islington, & here's newes worth hearing. Tho.
           Lamberd, 1640[1]. SR.

O N977A   Newes from Kensington; being a relation. 1674. 4°. HAZ, LOW.

O N979B   News from Maidstone, or a true narrative. 1678. 4°. LOW, AUC.

O N980A   News from Moor-Fields. 1647. 4°. HAZ, AUC.

O N982A   News from Mount AEtna. Printed 1674. 4°. * SALE.

O N983A   News from New-England on a letter written to a person of
           quality. John Dunton, 1690. brs. SALE.

O N985A   News from Newgate. For R. V., 1674. 4°. * HAZ.

O N987A   News from Newgate and the Old Bailey. 1651. 4°. HAZ, AUC.

O N987B   News from Old Gravel Lane. Printed in the year, 1675. 4°.
           * GOU, HARL, HAZ.

O N988A   Newes from Paules: being a contention. 1642. 4°. HAZ.

O N990A   News from Pluto's court. Tho. Maddox, 1685. brs. SR, ROL.

O N990B   Newes from Poland, wherein. 1641. 4°. HARL.

O N1004A   News from that part of H. M. Fleet . . . Harwich. John Dunton,
           1689. brs. SALE.

O N1007B   News from the fleet being a true account. Richard Baldwin,
           1689. brs. SALE.

O N1008*   News from the Jews. For R. G., 1671. 4°. HAZ.

O N1018A   News from the sessions-house in the Old Bayly . . . John
           Smith. For D. M., 1676. 4°. SALE.

O N1026A   News from Wales, or the British Parliament. 1652. AUC.

O N1026B   News from Westminster, or a congratulation upon assembling of
           Parliament. 1680. brs. AUC.

O N1026C   News from Whetstone's Parke: or, a relation. For D. M.,
           1674. 4°. * HAZ, SALE.

O N1026D   News from Wicklow. 1678. 4°. LOW, AUC.

O N1034A   Newes out of Spaine. Miller, 1644. SR, AUC.

O N1036*   News out of the Strand. For Francis Grove, [1662]. brs.
HAZ, AUC.

O N1044A   Newton, George. Magna Charta; or, the Christian's charter
epitomized. For Edw. Brewster, 1661. 8°. ALL, AUC.

O N1051A   Newton, Sir Isaac. The true theory of the tides. 1697. TAY.

O N1051B   Newton, John. The art of natural arithmetic. 1671. DNB, WAT.

O N1051C   Newton, John. The art of natural arithmetick. By E. T. and
R. H. and are to be sold by Rob. Walton, [1673]. 8°.
T.C.I 89, SALE.

O N1053A   Newton, John. Chiliades centum logarithmorum. 1659. DNB,
WAT.

O N1055A   Newton, John. The country schoole-master. Geo. Sawbridge,
1671. SR.

O N1058A   Newton, John. Ephemerides of interest. 1667. DNB, WAT.

O N1066A   Newton, John. Practical geometry. 1667. TAY.

O N1069A   Newton, John. School pastime for children. By R. Walton,
1671. 8°. T.C.I 92.

O N1076A   Nichet, Sir John. Some doubts and questions in the law. For
A. Bell, 1700. AC.

O N1111A   Nicholson, William. Easy analysis of the whole Book of Psalms.
1662. fol. DNB.

O N1121A   The nicker nick'd. 1660. 4°. HARL.

O N1150A   Nieremberg, Juan Eusebio. Of adoration in spirit. 1673. 8°.
HARL, WAT.

O N1157A   The nightingale's song. 1675. brs. SR, ROL, ROX.

O N1168A   Nisbet, Alexander. An exposition with practical observations
upon . . . Ecclesiastes. For J. Robinson, 1696. 4°.
T.C.II 586.

O N1180A   No love like true love. William Gilbertson, 1656. brs. SR,
ROL.

O N1201A   The noble birth. By W. O., 1662. 4°. HAZ, AUC.

O N1215A   The noble seaman's complaint to the ladies at land. Robert
Crofts, 1664. brs. SR, ROL.

O N1217A   Noddell, Daniel. Abridgment of the late proceedings in the case between . . . Axholm. [London], 1649. 4°. * SALE.

O N1217B   Noddell, Daniel. To the Parliament of the Commonwealth . . . the declaration of. 1653. 4°. AUC.

O N1217C   Nodus Gordianus, or the knott of knowledge. Hugh Newman, 1689. SR.

O N1222A   Nomenclatura brevis. Sold by Nathaniel Ranew, 1674. 8°. T.C.I 182.

O N1222B   Nomenclatura brevis reserata. Sold by W. Redmayne, 1676. 8°. T.C.I 242.

O N1222C   Nomenclatura brevis reformata. For H. Mortlock, 1689. 8°. T.C.II 77.

O N1222D   Nomenclatura brevis. For the Company of Stationers, 1696. 8°. T.C.II 582.

O N1222E   Nomenclatura mundi Anglo-Latina. For T. Parkhurst, 1687. 8°. T.C.II 212.

O N1222F   Non compos mentis, or the law relating to natural fools. 1700. MORG.

O N1224A   The non-conformists' self-condemnation. For R. Clavell, 1669. 8°. T.C.I 9.

O N1225*   Nonconformity not inconsistent with loyalty. Geo. Larkin, 1683. SR.

O N1226B   Noon, Edward. Brachyarithmia, or the rules of arithmetick. 1683. AUC.

O N1227B   Norcott, John. Baptism discovered plainly. Sold by William Marshall, 1700. T.C.III 184, WHI.

O N1228A   Norden, John. The poor man's rest. Fifteenth edition. 1641. DNB, AUC.

O N1228B   Norden, John. The poor man's rest. For Andrew Crook, 1671/2. 12°. T.C.I 99.

O N1232A   Norfolk, Henry Howard, duke of. The Earl Marshal's order for going into second mourning. Printed by Edward Jones in the Savoy, 1695. brs. SALE.

O N1241A   Normansell, Thomas. A table of the agreement of English weight. Jo. Darby, 1673. SR.

O N1268A   Norris, John. A religious discourse. For S. Manship, 1700. AC.

O N1268B   Norris, John. The root of liberty. 1685. DNB.

O N1271A   Norris, John. Spiritual counsel. Second edition. For
     S. Manship, 1700. 12°. AC.

O N1276A   Norris, Sylvester. An antidote, or soveraigne remedie. 1695.
     4°. AUC.

O N1290A   The north country maid's resolution. For Francis Grove, [1623-
     61]. brs. HAZ.

O N1290B   Northall, William. Objections offered to Mr. Peter Blackborrow's
     answer to Mr. Henry Bond. 1679? TAY.

O N1312*   Norton, George. The true confession of. D. Edwards, 1699.
     brs. SALE.

O N1344A   Norwood, Matthew. The seaman's companion. Geo. Hurlock and
     Francis Cossinet, 1664. TAY.

O N1347A   Norwood, Richard. Norwood's Epitome. George Hurlock, 1656.
     SR.

O N1350A   Norwood, Richard. Epitome. Sold by the Widow Hurlock, 1673.
     T.C.I 150.

O N1351B   Norwood, Richard. Norwood's Epitome. By J. D. for Richard
     Mount, 1696. 12°. SALE.

O N1368A   [Norwood, Richard.] A triangular canon logarithmicall. W.
     Leybourn, 1664. 12°. SALE.

O N1389A   Notable news from Essex. For L. C., 1679. 4°. * HAZ.

O N1396A   Notorious frauds of the Romish priests and Jesuits, discovered.
     For the Booksellers of London and Westminster, 1692. 12°.
     SALE.

O N1414A   Nourse, Peter. Primatus in sacris ab Ecclesia Anglicans.
     [Cambridge], Jul. 4, 1698. brs. SALE.

O N1420A   Novae & exquisitae florum icones. For J. Marshal, 1700. AC.

O N1436A   Nowell, Alexander. Catechismus parvus pueris. Typis Andrese
     Clark, 1675. 8°. HAZ.

O N1447A   Noye, William. Dissertatio de lege. For J. Salusbury, 1694.
     12°. T.C.II 512.

O N1448A   Noye, William. Noyes projectes. John Benson, 1656. SR.

O N1458A   Noyes, James. A short catechism. Boston, by John Foster,
     1676. * EVANS 222.

O N1469A   The numberless account of actuall sinns. John Grismond,
     1661. SR.

O N1470A   Nuncius Christi Syderus. The star of the eastern sages. <u>For</u> <u>Dorman</u> <u>Newman</u>, 1681. 8°. HAZ, AUC.

O N1490A   Nye, Philip. An epistolary discourse about toleration. 1644. 4°. DNB, WAT.

O N1495A   Nye, Philip. The lawfulness. <u>For</u> <u>Jonathan</u> <u>Robinson</u>, 1677. 8°. T.C.I 288.

<u>O</u>

O O16B   O rare show, or the tumbler's club. [<u>London</u>, c. 1700.] brs. MORG.

O O24A   Oakford, James. The doctrines of the fourth commandment. 1649. WHI.

O O25A   Oasland, Henry. The dead pastor yet speaketh. 1662. DNB.

O O65A   Oates, his degrees. <u>Sold</u> <u>by</u> <u>R.</u> <u>Palmer</u>, [<u>May</u> 18, 1685]. brs. SALE.

O O67A   The oath administred to all officers . . . at Oxford. <u>Walbanck</u>, 1646. SR.

O O85*   Obedient patience in generall. <u>Robert</u> <u>Gibbs</u>, 1685. SR.

O O95A   Observations concerning the dominion & sovereignty of the seas. <u>Samuel</u> <u>Lowndes</u> <u>and</u> <u>Edward</u> <u>Jones</u>, 1689. SR.

O O96A   Observations concerning the office of the Lord Chancellor. <u>Walbanck</u>, 1647. SR.

O O98A   Observations made upon the Virginia Nutts. 1682. 4°. SAB.

O O99A   Observations on a late book, entituled Municipium. <u>For</u> <u>J.</u> <u>Wyatt</u>, 1699. 4°. T.C.III 134.

O O113C   Observations upon the burning of London. 1667. 4°. AUC.

O O124A   Observations upon the present extraordinary frost. 1684. 4°. * HAZ.

O O127A   Occasion and motives of conversion . . . Scotland. <u>Paris</u>, 1657. HARL.

O O131A   An ode made on the welcome news of . . . Darien. <u>Edinburgh</u>, <u>by</u> <u>James</u> <u>Watson</u>, 1699. brs. ALDIS 3875, HAZ, SAB.

O O133A   An ode on Musidora walking. [c. 1698.] brs. SALE.

O 0134B   An ode on ye union of the King and Parliament. [c. 1700.] brs. SALE.

O 0140A   Of a rebellion, of a Tory, of a good man. 1682. 8°. HAZ.

O 0140B   Of education with respect to grammar schools. For John Hartley, 1700. AC.

O 0159A   Offley, William. Directions for the choice of books in the study of divinity. 1699. AUC.

O 0159B   Offley, William. Reflections on a late book, entitled, Genuine remarks of Dr. S. Barlow. 1694. 4°. WAT.

O 0159C   Offley, William. Warning given to the flock. 1696. 4°. WAT.

O 0170A   Ogilby, John. England exactly described. [London], sold by Tho. Bakewell, [c. 1670]. obl. 8°. HAZ.

O 0170B   Ogilby, John. The English traveller's companion. 1676. 12°. COX.

O 0206*   The old man dead & the sonne in his stead. Rich. Harper, 1640[1]. brs. SR, ROL.

O 0206**   The old man's legacy. Sold by Wm. Marshall, 1700. AC.

O 0208   Old men are cunning. William Gilbertson, 1656. brs. SR, ROL.

O 0216A   The old woman of Ratcliffe highway. Richard Harper, 1660. brs. SR, ROL.

O 0217A   Older and wiser, or a way found. Will. Gilbertson, 1656. brs. SR, ROL.

O 0234A   [Oldham, John.] Four satyrs upon the Jesuites. 1679. 8°. ALL, WAT.

O 0264A   Oldsworth, Dr. The valley of vision. Symmons, 1650. SR.

O 0264B   Oldys, Alexander. The fair extravagant. For C. Blount, 1681. 12°. T.C.I 461, AUC.

O 0280A   Oliver, Richard. A sermon preached . . . March 6, 1699/1700. For A. Bettesworth; sold by J[ohn] Colebrook in Midhurst, and W[m]. Webb in Chichester, 1700. 4°. AC.

O 0289A   Omerique, Antoine Hugo d'. Analysis geometrica. Prostant apud S. Smith et B. Walford, 1699. T.C.III 157.

O 0289B   Omnesqui audiunt evangelium. Sold by R. Clavell, 1677. 8°. T.C.I 291.

O 0293A   On burning of the King's playhouse. For Daniel Brown, 1672. brs. N&Q.

O 0317*   On the most high and mighty monarch King James the Second.
           [London], printed and are to be sold by Richard Butt, 1684.
           brs. ROX.

O 0336A   One wonder more, added to the seven. [c. 1700.] 4°. MORG.

O 0358A   Opinions of the Jews, rabbins. Second edition. 1652. 4°.
           AUC.

O 0366A   Orator extemporaneus. For H. Brome, 1673. 12°. T.C.I 157.

O 0396*   Orders & rules of proceedings in the office of . . . Exchequer.
           Charles Adams, 1659. SR.

O 0411A   Ordinances in Chancery II Car.I. 1644. 12°. SWE.

O 0413A   An ordinary day well spent. Second edition. For J. Wyat,
           1700. 12°. * AC.

O 0418B   Orford, Edward Russell, earl of. Instructions made by.
           [London, 1691.] fol. HAZ, LIV.

O 0431   The origin of atheism in the Popish and Protestant churches.
           1684. 4°. LOW.

O 0431A   The original and end of civil power. 1649. AUC.

O 0431B   The originall cause of temporall evills. Rich. Myn, 1645. SR.

O 0468B   Orpheus, a booke of beasts. John Saywell, 1655. SR.

O 0503A   Orthodox paradoxes. Eighth edition. Sold by John Hancock,
           1677. 12°. T.C.I 277.

O 0504A   The orthodox Trinitarian. For M. Fabian, 1700. AC.

O 0530A   Osborne, Robert. A sermon preached . . . Exam . . . Apl. 16,
           1686. 1696. 4°. * SALE.

O 0571A   Oudin, Caesar. The Spanish and English grammar. Third edition.
           For Will. Miller, 1690. 8°. T.C.II 316.

O 0611A   [Overbury, Sir Thomas], younger. Queries proposed to the
           serious consideration. 1677. 8°. LOW.

O 0614A   [Overbury, Sir Thomas], younger. A true and perfect account
           of the examination. For W. Whitwood, 1687. 24°. T.C.II 198.

O 0644A   Overture for establishing a society to improve the kingdom.
           Edinburgh, J. Reid, 1698. 4°. ALDIS 3768.

O 0644B   Overture regulating the length and breadth of linnen.
           Edinburgh, by John Reid, 1700. 8°. HAZ.

O 0644C   Overtures concerning discipline. <u>Edinburgh</u>, 1696. fol.
ALDIS 3587.

O 0645A   Ovid. The art of love. 1661. 8°. HAZ.

O 0647A   Ovid. Chaucer's ghost. <u>For D. Brown</u>, 1696. 8°. T.C.II 608.

O 0653B   Ovid. De tristibus libri V. <u>Oxoniae, A. & L. Lichfield</u>,
1660. 12°. SALE.

O 0653C   Ovid. De Tristibus. <u>S. G. & B. G. pro Societate Stationariorum</u>,
1672. 8°. SALE.

O 0654*   Ovid. P. Ovidii Nasonis de tristibus. <u>Excudebat J. C. pro
Societate Stationariorum</u>, 1678. 8°. SALE.

O 0666A   Ovid. P. Ovidii Nasonis Fastorum. <u>Typis A. C. impensis
Societatis Stationariorum</u>, 1677. 8°. SALE.

O 0667A   Ovid. Ovid's heroicall epistles. <u>For William Gilbertson</u>,
1653. 8°. SALE.

O 0680AB   Ovid. Metamorphosis. <u>For R. Scot, T. Basset, J. Wright, &
R. Chiswell</u>, 1677. 12°. T.C.I 278, WAT.

O 0680AC   Ovid. P. Ovidi Nasonis Metamorphosis; ex acervatissimis
virorum . . . emendata. <u>Pro Societate Stationariorum</u>, 1670.
8°. MH, Y.

O 0681A   Ovid. Metamorphoseos Libri X. <u>For the Company of Stationers</u>,
1690. 12°. T.C.II 337.

O 0689A   Ovid. Opuscula. 1683. 16°. WAT.

O 0694A   Ovid. Tristia, containing. Fifth edition. <u>Sold by R. Taylor</u>,
1681. 8°. T.C.I 446.

O 0695A   Ovid. Tristia. Fifth edition. <u>For T. Passenger</u>, 1682. 8°.
T.C.I 480.

O 0696A   Ovid. Tristium Libri V. <u>Pro Societate Stationariorum</u>, 1687.
12°. T.C.II 209.

O 0699A   Ovid's ghost. <u>For the author</u>, 1687. 8°. HAZ, LIV.

O 0710A   Owen, James. Trugaredd a barn. <u>Argraphwyd yn y Mwythig gar
R. Lathrop</u>, 1687. 18°. DNB, ROW.

O 0722A   Owen, John. A brief instruction. <u>For W. Marshall</u>, 1682. 8°.
T.C.I 502.

O 0736A   Owen, John. Discourse concerning evangelical love. <u>For W.
Marshall; and J. Marshall</u>, 1696. 8°. T.C.II 586.

O 0750A   Owen, John. Exercitations, & an exposition. Second volume. For Nath. Ponder, 1673. fol. T.C.I 146.

O 0800A   Owen, John. The Puritan turned Jesuit. 1643. 4°. N&Q, WAT.

O 0803A   Owen, John. Sabatismus, or exercitations. Nath. Ponder, 1670. SR.

O 0816   Owen, John. The true nature of a gospel-church. For W. Marshall, 1700. 4°. T.C.III 194, AC, MORG.

O 0825DA   Owen, John, epigrammatist. Epigrammatum. For Will. Redmayne, 1676. 12°. T.C.I 230, SALE.

O 0825DB   Owen, John, epigrammatist. Epigrammatum. 1686. AUC.

O 0833A   Owens, Ffoulke. Cerdd-lyfr, yr hwn sydd. Printiedig yn y theater yn Rhydychen, 1686. 8°. ROW, WAT.

O 0835A   Oxenbridge, John. A Christian calendar. William Godbid, 1657. SR.

O 0842A   Oxford, John. The merchant's daily companion. For the author, 1700. brs. HAZ.

O 0843B   Oxford, Thomas. Stenographie, or the schoole of memorie. John Macock, 1645. SR.

O 0994A   Oxfords Latin rimes turned into English reason. By T. Paine and M. Simmons, September 13, 1643. 4°. * MADAN 1444, HAZ.

O 0996A   The Oxfordshire garland. For Tho. Norris. 8°. * N&Q.

O 0997A   Oxon: Studia. Quadratvra circvli. Excusum. Prostant apud Oct. Pullein & Tho. Slater, 1643. brs. MADAN 1577.

P

O P145A   Packe, Christopher. Mineralogia, or An account. Second edition. For S. Manship, 1694. 8°. T.C.II 503.

O P162A   Pagan, Blaise. Methods of delineating all manner of fortification. 1645. WAT.

O P165A   Page, William. Womans worth. Richard Marriott, 1656. SR.

O P195A   A paire of spectacles for the blind beare. John Andrews, 1656. brs. SR, ROL.

O P209A   Palladio, Andrea. The ffoure bookes of architecture. Moseley and Dring, 1655. SR.

O P211*   [Pallavicino, Ferrante.] Christ divorced from the Church of
            Rome. 1679. N&Q, WAT.

O P211B   Pallavicino, Ferrante. The new politick lights. Sold by T.
            Flesher, and H. Bonwicke, 1677. 8°. T.C.I 294, CBEL.

O P224A   Palmer, Francis. Naturall reason no sure ground to salvation.
            Richard Marriott, 1654. SR.

O P237A   Palmer, Herbert. Memorials of godliness. 1649. 12°. AUC.

O P241A   Palmer, Herbert. Memorials. Twelfth edition. For S. Crouch,
            1684. 12°. T.C.II 88.

O P248A   Palmer, John, of Ecton. Copy of a letter from Northampton,
            containing. 1646. AUC.

O P252A   Palmer, Thomas. The Christians freedome by Christ. Geo.
            Whittington and Nath. Brookes, 1646. SR, DNB.

O P253A   Palmer, Thomas. A Palmers practice. Joshua Kirton and Tho.
            Warren, 1641. SR.

O P268A   A panegyrick to the memory of his Grace, Frederick, late Duke
            of Schomberg. For R. Bentley, 1690. 4°. T.C.II 338.

O P271A   A panegyrical essay, presented . . . memory of . . . Glocester.
            Sold by D. Brown, E. Castle, and J. Nut, 1700. AC.

O P309A   Papin, Isaac. Of the toleration of the Protestants. 1692.
            WAT.

O P309B   Papin, Isaac. Theological essays. 1687. WAT.

O P310A   The Papist reclaimed. 1655. AUC.

O P314A   The Papists exaltation. [London, 1688.] brs. HAZ.

O P314B   The Papists' exaltation. For N. R., H. F., and S. K., 1689.
            brs. ROX.

O P318B   The Papists politicke projects discovered. [London], printed
            in the yeare, 1641. 4°. HAZ, LOW, AUC.

O P325A   The parable of the ten virgins. For W. Marshall, 1700.
            T.C.III 195, AC.

O P328A   Paradise Eden, or a view. Henry Mortlocke, 1657. SR.

O P332A   Paralipomena prophetica; containing. For W. Kettilby, 1685.
            4°. T.C.II 141.

O P340A   Parallelum Olivae. Ex typographia R. I., 1656. fol. LOW,
            AUC.

O P341B   A paraphrase on the Ten Commandments. <u>Printed</u> <u>and</u> <u>are</u> <u>to</u> <u>be</u>
       <u>sold</u> <u>by</u> <u>Eben.</u> <u>Tracy</u>, 1697. 8°. N&Q.

O P342A   The Parasalene dismantled. <u>For</u> <u>W.</u> <u>Marshall</u>, 1700. T.C.III 195,
       MORG.

O P353A   Paré, David. Miscellanies of catechisme. <u>Cartwright</u>, 1644. SR.

O P354A   The parents gift. <u>Printed</u> <u>and</u> <u>sold</u> <u>by</u> <u>Benj.</u> <u>Harris</u>, 1699.
       8°. HAZ.

O P373A   Parke, James. Sermon. 1694. 8°. WAT.

O P377B   Parker, Abraham. Proposals for the very great honour, safety.
       [<u>London</u>? 1677.] fol. * SALE.

O P434A   Parker, John, <u>bp</u>. Sermon. <u>Dublin</u>, 1663. 4°. DNB.

O P436B   [Parker, Martin.] An excellent medley. <u>For</u> <u>F.</u> <u>Grove</u>, [1623-61].
       brs. HAZ.

O P437*   Parker, Martin. The famous history of . . . Arthur. <u>Francis</u>
       <u>Coles</u>, 1660. SR.

O P437D   Parker, Martin. The garland of withered roses. 1656. 8°.
       HAZ.

O P441A   Parker, Martin. A memoriall of those two French princes, Valentine
       and Orson. <u>Thomas</u> <u>Vere</u>, 1658. SR.

O P442A   [Parker, Martin.] Neptune's raging fury. <u>F.</u> <u>C.</u>, <u>T.</u> <u>V.</u>, <u>J.</u> <u>W.</u>,
       <u>J.</u> <u>C.</u>, 1678. SR, ROL, ROX.

O P442B   Parker, Martin. Neptune's raging fury. <u>By</u> <u>T.</u> <u>Mabb</u> <u>for</u> <u>Ric.</u>
       <u>Burton</u>, [1650-65]. brs. AUC.

O P444A   Parker, Martin. Robin and Kate. 1646. brs. DNB.

O P445A   [Parker, Martin.] Robin Conscience. <u>Edinburgh</u>, 1683. 12°.
       ALDIS 2424, HAZ.

O P458*   Parker, Samuel. A demonstration of the divine authority. Second
       edition. <u>For</u> <u>R.</u> <u>C</u>[hiswell], <u>L.</u> <u>M</u>[eredith]; <u>sold</u> <u>by</u> <u>T.</u> <u>Dring</u>,
       <u>&</u> <u>E.</u> <u>Wilkins</u>, 1693. 4°. T.C.II 485.

O P459A   Parker, Samuel. A discourse. Second edition. <u>For</u> <u>John</u> <u>Martyn</u>,
       1670. 8°. T.C.I 62. WAT.

O P504A   The Parliament of bees, a fable. <u>Benj.</u> <u>Harris</u>, 1697. brs. SALE.

O P504B   The Parliament of pismires, or . . . Jack of Newberry. <u>John</u>
       <u>Stafford</u>, 1655. SR.

O P558A   Parry, John. Pious reflections on the adoration of wise men. 1666. 8⁰. WAT.

O P558B   Parry, John. Pious reflections on the Pentecost. 1666. 8⁰. WAT.

O P558C   Parry, John. Pious reflections upon the resurrection. 1666. 8⁰. WAT.

O P559A   Parry, John. Tears well directed. 1666. 8⁰. DNB, WAT.

O P585B   A particular account of the present siege of Maestricht. Gabriell Kunholt, 1676. SR.

O P588A   A particular and exact account of the trial of Mary Compton. For Richard Baldwin, 1693. brs. HAZ, AUC.

O P594*   A particular of divers of the commanders & officers taken prisoners at Marston Moore. Raph. Rounthwaite, 1644. SR.

O P607A   A particular relation sent from Sluys. For Tho. Newcomb, [1658]. brs. HAZ.

O P620A   Partridge, John. *Μικροπανοτρων*: or . . . Second edition. Ed. Brewster, 1692. 12⁰. SALE.

O P628A   P[artridge], J[ohn]. Twelve astrological predictions of this present year 1685. colop: By George Croom, [1685]. 4⁰. * HAZ.

O P671A   A pastoral elegy upon the most lamented death of His Royal Highness. 1700. fol. * MORG.

O P671B   A pastoral, lamenting the death of . . . Duke of Glocester. For R. Gibson, 1700. SALE.

O P675A   A pastoral letter reburnt. [London, 1693.] brs. SALE.

O P686A   Paterson, James. The Scots arithmetician. Edinburgh, printed and are to be sold by Dorman Newman, 1688. 8⁰. ALDIS 2773, HAZ.

O P701A   Paterson, Ninian. A panegyrick to the Right Honourable Thomas Kennedie. Edinburgh, by John Colman and Laurence Gunder, 1685. 4⁰. * ALDIS 2567, HAZ.

O P708A   [Paterson, William.] An abstract of a letter from a person of eminency. Re-printed at Glasgow by Robert Saunders, 1699. brs. SALE.

O P720A   The patient wife betrayed. For J. Clark, [16--?]. brs. HAZ.

O P731   Patrick, John. Reflections upon a new account of the alterations of wind and weather. 1700. TAY.

O P779A   [Patrick, Symon.] The devout Christian instructed. For Richard Royston, 1672. 12°. T.C.I 116, DNB, LOW.

O P878A   Paulicius, Simeon. A new method of physick. By Peter Cole, 1654. 8°. HAZ.

O P920A   The peace-maker discovering foolish pride. 1674. AUC.

O P983C   Pearse, Edward. The great concern. Thirteenth edition. For J. Robinson, 1688. 12°. T.C.II 211, AUC.

O P985A   Pearse, Edward. The great concern. Nineteenth edition. For E. Tracy, 1699. 12°. T.C.III 129, AUC.

O P1030A   Peck, Francis. The great danger of little sins. Dawlman, 1642. SR.

O P1070A   Pell, John. A refutation of Longomontonos's pretended quadrature. Amsterdam, 1646. DNB, WAT.

O P1458A   Percy, James. A narrative of the proceedings of the petitioner. [London, 1688.] fol. HAZ.

O P1485A   A perfect description of the firework in Covent Garden . . . September 10, 1690. 1690. GOU.

O P1503A   A perfect narrative or a full and exact relation of the late great and bloody fight. H. B., 1674. fol. * AUC, SALE.

O P1542C   Perkins, George. Clavis Homerica. A. Crook, 1673. AUC.

O P1572A   Perkins, William. Thirteen principles of religion. 1645. 12°. WAT.

O P1671A   The perusal of an old statute. 1657. 4°. HAZ.

O P1725A   [Peters, Hugh.] The way to the peace. Printed in the year, 1659. 4°. * SALE.

O P1992A   Philipot, Thomas. The cripples complaint. 1662. 4°. DNB.

O P2013A   Philipps, Fabian. The pretended perspective - glass. For Christopher Wilkinson, 1671. 8°. T.C.I 73, WAT.

O P2055A   Phillippes, Henry. The seaman's cannon of triangles. George Hurlock, 1657. TAY.

O P2056A   Phillippes, Henry. The sea-man's kalender. By W. Godbid for E. Hurlock, 1674. 4°. SALE.

O P2056B   Phillippes, Henry. The seaman's kalender. 1696. 4°. WAT.

O P2082   Phillips, John. A Christian alphabet. 1653. AUC.

O P2153A   [Pictet, Benedict.] An antidote. Second edition. For <u>Henry</u> <u>Rhodes</u> <u>and</u> <u>John</u> <u>Harris</u>, 1698. 12⁰. SALE.

O P2240A   The pilot's mirror: or seaman's looking-glass. 1657. TAY.

O P2259A   A Pindarick poem to the Society of Beaux Esprits. <u>Joseph</u> <u>Knight</u> <u>and</u> <u>Francis</u> <u>Saunders</u>, 1687. 4⁰. T.C.II 193, AUC.

O P2443   Playford, John. Apollo's banquet for the treble violin. <u>For</u> <u>John</u> <u>Playford</u>, 1670. T.C.I 38. DNB.

O P2443A   [Playford, John.] Apollo's banquet. <u>Sold</u> <u>by</u> <u>John</u> <u>Playford</u>, 1677. T.C.I 296.

O P2465A   Playford, John. A compendium of practical musick. Third edition. <u>By</u> <u>M.</u> <u>C.</u> <u>for</u> <u>Henry</u> <u>Brome</u>, 1678. 8⁰. HAZ.

O P2476A   [Playford, John.] The delightful companion. <u>For</u> <u>J.</u> <u>Playford</u>, 1682. T.C.I 499.

O P2476B   [Playford, John.] The delightful companion. <u>For</u> <u>H.</u> <u>Playford</u> <u>and</u> <u>S.</u> <u>Scot</u>, 1696. T.C.II 589.

O P2499*   [Playford, John.] The second part of musick's hand-maide. <u>For</u> <u>Henry</u> <u>Playford</u>, 1689. obl. 8⁰. HAZ.

O P2550A   A pleasant history of Roswall. 1679. 12⁰. HAZ.

O P2563A   A pleasant spelling-piece. <u>Sold</u> <u>by</u> <u>Mr.</u> <u>Butt</u> <u>and</u> <u>by</u> <u>Fr.</u> <u>Calverlcy</u>, 1681. SALE.

O P2564A   The pleasures of a single life. Second edition. <u>Printed</u>, 1700. fol. * CBEL, HAZ.

O P2595A   The plot discovered or a dialogue. <u>Edinburgh</u>, 1678. 4⁰. ALDIS 2135.

O P2658B   Pluto's progresse through Great Britaine and Ireland. [<u>London</u>], <u>printed</u> <u>in</u> <u>the</u> <u>yeare</u>, 1647. 4⁰. * HAZ, AUC.

O P2675A   Poem in praise of Punch. 1680. AUC.

O P2684A   A poem on St. Paul's being preserved. 1698. fol. * GOU.

O P2704*   A poem on the stately structure of Bow Church and Steeple. 1679. brs. GOU.

O P2723   Philomela, <u>pseud</u>. Poems on several occasions. <u>For</u> <u>John</u> <u>Dunton</u>, 1696. 8⁰. HAZ, LOW, AUC.

O P2725   The poet Bavius; occasion'd by his satyr. <u>For</u> <u>the</u> <u>author</u>, 1688. 4⁰. * HAZ.

O P2743*   Poiret, Pierre. De veritate, natura, atque substantia corporis. 1688. 4⁰. WAT.

O P2760B The politick bankrupt. 1653. HAZ.

O P2785* Polwheile, Theophilus. Original and evil of apostasie. _Printed_ _in_ _the_ _year_, 1664. DNB, AUC.

O P2858A Poole, William. Country farmer. 1687. 4°. AUC.

O P2860A Poor Anthony's complaint. _For_ _J._ _Conyers_, [1662-88]. brs. HAZ.

O P2884A Poor Robin's four for a penny. _For_ _L._ _C._, 1678. 4°. AUC.

O P2892A Poor Robin's true character of a Dutchman. _For_ _B._ _Harris_, 1672. 4°. AUC.

O P2934A The Pope's last will and testament. [_London_], _for_ _J._ _Blare_, 1689. brs. ROX.

O P2951A The Popish mass display'd. _For_ _Isaac_ _Cleare_, [1671]. brs. HAZ.

O P2987A Porter, Thomas. Alphabetical tables of all the towns. [_London_], _printed_ _and_ _are_ _to_ _be_ _sold_ _by_ _Robert_ _Walters_, 1660. 8°. HAZ, AUC.

O P3000A Porterfield, James. Edinburgh's English school master. _Edinburgh_, 1695. ALDIS 3475, AUC.

O P3027A A potion for an apothecary. _For_ _Tho._ _Vere_, [1646-80]. brs. HAZ.

O P3137A Pozzo, Andrea. Rules and examples of perspective. 1693. fol. ALL, LOW, WAT.

O P3168A The praise of saylors. _By_ _T._ _Mabb_ _for_ _Ric._ _Burton_, [c. 1650]. brs. HAZ.

O P3168B The praise of saylors. _For_ _F._ _Coles_, _T._ _Vere_ _and_ _W._ _Gilbert_, [1680]. brs. HAZ.

O P3190A A prayer for the condemned lords, D. Hamilton. [_London_, 1649]. brs. HAZ.

O P3256A The present state of Betty-Land. 1684. 12°. AUC.

O P3398A Price, Thomas. Holy breathings. _For_ _Obed_ _Smith;_ _and_ _sold_ _by_ _T._ _Sawbridge_, 1672. 8°. T.C.I 102, WHI.

O P3398B Price, Thomas. Holy breathings. _Sold_ _by_ _R._ _Taylor_, 1685. 8°. T.C.II 140.

O P3406A Pricke, Robert. The architects store-house. _For_ _Robert_ _Pricke_, 1674. fol. T.C.I 188, ALL, HAZ, WAT, AUC.

O B3464A   Entry cancelled.

O B3488A   Prince Rvpert and Prince Mauri, their farewell to England.
By <u>John Hammond</u>, [1646]. brs. ROX.

O P3535A   The priviledges of cuckolds. <u>For D. Brown</u>, 1684. 12°.
T.C.II 74, HAZ, LOW.

O P3643A   The prodigal son sifted, or the leud life. <u>Printed and sould</u>
by <u>Iohn Overton</u>, [c. 1685]. brs. SALE.

O P3679*   Prophecie of all transactions past and to come. 1650. 4°.
HAZ.

O P3883A   Prujean, Jean. Description of a horological ring. 1676? TAY.

O P4148A   The psalms and hymns usually sung . . . St. Martins in the
Fields. <u>By R. Everingham for Ric. Chiswell</u>, 1688. 12°.
SALE.

O P4186A   Pugh, Robert. English Papist's apologie. 1666. ALL, DNB, WAT.

O P4230A   A puritaine set forth in his lively colours. 1642. CBEL, HAZ.

Q - R

O R27A   R., J. Lux orientalis, or Providence desplay'd, in the
coronation. <u>Printed, and are to be sold by Randal Taylor</u>,
1689. 4°. * HAZ.

O R55A   R., N. News from the fleet, being a full account. <u>J. Dunton</u>,
1690. brs. SALE.

O R62A   R., R. A manual or miscellany of meditations. <u>For Nath. Brook</u>,
1658. 12°. SALE.

O R111A   Rabisha, William. New art of brewing . . . liquors. 1691.
ALL, WAT.

O R251A   The ranters reasons resolved to nothing. <u>By R. L. for Nathanael
Webbe, and William Grantham</u>, 1651. 4°. * HAZ.

O R296A   The rates and prices of hackney coachmen within . . . London.
[<u>London</u>, c. 1650.] 4°. * HAZ.

O R347B   [Rawlet, John.] The Christian monitor. Seventh edition.
<u>For Samuel Tidmarsh</u>, 1686. 8°. SALE.

O R365A   Rawlins, Thomas. Calanthe. 1648. 8°. ALL, DNB, HAZ, LOW.

O R365B   Rawlins, Thomas. Good Friday. 1683. 4°. ALL, LOW.

O R429A [Read, Alexander.] An epitome. Fourth edition. By E. C. for Michael Spark, 1653. 12°. SALE.

O R444A Reading, John. Brief instructions concerning the holy sacrament . . . supper. 1645. DNB, WAT.

O R455A The ready way of confusing Mr. Baxter. [London, R. Janeway, 1682.] 4°. * SALE.

O R692A Reeve, Thomas. Publike devotions. 1651. 12°. ALL, DNB, WAT.

O R947A Remarks upon the controversie between the East-India Company. [London, 1691.] brs. SALE.

O R1013A A remonstrance of the Re-pvbliqve. For John Johnson, 1643. 4°. * HAZ.

O R1047A A reply in defence of the bank. For E. Whitlock, 1696. 8°. * HAZ.

O R1099A The representation of Christianity in England. For Ben. Tooke, 1679. 4°. T.C.I 164, AUC.

O R1103A A representation of the fireworkes in St. James's Square . . . Sept. 9, 1695. 1695. GOU.

O R1106A The representation of the promoters, contrivers, and inventers of the art or trade of frame-work knitting. 1657. 4°. GOU.

O R1106B A representation of the royal firework ordered . . . Romney. 1697. GOU.

O R1113A The repugnancy and inconsistency of the maintenance of an orthodox ministry. [London], printed in the year, 1659. 4°. * HAZ, WHI.

O R1125A Resbury, Nathaniel. The advantages of sickness. 1692. WAT.

O R1332A Rhodocanakis, Constantine. Alexi-Cacus, spirit of salt. Fifth edition. By I. R., 1667. 4°. * HAZ.

O R1341A Rich, Jeremiah. An elegy on the death of the worthily honoured . . . Charles Rich. [London, 165?.] brs. SALE.

O R1545A The rival mother: a comedy. 1678. 8°. HAZ.

O R1598A Roberts, John. The compleat canonier. 1686. 8°. ALL, WAT.

O R1605A Roberts, Sir Walter. A proposition for serving . . . London . . . with . . . water. 1641. TAY.

O R1793A Rogers, Benjamin. A song of thanksgiving. 1660. brs. HAZ, AUC.

O R1883A Rolle, Samuel. Twelve prophetical legacies. 1672. 4°. ALL, LOW, WAT.

O R2068A   Rowe, Nicholas. The ambitious step-mother. For P. Buck,
       1700. DNB, HAZ, WAT.

O R2079A   [Rowlands, Samuel.] Diogenes Lanthorne. For John Wright,
       1647. 4°. HAZ.

O R2089A   Rowlands, Samuel. 'Tis merry when gossips meet. 1656. 4°.
       ALL.

O R2099A   The royal address, or the lion's complaint. [London, 1691.]
       brs. SALE.

O R2099B   The royal adventure, or, joy to King William. For T. Howkins,
       1690. brs. HAZ.

O R2129A   The royal funeral, or the mourning state . . . Mary. J. Deacon,
       [1695]. brs. SALE.

O R2130A   The royal game of the ombre. For William Brook, 1660. 8°.
       HAZ.

O R2132A   The royall health being much in request. Tho. Mills, 1684.
       brs. ROL.

S

O S27A   S., G. A poetical essay, as an arrha of a larger harvest.
       Daniel White, 1660. 8°. HAZ.

O S111A   S., L. Oblectamenta pia. Sold by H. Bonwicke, 1696. AUC.

O S160A   S., T. A faithful account. colop: Reprinted, [1680]. fol.
       * SALE.

O S207A   S., W. Two discourses, the first, a Christian's exhortation.
       For Tho. Beven, 1690. 12°. SALE.

O S224A   A sacred poeme, describing the miracvlous life and death of
       . . . S. Marie of AEgypt. [Doudy, c. 1650.] 4°. HAZ, LOW,
       AUC.

O S230A   Sad and deplorable nems [sic] out of Suffolk. Wismith,
       1676. 4°. * SALE.

O S244A   Sad and lamentable newes from several parts of England.
       For Charles Tay, 1662. 4°. HAZ, AUC.

O S246A   Sad and true relation of a most barbarous and bloody murder
       . . . by one Thomas Watson, upon . . . his wife. E. C.,
       1686. 4°. * SALE.

O S253A   A sad murder committed in Hertfordshire. Charles Tyas, 1657. brs. ROL.

O S254A   Sad news from Northampton. 1663. GOU.

O S255A   Sad newes from St. Katherines. Francis Grove, 1657. brs. ROL.

O S255B   Sad news from Salisbury. For P. Brooksby, [1685]. brs. HAZ.

O S255C   Sad newes from sea, being a relation of the death of Generall Blake. Francis Grove, 1657. brs. ROL.

O S289A   The saylor's departure. For M. Wright, [1658-62]. brs. HAZ, AUC.

O S309A   St. George for England. Nathan. Brookes, 1657. brs. ROL.

O S576A   Sanders, Tib. Fortunatus's looking-glass. For A. Baldwin, 1699. 4°. * HAZ.

O S703A   Sarson, Laurence. Cultus religiosi unitas. 1650. 4°. ALL, WAT.

O S2029B   The Scott's souldiers kindnesse. Jonah Deacon, 1685. brs. ROL, ROX.

O S2977B   Sharp, John. A manual, or three small and plain treatises. Sold by Joseph Clarke, and Ralph Needham, 1672. 12°. T.C.II 109, AUC.

O S3392A   S[herman], T[homas]. Youths tragedy. Second edition. For John Starkey, and Francis Smith, 1672. 4°. * SALE.

O S3430A   [Shields, Alexander]. An elegie. [London], re-printed, 1690. 4°. * HAZ.

O S3457A   S[hipton], W[illiam]. The mystery of afflictions. York, by Stephen Bulkley, 1668. 4°. SALE.

O S3517   [Shirley, John.] The renowned history of the life and death of Guy Earl of Warwick. [London], by A. M. for P. Brooksby, 1695. 4°. HAZ.

O S3548A   A short & plain catechism. Fifth edition. For Francis Tyton, 1672. 8°. T.C.I 479, SALE.

O S3611A   Short prayers for the use of all good Catholics. By Henry Hills, 1688. 18°. HAZ.

O S3627A   A short review, with some remarks upon the union. By W. Marshal, 1698. ROW.

O S3687A   Shower, John. Serious reflections on time. Fourth edition. For R. Cumberland, 1699. 12°. ALL, LOW, WAT.

O S3770B   The siege and taking of Leicester. 1675. 4⁰. GOU.

O S3770C   The siege of Colchester. 1648. HAZ.

O S3770D   The siege of Derry. 1692. 4⁰. HAZ.

O S3806A   The simple cobler's boy. 1648. 4⁰. LOW.

O S3808A   Simpson, Christopher. Art of setting or composing music.
               1655. ALL.

O S3812A   Simpson, Christopher. The division violin. By J. P. and are
               sold by John Playford, 1685. obl. 4⁰. HAZ.

O S3865A   The sinners redemption. John Wright, 1656. ROL, ROX.

O S3881A   Sir John Friend and Sir William Perkin's last farewell.
               For J. Carew, 1696. brs. SALE.

O S3915A   The six merry wives of Canterbury. Fran. Grove, 1656. brs.
               ROL.

O S3939A   The skilfull doctor of Gloucestershire. Fran. Grove, 1656.
               ROL.

O S4000A   A smale garland of pious and godly songs. Printed in Gant,
               1684. 8⁰. HAZ, AUC.

O S4351A   Smith, Zephaniah. The malignant's plot: a sermon. 1648.
               ALL, WAT.

O S4399A   The soap makers petition. [London], printed in the year,
               1650. 4⁰. * HAZ.

O S4400A   Sober advice to mockers. T. Snowden, 1692. brs. SALE.

O S4469A   Some account of the great sea-fight. P. Brooksby, J. Deacon,
               J. Blare and J. Back, 1692. 4⁰. * SALE.

O S4486A   Some considerations humbly offered to the Parliament: being a
               short discourse. J. Prideaux, 1689. fol. * SALE.

O S4537A   Some observations on the tryal of Spencer Cowper. Printed,
               1700. 4⁰. * HAZ.

O S4565A   Some reasons and arguments why the records of . . . forest
               of Waltham. May 9, 1665. 4⁰. * GOU.

O S4604A   Some remarks upon a paper which Sir George Hungerford delivered.
               [London, 1691.] brs. SALE.

O S4705A   Sorocold, Thomas. Supplications of saints. By J. Macock for
               Lodowick Lloyd and Henry Cripps, 1652. 12⁰. SALE.

O S4721A   Entry cancelled.

O S4749A   South, Simon. Discourse of church power. 1685. 8°. ALL, WAT.

O S4793A   Spaher, Michael. A survey of the microcosm. For Joseph Moxon, 1675. fol. T.C.I 204, SALE.

O S4802A   The Spaniards great overthrow. Francis Grove, 1656. brs. ROL.

O S5304B   The state of that part of Yorkshire adjacent to . . . Hatfield chace. York, 1700. GOU.

O S5374A   [Stedman, Fabian.] Companologia, or the art. Third edition. For T. Sawbridge, 1680. 8°. T.C.I 317, SALE.

O S5403A   Stennett, Edward. Rules for reading and learning the Hebrew. 1685. 8°. ALL, WAT.

O S5728A   Stokes, William. The vaulting master. Third edition. Oxon, 1655. 8°. ALL, LOW.

O S5746A   The storming and delivering up the castle of the Devises. 1645. 4°. GOU.

O S5756A   The story of the club men and relief of Taunton. 1645. 4°. GOU.

O S5812A   Strange and bloody news from Fleet Street. colop: By E. Mallet, 1684. brs. HAZ, SALE.

O S5819A   A strange and lamentable account of a bloody barbarous murther . . . William Close. J. Butcher, 1693. brs. SALE.

O S5821A   Strange and marvelous newes. Francis Grove, 1657. brs. ROL.

O S5827A   Strange and terrible news from Chesterfield in Darbyshire. Printed in the year, 1675. 4°. * HAZ.

O S5830A   Strange and terrible news from Oakingham. 1675. 4°. HAZ, LOW.

O S5831A   Strange and terrible news from Shorditch. For D. M., 1674. 4°. * HAZ, LOW.

O S5835A   Strange and true news from the famous city of Worcester. Fran[cis] Grove, 1657. brs. ROL.

O S5838A   A strange and true relation of a young woman possest with the Devill . . . Joyce Dovey. 1647. AUC.

O S5841B   Strange and wonderfull account of the great mischiefs sustained . . . lightning. 1683. 8°. HAZ, LOW.

O S5848A   Strange and wonderful news; being a true account . . . thunder at Ashurst. 1674. 4°. GOU.

O S5849A   Strange and wonderful news from Bicester. 1678. 4°. GOU.

O S5855A   Strange and wonderful news from Durham. 1679. 4°. * SALE.

O S5863A   Strange and wonderful news from London-Derry. For R. Baldwin, 1691. brs. SALE.

O S5867A   Strange and wonderful news from Oundle. 1692. 8°. * HAZ, LOW.

O S5874*   A strange and wonderful relation from Shadwel. For W. Smith, 1674. 4°. * SALE.

O S5881*   Strange but true news from several parts of the Kingdome, of certain sheep-killers. [London] for [Reuben Ruhais?], 1675. 4°. * HAZ.

O S5882A   Strange discovery of the murther of R. Eliot. 1662. 4°. HAZ.

O S5884A   Strange news for England. For W. Thomas, 1659. 4°. * SALE.

O S5884B   Strange news from Arpington. For R. G., 1679. 4°. * GOU, HAZ.

O S5889A   Strange news from East-Barnet. J. Clarke, 1680. 4°. * SALE.

O S5895A   Strange news from Mitcham. 1664. 4°. GOU.

O S5899A   Strange news from Piccadilly. colop: By A. Mallet, 1684. brs. SALE.

O S5905A   Strange news from the deep . . .whale . 1677. 4°. GOU, HAZ, LOW.

O S5913A   Strange news from Wicklow. 1678. 4°. HAZ.

O S5917A   A strange relation of a clap of thunder. 1677. 4°. HAZ.

O S5917B   A strange relation of the man-fish. 1642. 4°. HAZ.

O S5923A   Strange wonders from heaven . . . lightning . . . Norwich. Fran[cis] Grove, 1656. brs. ROL.

O S5940A   Stratton, Richard. A true relation of the cruelties and barbarities of the French. For Richard Baldwin, 1690. 4°. HAZ.

O S5981A   Strode, Thomas. A new & easie method. For J. Taylor, 1698. 4°. T.C.III 39, TAY.

O S6068A   The stubborn wifes warning-piece. Glasgow, by Robert Sanders, 1700. 8°. * HAZ.

O S6077A   Stubbs, Philip. A chrystal glass. For John Wright, John Clark, William Thackeray, and Thomas Passinger, 1683. 4°. * HAZ.

O S6107A   A submissive address and humble petition of the poor decayed Freemen . . . Ludgate. By E. F., 1677. brs. HAZ.

O S6172A   A summarie or short survey of the annalls. John Deaver and Robert Ibbitson, 1646. fol. LOW.

O S6246A   Sweet open the doore. F. C., T. V., W. G., 1658. brs. ROL, ROX.

O S6251A   Swetnam, Joseph. The arraignment of lewd. Printed at London by E. C. for F. Gro., 1654. 4°. HAZ.

O S6252A   Swetnam, Joseph. The arraignment of lewd . . . women. By E. C. for F. Grove, 1662. 4°. ALL, HAZ.

O S6252B   [Swetnam, Joseph.] The arraignment of lewd, idle, froward . . . women. By M. C. for T. Passenger, 1682. 4°. ALL, HAZ.

O S6257A   The swift runner overtaken. Fran. Coles, John Wright, Tho. Vere, and W. Gilbertson, 1656. brs. ROL.

O S6282A   Swinton, John. The case of. Printed in the year, 1689. 4°. * SALE.

O S6374A   Symson, T. A Protestant picture of Jesus Christ. For E. Thomas, 1666. AUC.

T

O T82A   A table of the insurance-office. By Tho. Milbourn, 1685. brs. HAZ.

O T82B   A table of the insurance offices. Printed, 1687. brs. SALE.

O T92A   Tables of interest and rebate. For John Sweeting, 1655. SALE.

O T107A   Take heed in time, or a brief relation. For F. Grove, 1652. 8°. GOU, HAZ, LOW.

O T107B   Take heed of the Shee tyrant. Francis Grove, 1656. brs. ROL.

O T110A   The taking of Leicester. 1645. 4°. GOU.

O T160A   Tapp, John. The seaman's kalendar. By R. and W. Leybourn for G. Hurlock, 1652. AUC.

O T160B   Tap, John. The sea-mans kalender. By Robert and William Leybourn, for George Hurlock, 1654. 4°. AUC.

O T161A   Tapp, John. The seaman's kalender. 1668. TAY.

O T161B   Tapp, John. The sea-man's kalender. By W. G. for Benjamin
                 Hurlock, 1671. 4°. AUC.

O T161C   Tapp, John. The sea-mans kalender. For W. Fisher, R. Boulter,
                 T. Passenger, and R. Smith, 1679. 4°. SALE.

O T370A   Taylor, Jeremy. The rule and exercises of holy dying. By
                 J. L. for Luke Meredith, 1700. 8°. SALE.

O T420A   Taylor, Jeremy. The worthy communicant. By T. N. for J. Martyn,
                 1678. 8°. SALE.

O T468A   Taylor, John. The humble petition of the ancient overseers.
                 1642. 4°. ALL, LOW, AUC.

O T470A   Taylor, John. An intercepted letter. 1645. 4°. ALL, HAZ, LOW.

O T483*   Taylor, John. A merry bill of an uncertaine journey. 1653.
                 ALL, HAZ, LOW.

O T493A   Taylor, John. Of alterations strange. Printed, 1651. 8°.
                 HAZ.

O T512A   Taylor, John. Sir Gregory nonsense. Printed, 1700. 8°.
                 ALL, LOW, AUC.

O T534A   Taylor, John, mathematician. Thesaurium mathematicon, or.
                 By J. H. for W. Freeman, 1692. 8°. SALE.

O T535A   Taylor, John, of York. Spadacrene Anglia, the English Spaw
                 . . . Knavesborough. York, by Tho. Broad, 1649. 4°. *
                 HAZ, LOW, TAY.

O T662A   Temple, Sir William. Observations upon the United Provinces.
                 Fifth edition. Amsterdam, for the widow of Steven Swart,
                 1696. 12°. SALE.

O T764A   A terrible fight between the gardners and seamen. John Alkin,
                 1699. brs. SALE.

O T774A   Terrible thunder clap at Wangford, in Suffolk. For John Jones,
                 1661. 4°. * SALE.

O T795*   The testament of the twelve patriarchs. By E. C. for the
                 Company of Stationers, 1665. 8°. HAZ.

O T799A   The testament of the twelve patriarchs. By M. Clark, for the
                 Company of Stationers, 1684. 8°. HAZ.

O T832A   Thalia rediviva, pass-times and diversions. 1678. 8°. LOW.

O T941A   Thomas à Kempis. The Christian's pattern. By J. Redmayne,
                 1671. 8°. HAZ.

O T944A   Thomas à Kempis. The Christian pattern paraphras'd. For Roger Clavel, 1696. 8°. SALE.

O T957A   Thomas à Kempis. A paraphrase in English on the following of Christ. [London], printed Anno Domini, 1694. 8°. HAZ, LOW.

O T993A   Thomas and Annis. Thomas Jenkins, 1656. brs. ROL.

O T1057A   Thorndike, Thomas. Epithaphium in obitum Roberti Devereux Essexiae Comitis. 1646. brs. HAZ.

O T1079A   Thrasher, William. A new calendar. Geo. Hurlock, senior. 1667. TAY.

O T1082A   Three choice novels. For John Langley, 1694. 8°. SALE.

O T1087A   Three elegies upon the much lamented loss of . . . Queen Mary. By J. Heptinstall, for Henry Playford, 1695. fol. * T.C.II 544.

O T1093A   Three inhuman murthers, committed by one bloody person. 1675. 4°. HAZ.

O T1104B   The three merry wives of London. Fran. Coles, John Wright, Tho. Vere, and William Gilbertson, 1656. brs. ROL.

O T1121A   Three speeches such as the like were never spoken in the city. 1642. 4°. HAZ.

O T1121B   Three strange wonders, or newes upon newes. 1669. 4°. GOU.

O T1148A   Tichborne, Robert. A cluster of Canaan's grapes. By M. Simmons, and are to be sold by Thomas Brewster, 1649. 4°. HAZ.

O T1172A   Tillinghast, John. The fifth kingdome. Livewell Chapman, 1655. LOW.

O T1202A   Tillotson, John. A letter written to my Lord Russel. [London, 18 March, 1690/1.] brs. AUC.

O T1317AB   Tixier, Jean. Epistolae. Excudebat E. T., pro Societate Stationariorum, 1666. 8°. SALE.

O T1340B   To her blacke beard. William Gilbertson, 1656. brs. ROL.

O T1753A   Tobacco is an Indian weed. Printed, 1670. brs. HAZ.

O T1784A   Tom of Bedlam. 1675. brs. ROL.

O T1953A   Touch her browne beard. Fran. Grove, 1656. brs. ROL.

O T1957A   The touchstone or, trial of tobacco. Printed, 1676. 4°. HAZ.

O T1994*   Toy, John. Grammatices Graecae enchiridion. 1650. 8°. GOU.

O T2003B Tracts theological, I. asceticks. <u>Printed</u>, <u>and</u> <u>are</u> <u>to</u> <u>be</u> <u>sold</u>
      by <u>Dan</u> <u>Brown</u> and <u>Rich</u>. <u>Smith</u>, 1697. 8°. SALE.

O T2068A A treacherous and damnable plot of the Irish. <u>Edinburgh</u>,
      1643. 4°. LOW.

O T2085A A treatise against the abating of interest. <u>For</u> <u>John</u> <u>Sweeting</u>,
      1691. 4°. SALE.

O T2085B A treatise against the Turks. 1683. 4°. LOW.

O T2089A A treatise enumerating the most illustrious families. 1686.
      12°. LOW.

O T2179A The tryal of Captain Langston. <u>For</u> <u>William</u> <u>Sanders</u>, 1663. 4°.
      * HAZ.

O T2204A The tryall of Mrs. Mary Carleton. <u>Printed</u> <u>in</u> <u>the</u> <u>year</u>, 1663.
      4°. HAZ.

O T2224A The tryal of Spencer Cowper. <u>E</u>. <u>B</u>., 1699. brs. SALE.

O T2239A The tryall of witt, or merry riddles. <u>Francis</u> <u>Grove</u>, 1659.
      brs. ROL.

O T2249A The tryals of George Wakeman, Barronet. <u>For</u> <u>H</u>. <u>Hills</u>, 1679.
      fol. HAZ.

O T2290A Triumph of love. 1678. 12°. LOW.

O T2293A The triumphant entry of King Charles into London. 1641. 4°.
      LOW.

O T2295A The triumphs of four nations. <u>For</u> <u>W</u>. <u>Thackeray</u>, [1666-7].
      brs. HAZ.

O T2326* A true account of a dreadful fire . . . Nov. 19 . . . at
      Wapping. 1682. fol. * GOU.

O T2349A A true account of the behaviour, confession, and last dying
      speeches of the criminals . . . 8th May, 1693. <u>L</u>. <u>Curtis</u>,
      1693. brs. SALE.

O T2356A A true account of the behaviour of Thomas Randal. <u>E</u>. <u>Malket</u>,
      1695/96. brs. SALE.

O T2362A A true account of the Devil's appearing to Thomas Cox. <u>For</u>
      <u>William</u> <u>Burch</u>, [1684]. brs. HAZ.

O T2389A A true account of the proceedings against Captain Wren. <u>By</u>
      <u>T</u>. <u>Moore</u>, 1659. brs. SALE.

O T2436B A true and exact narrative of the proceedings at the Sessions-
      house . . . 28 Aug., 1678. 1678. 4°. * GOU.

O T2447A   A true and exact relation of the horrid and cruel murther . . .
               Prince Cossuma Albertus. 1661. 4°. * HAZ.

O T2451A   A true and exact relation of the Lord Digbie's flight. For
               John Thomas, and T. Bankes, 1641. 4°. * SALE.

O T2466A   A true and faithful account of all the earthquakes. colop:
               For Richard Baldwin, 1692. brs. SALE.

O T2478A   A true and faithful relation of the late horrible murther . . .
               John Neile. James Cotterill, 1657. brs. ROL.

O T2479AC   A true and full account, of the strange and wonderful discovery
               of a bloody . . . murther. colop: For L. Curtiss, 1684.
               brs. HAZ.

O T2492B   A true and impartial account of the hellish power of witchcraft.
               Exeter, 1700. 8°. HAZ.

O T2543A   A true and perfect relation of a most horrid and bloody
               murtehr [sic]. T. M., 1686. 4°. * SALE.

O T2614A   A true copy of a letter from His Majesty's camp . . . Mecklin.
               Tho. Hodgkin, 1693. brs. SALE.

O T2666A   The true copy of two speeches spoken by two orphans. 1669.
               8°. GOU.

O T2667A   A true declaration of all transactions. By John Bill, 1666.
               fol. HAZ.

O T2672A   The true demands of the rebells in Ireland. 1641. AUC.

O T2693A   The true Egyptian fortune-teller. John Back, 1690. brs. ROL.

O T2699A   The true exact copy of the pastoral letter of the Bishop of
               Angiers. Antwerp, for J. T. in the year, 1668. 4°. * HAZ.

O T2725A   A true list of the knights, citizens, and burgesses of the
               Parliament. By Charles Bill and Thomas Newcomb, 1698. brs.
               HAZ.

O T2755A   The true love's delight. William Gilbertson, 1656. brs. ROL.

O T2766A   A true narrative and relation of His Most Sacred Majesties
               miraculous escape. For G. Colborn, 1660. 4°. * HAZ, LOW.

O T2775A   A true narrative of the apprehension of . . . Thomas Scot.
               1660. 4°. * HAZ.

O T2785A   A true narrative of the discovery of a most horrid plot.
               [London], for J. Clark, [1683]. 4°. * HAZ.

O T2791A   A true narrative of the great and bloody fight. For D. M., 1674.
               4°. * HAZ.

O T2885A   A true relation of a late victory obtained by Major Generall Brown. <u>By</u> <u>Math.</u> <u>Simmons</u> <u>for</u> <u>Henry Overton</u>, 1646. 4°. * HAZ.

O T2888A   A true relation of a most strange and wonderful tempest. <u>For</u> <u>William English</u>, [1680]. brs. SALE.

O T2890A   A true relation of a poor woman in Rosemary Lane. <u>For</u> <u>G. G.</u>, 1680. 4°. * SALE.

O T2897A   A true relation of a young man, who was struck dumb for 24 hours. <u>Milles</u>, 1671. 4°. HAZ.

O T2922A   A true relation of sundry late remarkable passages . . . York <u>For</u> <u>John Turner</u>, [c. 1648]. 4°. * SALE.

O T2929A   A true relation of the arraignment of thirty witches at Chensford. <u>Printed</u> <u>at</u> <u>London</u> <u>by</u> <u>I. H.</u>, [1646]. 4°. * HAZ.

O T2943B   A true relation of the dreadful ghost appearing to one John Dyer. <u>By</u> <u>T. Moore</u>, 1691. 4°. * SALE.

O T2978A   A true relation of the late dreadful fire, in Wapping. colop: <u>By</u> <u>George Croom</u>, 1682. cap., fol. * HAZ.

O T2979A   A true relation of the late fight at Turrington . . . Fairfax. 1645. 4°. GOU.

O T2983A   A true relation of the late great sea fight. <u>By</u> <u>Henry Hills</u>, <u>and</u> <u>by</u> <u>Thomas Brewster</u>, 1653. 4°. * HAZ.

O T2986A   A true relation of the late most horrid and barbarous murder . . . Archbishop of St. Andrews. 1679. 4°. HAZ.

O T2994A   A true relation of the life and conversion of Margaret Martel. <u>E. Whitlock</u>, 1697. brs. SALE.

O T3008A   A true relation of the most observable passages . . . Plymouth. <u>By</u> <u>I. N.</u> <u>for</u> <u>Francis Eglesfield</u>, 1644. 4°. * HAZ.

O T3043A   A true relation of the Scots besiedging Newcastle. <u>By</u> <u>Bernard Alsop</u>, 1644. 4°. * SALE.

O T3062A   The true relation of the tryals at the sessions of Oyer . . . of Elizabeth Wigenton. [<u>London</u>, 1680.] fol. * HAZ, SALE.

O T3098A   The true speeches and confession of Ralph Taylor. <u>By</u> <u>R. Wood</u>, 1662. 4°. * HAZ.

O T3167A   Truth's acrostick, an elegie upon . . . Sir Paul Pindar. 1650. fol. LOW.

O T3201A   Tryon, Thomas. The way to health. <u>By</u> <u>H. C.</u> <u>for</u> <u>D. Newman</u>, 1691. 8°. SALE.

O T3204A   Tryon, Thomas. The way to save wealth. <u>Printed, and are to be sold by</u> G. <u>Conyers</u>, [1696]. 12º. HAZ.

O T3204B   Tryon, Thomas. The way to save wealth. <u>For</u> G. <u>Conyers</u>, 1697. 12º. HAZ, LOW.

O T3208A   Tubbe, Henry. Meditations divine. <u>For Robert Gibbs</u>, 1682. 8º. HAZ.

O T3329B   Turner, Robert. De morbis foeminiis, the women's counsellor. Fifth edition. <u>Sold by</u> J. <u>Salusbury</u>, 1686. 8º. T.C.II 181, ALL, WAT.

O T3388A   Tuttell, Thomas. The description & uses of a new . . . dial. <u>By</u> W. <u>Redmayne for the author, and are to be sold by</u> J. <u>Harris</u>, 1698. 8º. * TAY, SALE.

O T3396A   Twelve general arguments proving that the ceremonies. 1660. 4º. AUC.

O T3434*   The two convicted thieves. <u>For</u> F. <u>Grove</u>, 1641. 12º. * HAZ.

O T3453A   Entry cancelled.

O T3479A   Two letters: the first, being a relation of a sad accident. <u>For</u> L. <u>Chapman</u>, 1665. 4º. * SALE.

O T3501A   Two petitions of the Buckinghamshire men. 1641. 4º. * SALE.

O T3547A   Twysden, John. The semicircle on a sector. 1667. TAY.

O T3558A   [Tyler, Alexander.] Signal dangers and deliverances. [London], <u>printed in the year</u>, 1684. 8º. * HAZ.

O T3591A   Tyrrell, James. The power communicated by God. 1661. 4º. WAT.

U

O U56B   The unfortunate love of a Lancashire gentleman. 1675. brs. ROL, ROX.

O U57A   The unfortunate maids complaint. [London? 1660.] brs. HAZ.

O U86A   The unnatural mother, being a full and true account of one Elizabeth Kennet. <u>I. Gladman</u>, 1697. brs. SALE.

O U230A   Utrum horum, Maris, Accipe, a dialogue between T—— O——. <u>Printed in the year</u>, 1699. 4º. SALE.

O V4A   V., G.   A weeks work.   By E. O. for William Crooke, 1668.   8°. HAZ.

O V7A   V., J.   Golgotha, or a looking-glass for London.   For the author, 1665.   4°.   *   GOU, LOW, AUC.

O V14B   V., W.   The ladies' blush.   By James Cotterel for Robert Robinson, 1670.   4°.   *   T.C.I 118, AUC.

O V16A   A vade mecum for the lovers of musick.   By N. Thompson for John Hudgebut, 1649.   obl.   4°.   *   HAZ.

O V67A   Vane, Sir Henry.   The face of the times.   Mrs. Chapman, 1662. 4°.   LOW, WAT.

O V88A   Vane, Thomas.   Vindication of the Council of Lateran.   Paris, 1641.   8°.   ALL, WAT.

O V92A   [Van Heldoren, J. G.]   A new and easy English grammar. T' Amsterdam, Gedrvkt de Weduwe Mercy Browning, 1675.   8°. SALE.

O V92B   [Van Heldoren, J. G.]   A new and easie English grammar. T'Amsterdam, sold by Dorman Newman, 1676.   8°.   T.C.I 255, HAZ.

O V165A   Vavasoris examen & purgamen; or, Mr. Vavasor Powell's impartiall triall.   For Thomas Brewster and Livewell Chapman, 1656.   4°. HAZ.

O V180A   Velata quaedam revelata; some certain, hidden . . . verities. For Robert Wilson, 1661.   4°.   *   HAZ.

O V235A   Venus and Adonis.   Tho. Creeke, 1656.   brs.   ROL.

O V244A   Vernon, Christopher.   Exchequer opened.   1661.   12°.   ALL, WAT.

O V257A   Versatile ingenium. The wittie companion.   Amsterdam, by Stephen Sevart, 1679.   8°.   HAZ, LOW, SALE.

O V355A   Vienna besieged.   1683.   HAZ.

O V452A   Vincent, Thomas.   Words whereby we may be saved.   For the use of the poor, 1668.   8°.   HAZ.

O V452B   Vincent, W.   Strange and true news from Staffordshire.   1677. 4°.   GOU.

O V457A   Vincit qui patitur, or Lieutenant Colonel John Lylbvrne decyphered.   [London], printed the first of Aprill in the yeare of God, 1653.   4°.   *   HAZ.

O V491A   A vindication of serious questions. <u>For Ralph Smith and Stephen Bowtell</u>, 1646. 4°. HAZ.

O V645A   Vertue and constancy rewarded. <u>Joshua Conyers</u>, 1686. brs. ROL.

O V748A   The voyages and travells of the ambassadors. Second edition. <u>For John Starkey and Thomas Basset</u>, 1669. fol. HAZ.

W

O W20A   W., E. The sayings and death of William Lawd. <u>For Iohn Hancock</u>, 1645. 4°. * HAZ.

O W48A   W., J. A choice manuall, or rare and select secrets. <u>By Gertrude Dawson, and are to be sold by Margaret Shears</u>, 1667. 12°. HAZ.

O W58A   W., J. A letter from Exon. to his friend Mr. T. Wills. <u>H. Hills</u>, 1690. brs. SALE.

O W103B   W., R. A rectified account of time, by a new luni-solar year. [<u>London</u>? 1680.] brs. SALE.

O W211A   Wagstaff, Thomas. The present state of Jacobitism in England. 1700. 8°. WAT.

O W221A   Waite, Joseph. The loss of love. <u>For G. Larkin</u>, [1660]. 8°. LOW.

O W657A   Walton, Brian. A general survey of the value of the London benefices. 1662. 4°. GOU.

O W696A   The wandering Jew. 1656. brs. ROL, ROX.

O W697A   Wandering Jew, telling fortunes to Englishmen. 1649. 4°. HAZ, LOW.

O W704   The wandering whore, a dice rogue. 1663. 4°. HAZ, LOW.

O W718A   The wanton wagtailes farewell to Bartholomew Fayre. <u>Fran. Coles, John Wright, Tho. Vere, and William Gilbertson</u>, 1656. brs. ROL.

O W847AB   Ware, Robert. The conversion of Philip Corwine. <u>Dublin</u>, 1681. 4°. LOW, WAT.

O W856B   W[aring], H[enry]. The rule of charity. <u>For the author</u>, 1696. 8°. SALE.

O W866A   Waring, Robert. The picture of love unveil'd. 1682. 8°. HAZ, LOW.

O W913A   Warner, John. Aeroscopium: or an account of the weather glasses. 1686/7. brs. TAY.

O W915   A warning for all Quakers. Fran[cis] Grove, 5 May, 1656. brs. ROL.

O W918A   A warning for bad wives. For D. M., 1678. 4°. * HAZ.

O W921A   A warning for married women. Francis Grove, 1657. brs. ROL, ROX.

O W923   A warning for prodigal spenders. Francis Grove, 1657. brs. ROL.

O W923A   Warning for servants and a caution to Protestants. For Tho. Parkhurst, and are to be sold by Joseph Collier, 1680. 4°. GOU, AUC.

O W343A   Warning-voice to drunkards. 1683. 4°. LOW.

O W1024A   Wase, Christopher. To His Sacred Majesty, Charles the Second, on his happy return. 1660. fol. * HAZ.

O W1030A   Wasse, William. The loyal Protestant. Richard Head, 1667. 8°. AUC.

O W1094A   Watson, Richard. The royall votarie. Printed at Caen, by Claude & Blane, 1660. 8°. HAZ.

O W1094B   Watson, Richard. The royal votarie laying down sword and shield. [London], for the author, 1660. 8°. HAZ.

O W1193A   The weaver turned informer. Tho. Mills, 1683. brs. ROL.

O W1193B   The weavers and clothiers' complaint against the East-India trade, Part 1. Printed, and are to be sold by A. Baldwin, 1689. brs. HAZ.

O W1319A   The Welch Levite tossed in a blanket. For the assigns of Will. Penn, next door to the Devil, 1691. 4°. AUC.

O W1322A   The Welchman to the Archbishop of York. 1646. 4°. HAZ, LOW.

O W1325A   The Welchman's inventory. For Thomas Lambert, 1641. brs. HAZ.

O W1326A   The Welshman's last good-night. Francis Coles, John Wright, Thomas Vere, and William Gilbertson, 1658. brs. ROL.

O W1331A   The Welchman's petition. 1642. 4°. HAZ, LOW.

O W1344A   The Welch traveller, or the unfortunate Welchman. William Whitwood, 1671. AUC.

O W1347A   The wenches rout in Sodom. Francis Grove, 1657. brs. ROL.

O W1473A   The Westminster wonder. James Reed, 1695. brs. SALE.

O W1486A   Wet and weary. T. C., T. V., W. G., 1651. brs. ROL.

O W1602A   Wheeler, William. A spiritual portion. Printed in the year
            1661. 8º. HAZ.

O W1641A   Whichcot, Benjamin. A compendium of devotion. R. Cumberland,
            1697. 8º. SALE.

O W1641B   Whichcote, Benjamin. Observations and apophthegms. 1688.
            ALL, WAT.

O W1660*   The Whiggs lamentation, for the tap of sedition. [London],
            for J. C. Junior, 1683. brs. SALE.

O W1660B   The Whiggs supplication for the death of . . . the Protestant
            joyner. For William Ring, 1681. brs. HAZ.

O W1761A   White, Mrs. Elizabeth. The experiences of God's gracious
            dealing. 1671. 8º. ALL, WAT.

O W1771A   White, Ignatius. Mr. Ignatius White, his vindication. [London],
            published for the author, [1660]. 4º. * HAZ.

O W1804*   White, Robert. The Papist's banishment. For Tho. Lambert,
            1641. fol. * HAZ.

O W1805B   White, Seth. A sermon preached before the garrison of
            Londonderry. 1690. GOU.

O W1820A   [White, Thomas.] A disputation with Mr. Gunning. 1658. 8º.
            LOW, WAT.

O W2020A   Whiting, Nathaniel. The art of divine improvement. 1662.
            4º. ALL.

O W2054A   The whole duty of a woman. For J. Gwillim, 1695. 12º. SALE.

O W2077A   The wicked life and penitential death of Dorothy Lillingstone.
            1677. 4º. LOW.

O W2094A   Wigen, Eleazer. Practical arithmetick. 1695. WAT.

O W2215A   Wilkins, Richard. A looking-glass for sope patentees. 1646.
            TAY.

O W2307A   Willes, Thomas. A help for the poor. Second edition. For
            Peter Parker, 1666. 8º. HAZ, LOW.

O W2308A   Willes, Th[omas]. Vestibulum linguae Latinae, a dictionarie
            for children. By Richard Cotes, for Philemon Stephens,
            1651. 8º. HAZ.

O W2630A   William Sweet, the valiant seaman, his farewell. Fran. Grove,
1656. brs. ROL.

O W2791A   Williams, William, musician. Six sonatas, in 3 parts. 1700.
fol. ALL, WAT.

O W2808W   [Willis, John.] The art of memory. For Nath. Brooke, 1654.
12°. SALE.

O W2993A   Wing, Vincent. Logistica astronomica, or astronomical
arithmetick. Printed, 1656. fol. HAZ.

O W3150A   Wither, George. A cause allegorically stated. 1657. ALL,
HAZ.

O W3151A   Wither, George. Crums and scraps found. Printed in the year,
1661. 8°. AUC.

O W3184A   Wither, George. The protector, a poem. Second edition. 1656.
8°. HAZ.

O W3195A   Wither, George. A thankful retribution. 1649. ALL, HAZ.

O W3207A   Wither, George. Verses presented to several members of the . . .
Commons. 1648. ALL, HAZ.

O W3210A   Wither, George. Vox vulgi, being a welcome home. 1661. HAZ.

O W3215A   Wits academy. By R. Wood, 1656. 4°. HAZ, LOW.

O W3240A   Witty, pleasant and true discourse of the merry cobler of
Canterbury. Edinburgh, by the Heir of Andrew Anderson,
1681. 12°. * HAZ, LOW.

O W3244A   The woefull downfall of a worthy knight, viz, Sr Thomas Alcocke.
Francis Coles, John Wright, Thomas Vere, and William Gilbertson,
1656. brs. ROL.

O W3272   [Wolley, Hannah.] The accomplished ladies' delight. Sixth
edition. Sold by B. Billingsley, 1686. 12°. T.C.I 173. HAZ.

O W3274A   [Wolley, Hannah.] The compleat servant-maid. Third edition.
For T. Passinger, 1683. 12°. SALE.

O W3281A   [Wolley, Mrs. Hannah.] New and excellent experiments. 1677.
8°. LOW.

O W3326A   Entry cancelled.

O W3332A   The women's sharpe revenge. 1650. 8°. HAZ.

O W3357A   A wonder from heaven, or a relation , . . Epping. Francis
Grove, 1656. brs. ROL.

O W3358*   The wonder of all Christendom . . . miracles wrought by . . .
            Nathan. 1665. 4°. AUC.

O W3358**   The wonder of the world, or . . . a hairy woman. Francis
            Grove, 1656. brs. ROL.

O W3358B   Wonder of wonders, being a relation of a woman of 95 years
            . . . with child. 1671. 4°. HAZ.

O W3361A   Wonderful and strange punishments inflicted on the breakers
            of the Ten Commandments. By James Moxon for Thomas Jenner,
            1650. 4°. * HAZ, LOW.

O W3363B   A wonderful discovery and true account of a barbarous murther
            . . . Stratford. 1675. 4°. HAZ.

O W3373B   Wonderful prophecies relating to the English nation. 1691.
            4°. HAZ.

O W3379A   The wonders of the female world. By J. H. for Thomas Malthus,
            1683. 12°. T.C.II 28, HAZ, SALE.

O W3465A   Woodroffe, Benjamin. Defensio reformationis. Oxon, 1700.
            4°. ALL, LOW, WAT.

O W3474A   [Woods, Thomas.] A letter concerning the coin. 1695. brs.
            SALE.

O W3530A   Woolsey, Thomas. A reasonable treatise of this age. By J. C.
            for Tho. Vail, and are to be sold by J. Briscoe, 1657. 4°.
            * HAZ.

O W3556A   A word of advice to the male-contents. J. Nutt, 1700. brs.
            SALE.

O W3570B   A word to the Fifth-kingdom-men. Printed in the year, 1661.
            4°. SALE.

O W3580A   Worgan, John. A short treatise of the description of the
            sector. 1699. brs. TAY.

O W3589A   The world's anatomy. York, by Stephen Bulkley, 1675. 8°. AUC.

O W3591A   The world's strange amazement. Francis Grove, 1656. brs. ROL.

O W3612A   W[orsley], E[dward]. Anti-Goliath; or, an epistle. 1678. 8°.
            ALL, LOW.

O W3642A   Wortley, R. The only sovereign salve. 1661. 8°. HAZ.

O W3642B   Entry cancelled.

O W3689A   Wright, Edward. The sea-man's tutor. Joseph Moxon, 1659.
            4°. AUC.

O W3689B   Wright, Edward. The seaman's tutor. 1660. TAY.

O W3700A   Wright, John. Mock thyestes. 1674. 12°. HAZ.

O W3784A   Wyvill, Christopher. Christian magistracy, a sermon. For
            B. Aylmer, 1697. 4°. T.C.III 37, WAT.

X

O X8A   Xenophon. Historiarum de Cyri institutione. Ex officina
            Guliel, Redmayne, 1697. 8°. SALE.

Y

O Y49A   The York-shire rogue, or Captain Hind improved . . . William
            Nevison. For R. Baldwin, 1684. 8°. T.C.II 71, HAZ, LOW.

O Y59A   Young, Edward. The compleat English schollar. For Nath.
            Crouch, 1676. 8°. T.C.I 269, SALE.

O Y59B   Young, Edward. Concio ad clerum. For C. Brome, 1687. 12°.
            T.C.II 188, WAT, AUC.

O Y117A   The young man's farewell to a false hearted lasse. Francis
            Grove, 1657. brs. ROL.

O Y119A   The young man's joy and maid's delay. 1675. brs. ROL.

O Y119B   The young man's joy and the maiden's fancy. Francis Grove,
            1656. brs. ROL.

O Y149A   [Younge, Richard.] The cure of prejvdice. By I. B. and are
            to be sold by James Crump, 1641. 8°.